SEULS AU MONDE

EMMY LAYBOURNE

SEULS AU MONDE

Traduit de l'anglais (États-Unis)
par Christophe Rosson

hachette

L'édition originale de cet ouvrage
a paru chez Feiwel and Friends Book, an imprint of Macmillan,
sous le titre :

MONUMENT 14

Traduit de l'anglais (États-Unis)
par Christophe Rosson

© Hachette Livre, 2013 pour la présente édition.
Hachette Livre, 43, quai de Grenelle, 75015 Paris.

À MON FRÈRE

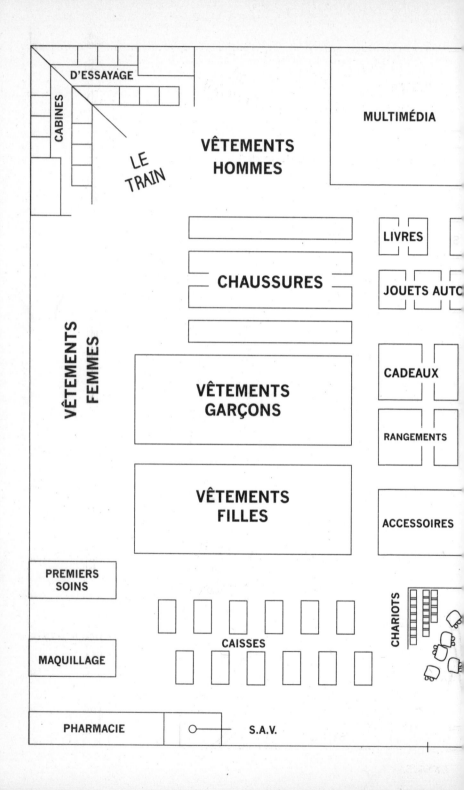

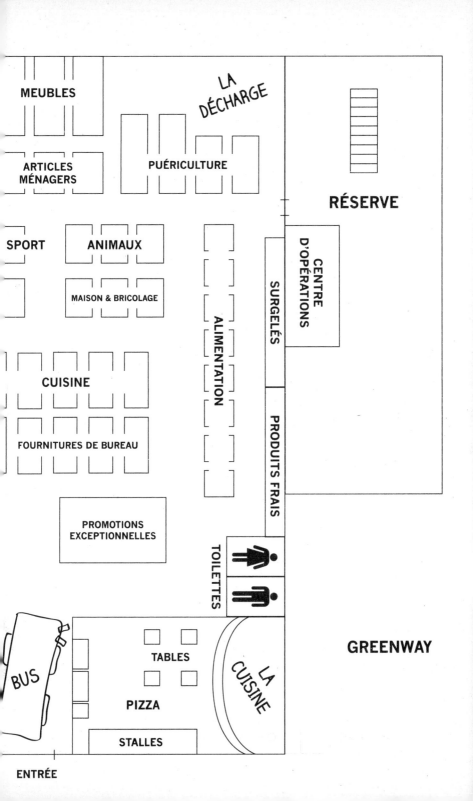

CHAPITRE UN

TIC, TIC, TIC

TA MÈRE TE CRIE QUE TU VAS LOUPER TON BUS. Elle le voit au bout de la rue. Tu ne prends ni le temps de la serrer dans tes bras ni celui de lui dire que tu l'aimes. Tu ne la remercies pas de sa bonté, de sa gentillesse ou de sa patience. Forcément… Tu dévales l'escalier et tu sprintes jusqu'à l'arrêt de bus.

Sauf que, si tu avais su que tu voyais ta mère pour la toute dernière fois, tu aurais pris le temps. Tu regretterais de ne pas avoir raté le bus.

Là, le mien arrivait, alors j'ai sprinté.

Je fonçais dans notre allée quand j'ai entendu ma mère appeler mon frère, Alex. Son bus s'engageait dans Wagon Trail Drive juste après le mien. Il arrivait pile à 7 h 09. Le mien était prévu à 6 h 57, mais il avait presque tout le temps du retard, comme si le conducteur trouvait lui aussi injuste de passer me prendre avant 7 heures.

Alex a déboulé derrière moi et le bruit de nos pas a résonné en cadence sur le trottoir.

— N'oublie pas, m'a-t-il lancé. On passe à l'Armée du Salut après les cours.

— Ouais, sûr.

JOUR 1

Le conducteur de mon bus a klaxonné.

Des fois, après les cours, Alex et moi on allait chercher des vieux bidules électroniques à récupérer. On prenait la voiture, je conduisais, c'était avant la pénurie d'essence. Depuis, on y allait à vélo.

J'emmenais Alex à l'école, aussi. Mais avec la pénurie d'essence, tout le monde, y compris les terminales, prenait le bus. C'était la loi, en fait.

J'ai sauté dans le bus.

Dans mon dos, j'entendais la voix sarcastique de Mme Wooly, la conductrice du bus primaire/collège depuis, genre, toujours, qui remerciait Alex de leur faire l'honneur de sa présence.

Mme Wooly était une véritable institution, dans notre ville – cheveux rêches grisonnants, elle sentait le cendrier et savait se faire respecter. Une célébrité, cent pour cent dévouée à son métier, chose qu'on ne peut pas dire de tout le monde.

Et puis il y avait le conducteur de *mon* bus, le bus du lycée. M. Reed, une espèce d'obèse tout ce qu'il y a de plus inintéressant. La seule chose pour laquelle il était célèbre, c'est que, le matin, il buvait son café dans un vieux pot de confiture.

On n'était encore qu'au début du trajet, mais Jake Simonsen – superstar du football américain et champion incontesté des tests de popularité – était déjà entouré de sa cour, à l'arrière du véhicule. Jake venait du Texas, il était inscrit dans notre lycée depuis un an. Déjà dans son ancien bahut, c'était un crack sur le terrain (et on sait que le foot est le sport roi au Texas), et en venant chez nous il n'avait rien perdu de sa stature, bien au contraire.

— Je vais vous dire, expliquait-il, à mon ancien lycée, il y avait des filles qui vendaient des boissons, des cookies et des patates au gril qu'elles faisaient cuire elles-mêmes. À tous les matchs, elles avaient leur stand. Elles devaient se faire un million de dollars.

— Un million de dollars ? s'est étouffée Astrid.

Astrid Heyman, championne de plongeon, déesse hautaine, mon rêve à moi.

— Même si ça devait me rapporter un million de dollars, je ne laisserais pas tomber mon sport pour aller encourager les footeux, a-t-elle annoncé.

Son plus beau sourire aux lèvres, Jake a précisé :

— Elles n'étaient pas là pour nous encourager, mais pour faire des affaires !

Astrid lui a donné un coup de poing au bras.

— Aïe ! a-t-il grogné en souriant. Dis donc, t'es musclée, toi. Tu devrais faire de la boxe.

— J'ai quatre frères et je suis leur aînée. T'inquiète, la boxe, j'en fais déjà.

Je me suis enfoncé sur mon siège, essayant de reprendre mon souffle. Les dossiers verts en similicuir étaient si hauts qu'en se recroquevillant on pouvait pratiquement disparaître derrière.

Je me suis ratatiné. J'espérais que personne ne m'avait vu sprinter pour attraper le bus. Astrid ne m'avait carrément pas vu monter à bord, ce qui était à la fois positif et négatif.

Assises derrière moi, Josie Miller et Trish Greenstein préparaient une espèce de manif pour les droits des animaux. Elles faisaient un peu activistes hippies. Je ne savais pas grand-chose d'elles, mis à part qu'une fois, en sixième, je m'étais porté volontaire pour les accompagner au porte-à-porte. On soutenait la candidature de Cory Booker à la

JOUR 1

présidentielle. On s'était bien amusés, mais là, maintenant, on ne se disait même plus bonjour.

Allez savoir pourquoi. C'est l'« effet lycée ».

La seule personne à avoir remarqué mon arrivée, c'est Niko Mills. Il s'est penché en montrant une de mes chaussures – genre « je suis trop cool pour ne serait-ce que parler ». J'ai regardé, et tu m'étonnes que j'avais un lacet de défait. Je l'ai renoué. Ai dit merci. Puis j'ai aussitôt mis mes écouteurs et me suis concentré sur ma mini-tablette. Je n'avais rien à dire à Niko et, à la façon qu'il avait eue de juste pointer ma chaussure du doigt, lui non plus.

Niko, j'avais entendu dire qu'il vivait dans une cabane avec son grand-père, quelque part dans les contreforts près du mont Herman, ils chassaient pour manger, n'avaient pas l'électricité et se servaient de champignons sauvages comme papier-toilette. Ce genre de trucs. Son surnom, à Niko, c'était « Grand Chasseur Courageux », et ça lui allait bien, entre sa façon de se tenir droit, son corps maigre et nerveux, et son look peau-mate-cheveux-châtains-yeux-marron. Il dégageait cette espèce de fierté rigide qu'ont tous ceux à qui personne n'adresse la parole.

Bref, j'ai ignoré Grand Chasseur Courageux et j'ai essayé de mettre en marche ma mini-tablette. Elle était à plat, chose d'autant plus bizarre que je l'avais rechargée avant de partir de la maison.

C'est là que les *tic, tic, tic* ont commencé. J'ai retiré mes écouteurs pour mieux entendre. Ça faisait comme de la pluie, mais en plus métallique.

Ensuite, les *tics* sont devenus des TICS, puis ces TICS ont été couverts par le « Putain, Seigneur ! » qu'a lancé M. Reed. Et là, des coups sont apparus dans le toit en tôle du bus – BAM,

BAM, BAM – en même temps que le pare-brise se fissurait. À chaque BAM, le pare-brise changeait d'aspect, il blanchissait un peu plus à mesure que les lézardes se répandaient.

J'ai regardé par la vitre.

Des grêlons de toutes les tailles canardaient la rue.

Les voitures faisaient des embardées. M. Reed, jamais franchement délicat avec ses pieds, a soudain écrasé l'accélérateur au lieu de freiner, contrairement à ce que tentaient de faire tous les autres conducteurs.

Notre bus a traversé un croisement en ligne droite et a foncé dans le parking du supermarché Greenway. L'endroit était pour ainsi dire désert, vu qu'il devait être environ 7 h 15.

Je me suis tourné vers le fond du véhicule, là où se trouvait Astrid, tout se déroulait à la fois au ralenti et en accéléré : notre bus dérapait sur la glace et se mettait à tournoyer. Ça allait de plus en plus vite, j'étais sur le point de vomir. J'ai eu le dos collé à la vitre, comme dans une attraction de fête foraine, l'espace de peut-être trois secondes, et puis on a heurté un lampadaire dans un grand bruit métallique strident.

Je me suis cramponné au dossier du siège devant moi, mais je me suis aussitôt retrouvé projeté en l'air. D'autres jeunes ont suivi le mouvement. Il n'y a pas eu le moindre cri, juste des grognements et des chocs.

J'avais été projeté de côté mais, allez savoir comment, c'est le toit du bus que j'ai heurté. J'ai ensuite compris que notre bus s'était couché sur un flanc. Il continuait de glisser dans un hurlement métallique. Puis il s'est arrêté.

La grêle, qui n'avait pu que déformer la tôle du toit, s'est alors mise à nous bombarder à l'intérieur.

JOUR 1

Elle s'engouffrait par les vitres brisées au-dessus de nous. J'avais des camarades de classe qui se prenaient des grêlons et des éclats de verre dans tous les sens.

Moi, j'ai eu de la chance. Un siège s'était décroché près de moi et j'ai pu l'approcher pour me protéger.

Les morceaux de glace étaient de toutes tailles. Certains pas plus gros que des billes, d'autres carrément maousses avec des bouts gris et du gravier dedans.

Ça hurlait, ça criait, tout le monde cherchait à se dégager de sous un siège branlant, ou à se relever, coincés contre le toit – qui se trouvait être à présent une cloison.

On se serait cru dans une tornade de cailloux et de grêlons qui s'abattaient non-stop. J'avais l'impression que quelqu'un tabassait à la batte de base-ball le siège sous lequel je me protégeais.

J'ai penché la tête pour regarder à travers ce qui restait du pare-brise. Dans la blancheur de la grêle, j'ai reconnu le bus primaire/collège, celui d'Alex, qui visiblement roulait toujours. Mme Wooly n'avait ni dérapé ni perdu le contrôle, contrairement à M. Reed.

Ce bus traversait le parking, droit vers l'entrée principale du Greenway.

Mme Wooly va rentrer dans le supermarché, je me disais. Je savais qu'elle protégerait ses petits de la grêle. J'avais raison. Elle a foncé droit dans les portes vitrées du Greenway.

Alex est en sécurité, je me disais. Bien.

C'est là que j'ai entendu ce gémissement triste. Je me suis penché pour contourner le siège du conducteur. L'avant du bus était enfoncé, là où il avait percuté le lampadaire.

Le gémissement venait de M. Reed. Il était coincé derrière son volant, du sang coulait de sa tête comme du lait d'un carton. Il s'est vite arrêté de gémir. Moi, j'avais d'autres choses à penser.

J'ai regardé la portière du bus, à présent collée à la chaussée. *Comment allons-nous sortir ?* je me demandais. On ne pourra pas sortir. Le pare-brise était tout ratatiné contre le capot.

Un truc pas possible. Nous étions pris au piège, dans un bus à moitié défoncé et couché sur un flanc.

Josie Miller beuglait comme une malade. D'instinct, les autres s'étaient mis à l'abri de la grêle, mais Josie, elle, elle restait juste assise à pleurnicher sous les grêlons.

Elle avait du sang sur elle, mais je me suis rendu compte que ça n'était pas le sien, vu qu'elle essayait de retirer le bras de quelqu'un d'entre deux sièges enchevêtrés, et ça m'a rappelé que Trish était installée à côté d'elle avant l'accident. Le bras en question était tout mou, genre spaghetti trop cuit, si bien que Josie n'arrivait pas à le tenir. Trish était morte, c'était clair, mais Josie ne semblait pas capter.

À l'abri sous un siège retourné, ce connard de Brayden – qui passe son temps à frimer parce que son père bosse au commandement de la Défense aérospatiale de l'Amérique du Nord – avait sorti sa mini-tablette et cherchait à filmer Josie qui se débattait en chialant.

Un méga-grêlon a alors heurté Josie, et une énorme balafre rose s'est ouverte sur son front marron. Du sang lui dégoulinait déjà sur la figure.

Je savais que la grêle allait la tuer si elle restait comme ça à découvert.

— Purée, faisait Brayden en regardant sa mini-tablette. Tu vas t'allumer, oui ?

Je savais que je devais bouger. Aider Josie. Bouger. Aider. Mais mon corps n'obéissait plus à ma conscience.

JOUR 1

Là-dessus, Niko a attrapé Josie par les jambes et l'a attirée sous un siège arraché. Juste comme ça. Il l'a tirée à lui par les jambes et l'a serrée fort. Elle, elle sanglotait toujours. On aurait dit un couple dans un film d'horreur.

L'intervention de Niko avait comme rompu un sort. Tout le monde voulait sortir du bus, et Astrid se dirigeait vers l'avant en rampant. Là, elle s'est mise à donner des coups de pied dans le pare-brise. Me voyant par terre, sous mon fauteuil, elle a crié : « Aide-moi ! »

Je bloquais sur sa bouche. Et l'anneau qu'elle avait au nez. Et ses lèvres qui bougeaient pour former des mots. J'avais envie de répondre : « Non. On ne peut pas sortir. Il faut rester à l'abri. » Mais je n'arrivais pas à parler.

Elle s'est relevée et a crié en direction de Jake et de ses potes : « Nous devons aller dans le Greenway ! »

J'ai fini par lancer, d'une voix de corbeau : « On peut pas sortir ! La grêle va nous tuer. » Mais Astrid avait déjà regagné l'arrière du bus.

— La sortie de secours ! a gueulé quelqu'un.

Au niveau des dernières rangées, Jake était déjà en train de tirer sur la porte, sans réussir à l'ouvrir. Il y a eu quelques minutes de folie ; je ne sais pas exactement combien. Je commençais à me sentir tout drôle. Comme si ma tête était un ballon accroché à une longue ficelle et qu'elle flottait au-dessus de tout ça.

C'est là que j'ai entendu un bruit bizarre. Le *bip, bip, bip* d'un bus scolaire qui recule. C'était hallucinant, au milieu de la grêle et des cris.

Bip, bip, bip, comme si on était sur le parking du lycée, en partance pour une sortie à Mesa Verde, et que le bus faisait une manœuvre.

Bip, bip, bip, comme si tout était normal.

J'ai regardé dehors, Mme Wooly était bel et bien en train de reculer son bus vers le nôtre. Il penchait pas mal sur la droite, et je voyais l'endroit où il avait percuté les portes du supermarché. Mais il approchait.

De la fumée noire est soudain sortie du trou à travers lequel je regardais. Ça m'a fait tousser. L'air était épais. Graisseux. J'avais les poumons comme en feu.

Je ferais mieux de dormir – voilà la pensée que j'ai eue alors. Une pensée puissante et qui me semblait tout à fait logique : je ferais mieux de dormir.

Les cris des autres ont redoublé : « Le bus a pris feu ! », « Ça va péter ! » et : « On va mourir ! »

Moi, je me disais, ils ont raison. Oui, on va mourir. Mais bon. Ça va. Les choses sont ce qu'elles doivent être. Nous allons mourir.

Là, j'ai entendu ce bruit métallique. Métal contre métal.

Puis : « Elle essaie d'ouvrir la portière ! »

Et : « Aidez-nous ! »

J'ai fermé les yeux. J'avais l'impression de m'enfoncer lentement sous l'eau. La chaleur agréable de quand on s'endort. Le bonheur.

Au même instant, j'ai eu cette lumière criarde devant moi. J'ai vu comment Mme Wooly s'y était prise pour ouvrir l'issue de secours. Dans ses mains, elle tenait une hache.

Je l'ai entendue crier :

— Tout le monde dans mon bus !

CHAPITRE DEUX

COUVERTURES DE SURVIE

J'ÉTAIS TOUT ENDORMI. Je voyais les autres se diriger comme ils pouvaient vers Mme Wooly. Elle les aidait à se mettre à quatre pattes pour se faufiler par l'issue de secours, ouverte en biais.

Ça criait pas mal, on se bousculait sur les sièges défoncés, tout le monde dérapait sur la grêle amoncelée par terre, et aussi à cause du sang versé par les blessés et M. Reed, peut-être même de l'huile de moteur ou de l'essence, si ça se trouve… Mais bon, je somnolais dans une douce chaleur.

J'étais à l'avant, par terre, et la fumée noire m'enveloppait la tête de ses volutes pleines de cendres. Comme les tentacules d'une pieuvre.

Niko remontait l'allée centrale pour s'assurer qu'il ne restait personne. Vu que j'étais presque entièrement caché sous un siège, il ne m'a repéré qu'au moment de faire demi-tour.

J'avais envie de lui dire que j'allais rester là, tranquille. J'étais heureux et peinard, et puis c'était l'heure de dormir. Mais trouver les mots, les faire remonter dans ma gorge et sortir par mes lèvres demandait un tel effort… J'étais trop au fond du lac, là.

Niko m'a attrapé par les bras et s'est mis à tirer.

JOUR 1

— Aide-moi ! criait-il. Pousse avec tes jambes.

J'essayais de les bouger. C'étaient deux grosses planches. J'avais l'impression de me traîner des pattes d'éléphant. Ou qu'on m'avait greffé un sac de plomb sous la taille.

Niko haletait maintenant, la fumée se faisait plus épaisse. D'une main, il m'a agrippé les cheveux, et de l'autre il m'a collé une baffe.

— Pousse avec tes jambes ou tu vas crever !

Il m'avait giflé ! Je n'en revenais pas. J'avais déjà vu des vidéos de mecs à qui ça arrivait, mais de le vivre en vrai ça fait un choc.

Bref, ça a marché. Je suis sorti de ma somnolence. Je suis remonté à la surface. J'étais réveillé.

Je me suis dégagé de sous le fauteuil et me suis relevé comme j'ai pu. Niko m'a plus ou moins traîné sur les grêlons le long de l'allée – en guise d'allée centrale, c'était en fait l'espace au-dessus des sièges (je vous rappelle que le bus était couché sur le flanc).

La grêle tombait toujours. On aurait dit qu'elle suivait comme un cycle : petits grêlons, petits grêlons et ensuite une série de gros boulets. Minus, minus, mastoc.

J'ai vu Niko s'en prendre un gros dans l'épaule, mais il n'a pas bronché.

Mme Wooly avait collé la portière avant de son bus à l'arrière du nôtre. Niko m'a fait passer par l'issue de secours. Mme Wooly m'a récupéré et m'a guidé sur les marches de son bus.

Jake Simonsen m'a ensuite empoigné par un bras et conduit à un siège. Là, j'ai eu un vertige, des étincelles plein les yeux et, avant que j'aie pu comprendre, je me suis retrouvé à vomir sur Jake Simonsen. Star du foot. Roi des bogosses.

Et mon vomi, je vous jure, il était noir comme du goudron. Bouillie d'avoine et goudron.

— Désolé, me suis-je excusé en m'essuyant la bouche.

— Pas grave, a-t-il répondu. Assieds-toi.

Le bus de Mme Wooly était en bien meilleur état que le nôtre. Le toit était tout martelé par les grêlons. Le pare-brise semblait pratiquement opaque, vu toutes les fissures qui le zébraient, et la plupart des vitres arrière étaient fracassées ; mais, comparé à notre bus, on se serait cru dans Air Force One.

Josie était pelotonnée à côté d'une vitre. Astrid tentait de stopper le sang qui lui coulait de la tête. Brayden avait tiré sa tablette de son sac et essayait de l'allumer.

Niko s'est mis à tousser et à cracher des glaires sur le premier siège.

Voilà le tableau.

Avant l'accident, on devait être une quinzaine de gosses dans le bus. Il ne restait maintenant plus que Jake, Brayden, Niko, Astrid, Josie et moi.

Mme Wooly a alors redémarré et s'est dirigée vers le Greenway.

La grêle se transformait. Elle se changeait en une pluie lourde et glacée. Cette pluie dégageait un tel calme que je le ressentais dans mes os. Un *whoosh* régulier et lourd.

Il paraît que, quand on a été exposé à un bruit très fort, genre un concert de rock, on a les oreilles qui bourdonnent. Là, ça me faisait *GONGONGONGONGONG* en continu. Ce calme était aussi douloureux que la grêle.

Je me suis mis à tousser. Une espèce de mix entre la toux et les vomissements. Je recrachais des glaires noir, gris et marron. J'avais le nez qui coulait. Les yeux qui

JOUR 1

pleuraient. Je comprenais que mon corps essayait d'expulser la fumée.

Tout à coup, tout est devenu à la fois orange et super brillant. Les vitres et leurs minces contours ressortaient, une silhouette dans les flammes, et puis… BOUM, notre ancien bus a explosé.

En une poignée de secondes, il s'est fait bouffer par le feu.

— Eh ben, ça a été juste, a estimé Jake.

Je me suis marré. Je trouvais ça drôle.

Niko me dévisageait comme si j'avais perdu la boule.

Brayden s'est relevé et a pointé du doigt l'épave en flammes qu'était à présent notre bus.

— Méga-procès en vue, les mecs, a-t-il annoncé. Moi, je vous le dis.

— Assieds-toi, Brayden, a fait Jake.

En l'ignorant, Brayden a compté combien on était.

— Nous six contre le ministère de l'Éducation ! a-t-il continué. Là où mon père travaille, ils ont des plans pour ce genre de situations. Des plans d'urgence. Là, il aurait dû y en avoir un. On aurait dû faire des exercices !

J'ai détourné le regard. Brayden avait manifestement un peu perdu les pédales, mais je ne pouvais pas lui en vouloir. Il avait bien le droit de débloquer.

Le bus a atteint le supermarché. Je pensais que Mme Wooly allait s'arrêter à la porte, mais non : comme précédemment, elle n'a freiné qu'une fois à l'intérieur du Greenway.

C'était surréaliste.

Vu qu'il n'y avait pas un employé dans les parages, je me suis dit qu'ils n'étaient pas encore arrivés au boulot.

Les petits de primaire et du collège étaient regroupés dans la pizzeria.

J'ai repéré Alex par la vitre, et il s'est approché, plissant les yeux pour essayer de me voir. Le bus s'est immobilisé sur le lino luisant. Mme Wooly est descendue, puis Niko et enfin moi. Je me suis dirigé comme j'ai pu vers mon frère (mes jambes n'étaient pas encore bien remises) et je l'ai serré très fort contre moi. J'étais couvert de cendres et de vomi, mais je m'en fichais.

Alex, lui, était plutôt propre avant que je me colle à lui. Les autres petits aussi. Les plus jeunes étaient terrifiés, forcément, mais Mme Wooly les avait tous mis en sécurité rapidement.

Il faut peut-être que j'explique tout de suite que l'école primaire et le collège de Monument se trouvaient côte à côte, si bien que dans certains quartiers, comme le nôtre, le ramassage scolaire était commun aux deux établissements. D'où le fait qu'on trouvait des élèves de quatrième et des petits de maternelle dans le bus de Mme Wooly.

Mais tous autant qu'ils étaient, ils avaient l'air d'aller bien.

Pas comme nous. Nous, on aurait dit qu'on venait de vivre la guerre.

Mme Wooly a alors commencé à beugler des ordres.

Elle a envoyé une gamine de quatrième, Sahalia, et deux ou trois autres mioches au rayon pharmacie, pour récupérer des bandages, des crèmes de premiers secours, ce genre de trucs. À deux autres petits, elle a dit d'aller remplir un chariot de bouteilles d'eau, de Gatorade et de cookies.

Niko a décidé de nous trouver des couvertures de survie pour éviter l'effet de choc. Il avait dit ça en regardant Josie, et j'ai compris pourquoi.

Josie avait l'air salement mal en point. Écroulée sur les marches du bus, elle fredonnait une espèce de mélopée en se balançant d'avant en arrière. Son front saignait moins fort,

JOUR 1

mais elle avait d'épaisses croûtes de sang dans les cheveux et sur la figure. Elle faisait carrément peur à voir.

Tous les autres petits bloquaient devant elle – du coup, Mme Wooly les a envoyés aider Sahalia. Puis elle s'est tournée vers Astrid.

— Aide-moi à la transporter dans la pizzeria, lui a-t-elle dit.

À elles deux, elles ont remis Josie sur pied et l'ont conduite à une table.

Alex et moi, on est allés s'asseoir à une autre. Brayden, Jake et compagnie se sont aussi trouvé des places.

On s'est tous mis à discuter. À répéter, plus ou moins, j'en reviens pas de ce qui s'est passé, j'en reviens pas de ce qui s'est passé, j'en reviens pas de ce qui s'est passé.

Mon frère n'arrêtait pas de me demander : « Tu vas bien, t'es sûr, Dean ? » Et moi je lui répondais chaque fois oui.

Mais mes oreilles me jouaient encore des tours. J'entendais une espèce de martèlement métallique régulier, en plus du *boum, boum, boum* de la grêle que je ressentais toujours dans mes os.

Sahalia et les petits sont revenus avec un chariot bourré de médicaments et de trucs de premiers secours.

Mme Wooly nous a alors examinés un par un, et nous a donné ce qui devait selon elle nous être utile.

Josie accaparait presque toute son attention. Mme Wooly regardait sa plaie béante au front d'un œil inquiet.

Le teint chocolat de Josie donnait à la blessure un aspect encore plus alarmant. Le rouge du sang ressortait plus, d'une certaine manière.

— Il faudrait te mettre des points, ma belle, lui a-t-elle annoncé.

Josie restait là, le regard braqué droit devant elle, à se balancer d'avant en arrière.

Mme Wooly lui a nettoyé sa plaie avec de l'eau oxygénée. Ça a fait des bulles roses, puis de la mousse qui a coulé sur la tempe de Josie et dans son cou.

Mme Wooly a tamponné la plaie avec une gaze, puis y a appliqué une crème. Ensuite, elle a fait un bandage de gaze autour de la tête de Josie. Elle avait peut-être été infirmière dans sa jeunesse. Je n'y connais rien, mais ça ressemblait à du travail de pro.

C'est là que Niko est revenu avec plusieurs de ces couvertures de survie pour randonneurs. Il en a passé une autour de Josie et m'en a offert une.

— Je ne suis pas en état de choc, ai-je répondu.

Il restait là à me regarder calmement, me tendant toujours une couverture.

Bon, c'est vrai que je tremblotais. Et je me suis rendu compte que ce bruit bizarre que j'entendais tout le temps, c'étaient peut-être mes dents qui claquaient.

J'ai pris la couverture.

Mme Wooly est venue vers moi. Elle avait pris des lingettes et m'a nettoyé la figure et le cou, puis m'a tâté le crâne.

Vous voyez le truc ? Laisser une conductrice de bus scolaire vous faire la toilette et vous inspecter le crâne ? On marchait sur la tête. Sauf que tout avait changé, et que personne ne charriait personne.

Des gens étaient morts – nous, on avait failli mourir.

Personne ne charriait personne.

Mme Wooly m'a donné trois Advil et du sirop pour la toux. Elle m'a aussi remis une bonbonne d'eau minérale en m'ordonnant de la boire entièrement.

JOUR 1

— Tes jambes, ça va ? a-t-elle aussi voulu savoir. Tu avais l'air de marcher bizarrement, tout à l'heure.

Je me suis levé. J'avais mal à une cheville, mais, à part ça, ça allait.

— Ça va, ai-je confirmé.

— Je vais nous chercher des habits, a suggéré Niko. Qu'on puisse se changer et se faire propres.

— Tu t'assois, lui a ordonné Mme Wooly.

Il s'est affalé tout doucement sur une banquette ; il toussait et crachait des glaires noires.

Mme Wooly l'a examiné, lui a nettoyé la figure et le cou comme à nous autres.

— Je dirai à ton proviseur comment tu t'es comporté aujourd'hui, lui a-t-elle dit gentiment. En vrai héros, fiston.

Niko a rougi. Il a voulu se lever.

Mme Wooly lui a fourré une bouteille de Gatorade dans les mains, avec des Advil et un flacon de sirop pour la toux.

— Tu restes assis, lui a-t-elle ordonné.

Niko a hoché la tête ; il a encore craché des glaires.

Jake tapotait non-stop l'écran de sa mini-tablette.

— Hé, madame Wooly, j'ai pas de signal. La batterie a l'air vide, pourtant je sais qu'elle est rechargée.

Les uns après les autres, tout le monde ou presque a sorti sa mini-tablette et a tenté de l'allumer.

— Le Réseau doit être en panne, a estimé Mme Wooly. Continuez d'essayer. Ça va revenir.

Alex a sorti sa mini-tablette. Écran noir. Il s'est mis à pleurer. Avec le recul, c'est marrant. Il ne pleurait pas pendant l'orage, il n'a pas pleuré en voyant dans quel état j'étais, ni en apprenant que des jeunes étaient morts dans mon bus

– il s'est mis à pleurer quand il a compris que le Réseau était en panne.

Jamais, pas une seule fois, ça n'était arrivé.

On avait tous vu des centaines de pubs censées rassurer tout le monde, comme quoi le Réseau américain était infaillible. Et nous étions bien obligés de le croire, vu que tous nos documents – photos, films, e-mails, tout le toutim – étaient stockés dans d'énormes serveurs « dans le ciel ».

Sans Réseau, plus d'ordis. Écran noir sur toutes les mini-tablettes. Ces bidules ne représentaient plus qu'une quinzaine de dollars de plastoc et de métal. Que dalle.

Pourtant, il était censé exister des milliers de systèmes auxiliaires qui devaient protéger le Réseau des catastrophes naturelles, des guerres nucléaires, de tout et n'importe quoi.

— Oh, bordel ! commençait à râler Brayden. Si le Réseau est en panne, qui va venir nous chercher ? Ils ne sauront même pas où on est !

Jake a fait de son mieux pour le calmer, de sa voix grave et rassurante. Comme quoi tout allait bien se passer.

Mais à ce moment précis, Alex s'est levé de sa banquette et s'est plus ou moins mis à crier : « Le Réseau peut pas tomber en panne ! Ça se peut pas. Vous savez même pas les conséquences ! »

Par chez nous, Alex était connu pour être calé en ordis et machines. Des gens qu'on connaissait à peine passaient nous apporter des tablettes défectueuses pour voir s'il pouvait les déboguer. Le jour où je suis entré en seconde, mon prof de littérature m'a pris à part et m'a demandé si j'étais bien le frère d'Alex Grieder et si je pensais qu'il pouvait jeter un œil à son GPS.

JOUR 1

Du coup, si l'un d'entre nous devait être au courant des conséquences d'une panne du Réseau, c'était Alex.

Mme Wooly l'a saisi par les épaules.

— Grieder junior, lui a-t-elle dit, va donc chercher des habits pour Grieder senior.

Par Grieder senior, c'est bien sûr moi qu'elle désignait.

— Mais vous comprenez pas, gémissait Alex.

— Va chercher des habits pour ton frère. Et pour les deux autres grands. Prends un chariot. Exécution. (Se tournant vers Sahalia, elle lui a ordonné :) Tu l'accompagnes et tu récupères des affaires pour les filles.

— Je connais pas leurs tailles, a protesté Sahalia.

— Je viens avec toi, a décidé Astrid.

Mme Wooly a ouvert la bouche pour lui dire de s'asseoir, mais elle s'est ravisée. C'est que, vous voyez, Mme Wooly, elle connaissait bien les enfants. Elle savait qu'il était inutile de vouloir donner des ordres à Astrid.

Du coup, Astrid, Alex et Sahalia sont partis ensemble.

Moi, je buvais mon eau.

Je faisais des efforts monstres pour ne plus vomir.

Deux ou trois petits tripotaient leurs mini-tablettes. Ils appuyaient sur l'écran et inclinaient la tête de côté. Et ils poireautaient, poireautaient.

Ils ne pigeaient rien à ce qui se passait.

Ça me faisait drôle, de me changer avec Brayden et Jake dans les W.-C. C'étaient pas des mecs avec qui j'étais pote. Jake était en terminale. Brayden en première, comme moi. Sauf qu'ils faisaient partie de l'équipe de foot, et qu'ils avaient la carrure pour. Tout le contraire de moi.

Jake m'avait toujours ignoré, mais sans méchanceté, tandis que Brayden se comportait avec moi comme une vraie ordure.

L'espace de quelques secondes, j'ai eu envie d'aller me changer dans une cabine. Brayden m'a vu hésiter.

— T'inquiète, Geraldine, m'a-t-il lancé. On regardera pas, si t'es timide.

Mon prénom, c'est Dean... donc Geral*dine*... Vous voyez ?

Il me surnommait comme ça depuis le primaire.

Et puis, quand on était en quatrième, il s'en est pris à mes cheveux. Comme quoi ils manquaient de « style ». Alors il crachait dans ses mains et me les passait dans les tifs comme si c'était du gel. À la fin de l'année, il se contentait de me cracher sur la tête et de m'emmêler les cheveux.

Trop stylé.

Je savais que Brayden faisait craquer les filles. Il avait ce teint mat, sorte de bronzage permanent, en plus de cheveux châtains ondulés et de sourcils très épais. Des sourcils cromagnonesques, si vous voulez mon avis, mais que les filles devaient trouver virils et dangereux. Je me disais ça parce que, dès qu'il était dans les parages, elles se mettaient toutes à piailler et à faire les belles – à tel point que ça me faisait haïr tout le monde.

Bref, Brayden et moi, on n'était pas potes.

Au lieu d'aller dans une cabine, j'ai juste enlevé ma chemise et mon jean, et j'ai fait ma toilette au lavabo.

— Vous avez vu cette grêle ? a dit Jake.

— Juste pas croyable, a commenté Brayden.

— Carrément, ai-je approuvé.

— Dingue !

JOUR 1

Jake a remarqué un gros bleu que j'avais au bras, à cause d'un grêlon.

— Ça fait trop mal, ai-je dit.

— Non mais tu vas très bien, Dean, a rétorqué Jake en me donnant une tape sur l'épaule.

Ça aussi, ça m'a fait mal.

Jake était peut-être juste en mode euphorie. Ou alors il voulait prendre soin de moi et jouer les chefs. Il n'était pas forcément sincère, mais je m'en fichais. C'était bon, de se sentir normal un moment.

— Au fait, ai-je repris, désolé de t'avoir vomi dessus.

— T'en fais pas pour ça, mec.

Je lui ai lancé le sweat-shirt qu'Alex m'avait déniché au rayon vêtements.

— Tiens, ai-je ajouté, je l'ai choisi pour toi. Il est assorti à tes yeux.

Ça l'a fait marrer. Il ne m'avait pas vu venir.

Brayden a rigolé aussi.

Du coup, ça nous a déclenché un fou rire et on s'est retrouvés tout essoufflés, les larmes aux yeux.

Ça me faisait mal à la gorge, vu que je n'étais pas encore remis du passage de la fumée, mais on est restés là à se poiler un bon moment.

Quand on s'est eu changés, Mme Wooly a organisé une espèce d'assemblée.

— Il doit être 8 ou 9 heures, a-t-elle commencé. Le Réseau n'est toujours pas rétabli, et je m'inquiète un peu pour notre amie Josie. Je pense qu'elle est en état de choc, et qu'il va lui falloir un ou deux jours pour se remettre. Sauf si elle souffre de quelque chose de plus grave.

On s'est tous tournés vers Josie, qui nous scrutait d'un air à la fois intéressé et détaché, comme si elle n'arrivait pas bien à nous remettre.

— Voilà ce qu'on va faire, a poursuivi Mme Wooly. Moi, je vais partir chercher de l'aide aux urgences, à pied.

Une petite fille un peu boulotte, Chloe, s'est mise à pleurer.

— Je veux rentrer chez moi, disait-elle. Ramenez-nous à la maison ! Je veux ma nounou !

— Impossible, lui a répliqué Mme Wooly. Le bus a deux roues à plat. Je ne peux vous conduire nulle part. Mais je vais revenir très vite.

Cette réponse ne plaisait visiblement pas à Chloe, mais Mme Wooly ne s'est pas arrêtée à ça.

— Bon, écoutez, les gosses, vos parents devront rembourser tout ce que vous allez prendre dans le magasin, alors allez-y mollo. C'est pas encore Noël.

» J'ai décidé de passer le relais à Jake Simonsen. Jusqu'à mon retour, ce sera lui le chef. Sahalia et Alex, je veux que vous emmeniez les tout-petits au rayon jouets, et que vous les aidiez à choisir des jeux et des puzzles.

Les petits ont tous crié de joie, et notamment Chloe, qui s'est mise à sauter dans tous les sens en tapant des mains. Niveau émotions, elle n'était pas très stable. Ça n'annonçait rien de bon.

Sahalia s'est levée en soufflant, visiblement pas ravie.

— Pourquoi c'est à moi de tout faire ? se plaignait-elle.

— Parce que ces gamins ont failli mourir et pas toi, lui a rétorqué la conductrice.

Les petits sont alors partis vers le rayon jouets.

— Bien, a repris Mme Wooly quand elle s'est retrouvée seule avec nous, les grands. Les urgences, ça n'est pas très loin d'ici. Je devrais pouvoir y être en une demi-heure, une heure. Si quelqu'un me prend en stop, ça sera encore plus rapide. Veillez à ce que Josie s'hydrate bien, et demandez-lui régulièrement en quelle année on est. Comment elle s'appelle. Quel est… je ne sais pas, moi… quel est son soda préféré. Ou bien ses cookies préférés. Ce genre de choses.

Là, elle a passé une main dans ses cheveux gris rêches. Son regard s'est déplacé de nous vers l'entrée du supermarché, avec ses portes coulissantes défoncées.

— Et si jamais quelqu'un se présente, ne les laissez entrer que s'il s'agit de vos parents. Promettez-le-moi. Vous êtes sous ma responsabilité.

» Et puis – je ne pense pas que ça en viendra là, mais bon – en cas d'émeute, de pillage ou de je ne sais quoi, vous rassemblez les petits, ici, dans la pizzeria, et vous restez groupés. Vu ?

C'est là que j'ai compris pourquoi elle avait éloigné les mioches. Elle ne tenait pas à ce qu'ils entendent parler d'émeute.

— Madame Wooly ? l'a interrogée Jake. On fait quoi si les gens du magasin viennent ? (D'un geste, il désignait le bus garé au milieu des chariots vides dans l'entrée.) Ça va pas trop leur plaire.

— Dites-leur que c'était une urgence, et que la direction du lycée couvrira les dégâts.

— Je peux nous préparer à manger, s'il y a besoin, a proposé Astrid. Je sais faire fonctionner les fours de la pizzeria, j'y ai bossé l'été dernier.

J'étais au courant, pour ce petit boulot. Cet été-là, j'avais passé pas mal de temps à flâner au Greenway.

— Un repas chaud ! s'est exclamée Mme Wooly. Ça, c'est une idée.

Les tout-petits sont revenus avec leurs jeux de société.

Mme Wooly s'est préparée à sortir.

Moi, je suis allé prendre un stylo à 8 dollars et le carnet le plus classe et le plus cher du rayon fournitures de bureau. Et je me suis installé sur place pour écrire, pendant que le souvenir de l'orage de grêle était encore frais dans ma mémoire.

J'ai toujours aimé écrire. Allez savoir pourquoi, mais une fois que j'ai couché par écrit un truc qui m'est arrivé, même les trucs terribles, eh ben, ça n'est plus si terrible. Je me pose pour écrire, la tête en vrac et tout stressé, et quand je me relève, tout s'est remis en place.

J'aime écrire à la main, dans un carnet à spirale. Je ne sais pas l'expliquer, mais je n'arrive pas à penser de la même manière devant une page et devant une tablette. Par contre, j'ai bien conscience que, vu qu'on nous apprend à taper au clavier dès la maternelle, c'est trop bizarre de coucher sur papier autre chose que la liste des commissions.

Brayden, qui passait par là, m'a regardé un instant.

— On écrit, Geraldine ? m'a-t-il dit d'un air méprisant. Truc de vieux, ça.

On s'est tous mis en rang devant les portes du supermarché pour dire au revoir à Mme Wooly. Le ciel avait retrouvé son bleu clair normal et apaisant. Comme disait ma mère : « Le ciel du Colorado, il n'en existe pas de plus beau. »

Il y avait une trentaine de centimètres de grêlons presque partout. Par endroits, ça faisait des pentes, comme des congères.

On pourrait croire que ça donnait envie d'aller jouer dehors – comme si le paysage était devenu un gigantesque

JOUR 1

terrain de jeux. Sauf qu'en fait, les grêlons étaient tous mal foutus, et souvent bourrés de cailloux, de brindilles et autres cochonneries. Ils étaient pointus et cradingues, si bien que personne n'a eu l'idée de sortir jouer. On est restés dans le Greenway.

Il y avait quelques voitures sur le parking. Toutes défoncées, comme si un géant les avait attaquées au marteau. Le bus de Mme Wooly avait nettement moins souffert.

— Si toutes les voitures ont pris pareil, m'a confié Alex, on va devoir rentrer à pied.

J'ai réfléchi à cette idée. À ce moment-là, je serais bien parti juste après Mme Wooly. Mais elle nous avait dit de rester, et moi j'obéissais aux ordres. En plus, Astrid Heyman était au Greenway, et pas dans notre maisonnette tristounette de Wagon Trail Lane.

Les rues de notre lotissement avaient des noms genre Wagon Gap Trail, Coyote Valley Court, Blizzard Valley Lane…

Je précise tout de suite qu'il ne m'est jamais arrivé de confondre notre rue avec un sentier de la prairie du Far West. Les mecs qui ont trouvé ces noms, je sais pas trop qui ils pensaient blouser.

Au loin, j'entendais des sirènes. À certains endroits, des colonnes de fumée montaient dans le ciel. L'une d'entre elles s'élevait de notre bus calciné, du coup j'imaginais d'où provenaient les autres.

Je me rappelle m'être dit que notre ville avait subi une méga-cata. Je me demandais si on allait recevoir l'aide de l'État fédéral. À l'école, on nous avait montré des photos des habitants de San Diego qui recevaient des caisses d'habits, de jouets et de nourriture après le tremblement de terre de

1921. Peut-être que ça allait être notre tour, et que les médias allaient assiéger notre ville.

Mme Wooly n'emportait qu'un paquet de cigarettes pas chères et une paire de bottes de pluie.

Brayden s'est approché d'elle.

— Madame Wooly, lui a-t-il dit, mon père travaille au commandement de la Défense aérospatiale de l'Amérique du Nord. Si vous arrivez à lui transmettre un message, je suis sûr qu'il pourra envoyer un camion ou quelque chose dans le genre pour nous récupérer.

J'étais sans doute le seul à lever les yeux au ciel. Sans doute.

— C'est une bonne idée, Brayden, lui a-t-elle répondu de sa voix râpeuse. J'y songerai sérieusement.

Puis elle s'est tournée vers nous autres.

— Les gosses, à partir de maintenant, vous écoutez Jake. C'est lui le chef. Astrid va vous préparer de bonnes pizzas.

Là-dessus, elle est sortie du supermarché, direction le parking. Quelques pas tout droit, puis elle s'est tournée vers la droite pour regarder un truc par terre, que nous on ne pouvait pas voir. Ça l'a plus ou moins fait reculer et s'étouffer un peu.

Puis elle nous a dit :

— Vous rentrez. Allez ! Ne sortez pas du supermarché. Ce n'est pas sûr. Rentrez. *Rentrez.* Allez manger.

Et elle appuyait ses ordres du geste.

Mme Wooly possédait une autorité telle qu'on a tous fait comme elle disait.

Mais du coin de l'œil j'ai noté que Jake sortait voir ce qu'elle avait regardé par terre.

— Toi aussi, Simonsen, l'a repris Mme Wooly. Il y a rien à voir. Rentre avec les autres.

JOUR 1

Jake est revenu en se grattant la tête. Il avait l'air un peu pâle.

— Qu'est-ce qu'il y a ? lui a demandé Brayden. T'as vu quoi, dehors ?

— Des corps, nous a dit Jake à voix basse. Des employés du Greenway, je crois. Je sais pas ce qu'ils foutaient dehors pendant l'orage, mais maintenant ils sont morts, c'est clair. Réduits en bouillie. Avec des bouts d'os qui leur sortent de partout. Jamais vu ça de ma vie. Sauf dans notre bus, tout à l'heure.

Là-dessus, il a inspiré à fond et a eu un frisson.

— Je vais vous dire, a-t-il ensuite décidé en nous regardant, Brayden et moi. On va rester à l'intérieur le temps qu'elle revienne.

CHAPITRE TROIS

LES PORTES MÉTALLIQUES

— **QUI AIME LA PIZZA ?** a crié Astrid.

Les tout-petits ont répondu « moi ! » à l'unisson, les bras levés comme pour un concours du bras le plus droit. Ils scandaient : « Des pizzas ! Des pizzas ! »

Leur enthousiasme était contagieux, et Astrid était trop mignonne quand elle leur parlait, leur demandait ce qu'ils voulaient comme garniture, avec le courant d'air qui lui soulevait des mèches et lui rosissait les joues.

Bon, attention, je n'oubliais pas la tragédie qu'on venait de vivre, ni la destruction de notre ville – et je stressais pour mes parents et mes potes, je me demandais comment ils avaient passé l'orage –, mais je reconnais que me retrouver si près d'Astrid n'était pas pour me déplaire.

Ma mère était convaincue que la chance, ça se provoque. Chez nous, au-dessus du four, elle avait accroché des lettres marron qui formaient le mot VISUALISE. L'idée, c'est que si toutes nos pensées et nos rêves sont tournés vers la vie qu'on veut avoir – si on arrive à la visualiser assez longtemps –, elle finira par se réaliser.

Moi, j'avais beau avoir visualisé Astrid Heyman me donnant la main, ses beaux yeux bleus rivés aux miens, ses lèvres me murmurant des mots sauvages, marrants et choquants à l'oreille, Astrid ne savait toujours pas que j'existais. Pour tout dire, le simple fait de rêver de cette fille, pour un mec comme moi, c'est-à-dire un type pas franchement au top de l'échelle sociale du lycée Lewis-Palmer, c'était juste débile. En plus, elle était en terminale et moi en première. Laisse tomber.

Astrid, elle, rayonnait de beauté : bouclettes blondes étincelantes, yeux bleus comme un ciel de juin, front légèrement ridé, constamment à se retenir de sourire, championne de plongeon dans l'équipe de natation. Niveau olympique.

Pff, Astrid avait le niveau olympique dans toutes les catégories.

Pas comme moi. Moi, j'étais le genre qui est resté petit un peu trop longtemps. Tout le monde avait fait sa poussée vers douze, treize ans, alors que moi je gardais ma taille de petit garçon – période Brayden et son gel trop stylé. Jusqu'à l'été précédant la méga-cata, où j'avais pris genre quinze bons centimètres d'un coup. Ma mère avait sauté au plafond, trop contente de me racheter des habits neufs tous les huit jours ou presque. La nuit, j'avais mal à mes os, et puis mes articulations craquaient de temps en temps, comme si j'étais un vieux.

Du coup, à la rentrée de septembre, j'étais plein d'espoir : vu que j'avais la même taille que les autres – voire un peu plus –, j'allais peut-être pouvoir m'intégrer à un niveau social lui aussi plus élevé. Je sais que ça se fait pas, de parler de popularité aussi ouvertement, mais n'oubliez pas que je flashais sur Astrid depuis pas mal de temps. J'avais envie de me rapprocher d'elle, et le seul moyen me semblait être de m'immiscer dans son cercle d'amis.

Je me disais que mes nouveaux centimètres allaient suffire. Bon, c'est sûr, je restais maigre comme un clou, mais à côté de ça, ma liste des bons points s'était allongée : yeux verts (bon point), cheveux blond cendré (bon point), taille (plus un problème), carrure (à bosser sérieusement), lunettes (grosse galère, mais les lentilles me collent la conjonctivite chronique et c'est encore pire ; quant à la chirurgie laser, je devais attendre d'avoir fini de grandir, ce qui n'était pas pour tout de suite), dents et peau (OK), vêtements (pas top, mais de moins en moins pire).

Je pensais avoir ma chance, sauf que jusqu'à présent, les échanges verbaux que j'avais pu avoir avec Astrid se résumaient aux deux mots qu'elle m'avait adressés dans le bus : *Aide-moi.*

Et je ne l'avais pas aidée.

On est tous rentrés dans le Greenway, Astrid a allumé le four à pizzas et mis en route la machine à *granitas*.

Josie, elle, restait assise à une table, pelotonnée dans sa couverture de survie. J'ai voulu aller lui chercher un soda au distributeur, mais j'ai repéré qu'elle avait déjà deux Gatorade et une bouteille d'eau.

La machine à *granitas* était trop haute pour les mioches, alors, après les avoir regardés sauter en vain – c'était trognon –, je suis allé leur préparer ce qu'ils voulaient.

Ça m'a valu des « Hourras ! »

Aucun d'eux ne savait qu'on pouvait mélanger les parfums : je les ai bien bluffés avec mes multi-saveurs.

— C'est le meilleur *granita* que j'aie jamais mangé ! s'est enthousiasmé Max, un CP aux cheveux blonds filasse.

JOUR 1

Il avait un épi récalcitrant sur l'arrière de la tête qui lui donnait des faux airs de ventilateur.

— Des *granitas*, j'en ai mangé des tonnes, vu que mon papa est routier longue distance et qu'il m'emmène tout le temps avec lui, continuait Max. J'ai bien dû en manger dans tous les États du pays. Une fois, mon papa m'a fait sauter l'école toute une semaine, et il a failli m'emmener au Mexique, mais ma maman l'a appelé pour lui dire qu'il ferait mieux de me ramener à Monument avant qu'elle prévienne les flics !

Je l'aime bien, Max. Ça me plaît quand un gosse déballe tout, comme ça.

Parmi les petits, il y avait un Latino. À mes yeux, il devait être en CP, voire encore à la maternelle. Il était tout potelé et avait l'air en forme.

— Tu t'appelles comment ? lui ai-je demandé.

Là, il s'est contenté de me sourire. Il avait deux trous à la place des incisives du haut.

— *¿Cómo se llama ?* Ton prénom ?

Il m'a sorti un truc qui m'a semblé être « Au lit six ».

— Pourquoi tu me parles de lit ? lui ai-je rétorqué.

— Au lit six, m'a-t-il redit.

— Non mais je te demande ton prénom.

— Il s'appelle *Iou-li-cisse*, est intervenu Max. Il est en CP avec moi.

— *Iou-li-cisse ?* ai-je répété.

Le petit Mexicain a de nouveau prononcé son prénom. C'est là que j'ai pigé.

— Ulysses ! Il s'appelle Ulysses !

Son anglais prononcé à l'espagnole, je vous raconte pas.

Ulysses me souriait à présent comme s'il venait de gagner à la loterie.

— Ulysses ! Ulysses !

Une petite victoire durement remportée, pour lui comme pour moi : je savais à présent comment il s'appelait.

Chloe était la CE2 qui avait pleurniché quand Mme Wooly avait annoncé qu'elle partait chercher de l'aide. Chloe était rondelette mais très énergique, et elle avait la peau mate. Je lui ai préparé le *granita* bleu et rouge qu'elle avait demandé. Mais ça n'était pas encore assez bien pour elle.

— Les rayures sont trop larges ! s'est-elle plaint. Je les veux comme sur une queue de raton laveur.

En fait, c'est plutôt galère d'obtenir des bandes fines sur un *granita*, ainsi que me l'ont appris cinq ou six essais.

J'ai donné à Chloe le meilleur résultat.

— Ça ressemble pas à un raton laveur, m'a-t-elle fait remarquer en secouant la tête d'un air triste.

Genre, elle était prof et moi un cancre indécrottable.

— Comme « queue de raton laveur », je pourrai pas faire mieux, ai-je conclu.

— Bon, d'accord, a-t-elle soupiré. Si c'est ce que tu fais de mieux…

Avec Chloe, j'en étais déjà sûr, ça n'allait pas être de la tarte.

Il y avait aussi les jumeaux McKinley – nos voisins, en fait. Alex et moi, il nous arrivait de déneiger leur allée pour rendre service à leur mère. Je crois qu'elle était mère célibataire.

Elle nous payait vingt dollars, plutôt réglo.

Les jumeaux – un petit garçon et une petite fille – étaient roux et avaient des taches de rousseur. Ils en étaient même recouverts au point qu'on avait du mal à distinguer leur peau blanche entre les taches.

Ils avaient cinq ans, étaient les cadets de notre groupe et de loin les plus petits. Leur mère n'était déjà pas bien grande,

JOUR 1

mais eux carrément minus. Bien formés et tout, hein, mais ils m'arrivaient genre au genou. Ni l'un ni l'autre ne disait grand-chose, mais je crois que Caroline parlait un peu plus que Henry. Ils étaient juste à croquer, pour reprendre une expression de fille ou de tata célibataire.

Bon, je n'ai pas vraiment gardé le meilleur pour la fin, vu que Batiste (unique CE1 de la bande) était un sacré numéro. Il avait de faux airs d'Asiatique, avec ses cheveux noirs brillants coupés à ras, limite brosse.

Déjà, Batiste venait d'une famille hyper-religieuse, du coup il se considérait comme le grand juge des péchés. Je l'avais entendu réprimander Brayden pour ses jurons (« Prononcer le nom du Seigneur en vain, c'est péché ! »), reprocher à Chloe d'avoir poussé Ulysses (« Pousser, c'est péché ! ») ou expliquer aux autres mioches que ne pas dire les grâces avant un repas, c'était péché (« Avant qu'on mange, nous autres pauvres pécheurs, Dieu veut que nous le remercions ! »).

Il observait constamment tout le monde, guettant le moindre faux pas à faire ensuite remarquer. Un vrai bonheur, je vous le garantis. À croire que, dans sa famille, être un petit M. Je-sais-tout arrogant, c'était pas péché.

Les deux derniers élèves du bus primaire/collège étaient mon frère, Alex, et Sahalia.

Sahalia était un peu « en avance », pour une quatrième. Question mode, elle était au top. Même moi, qui n'ai porté que des joggings jusqu'en cinquième, je sais repérer quelqu'un qui a du style. Le jour de la cata, Sahalia portait un jean moulant fermé sur le côté par des épingles de sûreté, et un gilet en cuir sur une espèce de débardeur. Elle avait aussi une veste en cuir – grand modèle, franchement pas sa taille – doublée de tissu à carreaux rouges. Elle avait trois ans de moins que moi, mais, niveau *coolitude*, elle me battait à plate couture.

En même temps, c'était pas trop compliqué. Je ne lui en voulais pas pour ça.

Là, visiblement, elle avait visité le rayon maquillage. Je suis prêt à jurer que, à notre arrivée au Greenway, elle n'en portait pas. Et voilà qu'elle s'était mis de l'eye-liner noir et un gloss rouge vif.

Elle était assise à genoux sur une chaise à la table de Brayden et Jake. Elle les regardait plus ou moins manger, tout en essayant de s'intégrer à leur groupe. Insertion – méthode indirecte. On approche du groupe visé, et on espère qu'ils vous inviteront à les rejoindre.

Pour Sahalia, c'était raté.

Brayden s'est tourné vers elle et lui a sorti :

— On a à parler, là. Tu permets ?

La fille les a quittés et est allée traîner du côté d'Astrid. L'air de s'en foutre royalement. Comme si, dès le départ, elle avait prévu de faire un tour au comptoir. J'admirais son aplomb.

Niko, lui, il mangeait seul.

J'aurais dû l'inviter à notre table, à Alex et moi, mais le temps que j'aie fini les *granitas* (y compris tous ceux pour Chloe), la pizza était prête. J'avais trop les crocs pour penser aux bonnes manières.

Alex et moi, on a dévoré nos premières portions. Les grosses pizzas carrées du supermarché n'avaient jamais eu aussi bon goût. J'ai léché la sauce tomate que j'avais sur les doigts, puis Alex a filé nous chercher d'autres parts.

Quand il est revenu, je regardais Josie.

Elle était assise à une table, dos à un mur. Mme Wooly lui avait nettoyé la figure et les mains, mais elle avait encore du

JOUR 1

sang séché sur les bras et le corps, et sa couverture de survie y collait par endroits. Elle n'avait pas changé d'affaires. Je me sentais mal pour elle ; on était tous là à se taper des pizzas, alors qu'elle, elle était manifestement encore dans le bus.

Je suis allé m'asseoir en face d'elle, ma pizza à la main.

— Josie, ai-je commencé. Je t'ai apporté à manger, tiens. Ça va te faire du bien.

Elle, elle m'a juste regardé en faisant non de la tête. Une de ses couettes s'était à moitié défaite et pendouillait comme une branche morte.

— Mange un morceau, l'ai-je implorée. Une petite bou-chée et je t'embête plus.

Elle a tourné la tête vers le mur.

— Comme tu veux. Je te la laisse, si tu changes d'avis.

Astrid a sorti du four une grande plaque de pizza avec saucisses épicées. J'avais encore un peu faim, alors je suis allé la trouver.

— Tu aimes les saucisses piquantes ? m'a-t-elle demandé.

Mon cœur cognait fort.

— Ouais, ai-je fait de ma plus belle voix de tombeur.

— Voilà pour toi, a-t-elle dit en me servant une part.

— Merci.

Bien joué, tombeur.

Là-dessus, demi-tour, direction notre table.

Ça a été ma seconde conversation avec Astrid. Au moins, cette fois, j'avais répondu.

Je regagnais notre table quand il y a eu ce grondement de machine. On ne pouvait pas ne pas l'entendre.

— C'est quoi, ça ? a bredouillé Max.

Trois lourdes grilles métalliques se refermaient sur l'ouverture béante de l'entrée du Greenway. Une, deux, trois, qui descendaient côte à côte. Les deux latérales recouvraient les vitres. Celle du milieu, un peu plus grosse, occupait l'emplacement des portes automatiques.

Cette grille centrale était perforée : elle laissait passer l'air et on pouvait voir à l'extérieur, mais ça foutait quand même les jetons.

On était enfermés dans le Greenway.

Les tout-petits sont partis en sucette. « Qu'est-ce qui se passe ? » « On pourra plus sortir ! » « Je veux rentrer chez moi ! »

Niko, lui, restait planté là à regarder les grilles s'abaisser.

— On devrait caler un truc dessous, a lancé Jake. Histoire qu'elles se bloquent pas.

Là, il a attrapé un chariot et l'a poussé jusqu'à la grille centrale.

Sauf qu'il est arrivé un poil trop tard : le chariot a ripé contre la grille, qui l'a rejeté en arrière.

Les trois rideaux ont touché le sol dans un grand *CLANK* qui a sonné comme un point final.

— On est coincés dedans, ai-je constaté.

— Et personne ne pourra entrer, a ajouté calmement Niko.

— Bon, les petits monstres, a fait Jake en tapant des mains. Qui veut m'apprendre le jeu de l'échelle ?

Alex est venu me tirer par le maillot.

— Dean… tu viens faire un tour à l'espace multimédia avec moi ?

Toutes les tablettes du rayon étaient mortes, bien sûr. Elles étaient connectées au Réseau, comme nos mini-tablettes.

JOUR 1

Mais Alex a mis la main sur la dernière télé vieux modèle à écran plat du Greenway. Elle était rangée tout en bas d'une gondole, dans un coin.

Je n'ai jamais compris quel intérêt pouvait avoir une télé toute simple : pour quelques dollars de plus, une tablette vous permettait de mater la téloche, de surfer sur le Net, d'envoyer des textos, de communiquer *via* Skype et Facebook, de jouer et de faire un million d'autres trucs utiles. Reste que tous les grands magasins proposaient encore un ou deux postes à l'ancienne. Me demandez pas pourquoi. Ces bécanes n'avaient pas besoin du Réseau – elles captaient une espèce de signal spécial téloche. L'écran de celle du Greenway avait du grain et l'image tremblotait, mais on est quand même restés scotchés devant.

Alex a zappé sur CNN.

Les autres nous ont rejoints, sûrement attirés par le son.

Je m'attendais à ce que notre orage fasse la une des JT. Mauvaise pioche.

Notre orage, c'était de la gnognotte.

À l'écran, le couple de présentateurs nous l'expliquait calmement, mais la femme était bouleversée. Ça se voyait, qu'elle avait pleuré. Son maquillage faisait des pâtés autour de ses yeux, et je me suis demandé pourquoi personne ne l'avait retouché. C'était CNN, merde !

Le mec en costume bleu a annoncé qu'il allait répéter la chronologie des événements pour ceux qui venaient de les rejoindre. Pour nous, donc. Apparemment, un volcan était entré en éruption sur l'île de La Palma, dans les Canaries.

Des images amateurs tremblotantes montrant une pluie de cendres et une montagne en feu passaient sur les écrans derrière les présentateurs.

La femme au rimmel pâteux a expliqué que la partie ouest de l'île avait explosé au cours de l'éruption. Cinq cents milliards de tonnes de roche et de lave s'étaient déversées dans l'Atlantique.

De ça, ils n'avaient aucune image.

Costume Bleu a annoncé que l'éruption avait entraîné un « méga-tsunami ».

Une vague de six cents mètres de haut.

Se déplaçant à plus de 950 kilomètres-heure.

Rimmel Pâteux a pris le relais : le méga-tsunami s'était élargi en approchant des côtes américaines. Là, elle s'est tue. Sa voix restait bloquée dans sa gorge, alors Costume Bleu a enchaîné.

Le méga-tsunami a frappé la côte Est des États-Unis à 4 h 43, heure d'hiver des montagnes Rocheuses.

Boston, New York, Charleston, Miami.

Toutes ces villes avaient été touchées.

Pertes humaines impossibles à estimer.

Je restais assis. Paralysé.

C'était la plus grande catastrophe de l'histoire.

La plus violente éruption volcanique de l'histoire.

Le plus grand tsunami de l'histoire.

Ils ont passé des images.

Ils étaient obligés de les diffuser au ralenti : à vitesse normale, c'était trop rapide, on voyait rien.

Une séquence de rue : vue de l'Empire State Building, un gros nuage qui se rapproche, image par image, sauf que ça n'est pas un nuage mais un mur d'eau. Fin de la séquence.

Une plage. La caméra filme la mer, sauf qu'il n'y a pas de mer – juste un bateau échoué à plus d'un kilomètre du rivage. Et la voix du type qui filme en train de prier. Là-dessus,

JOUR 1

l'image tremble et une vague apparaît à l'écran, tellement immense que la mini-tablette du gars n'arrive pas à en voir le sommet. Puis plus rien.

Chloe a dit qu'elle voulait voir une chaîne pour les gosses. On l'a tous ignorée.

Rimmel Pâteux a annoncé que le Réseau était naze parce que trois centres satellites sur les cinq du pays étaient situés sur la côte Est.

Costume Bleu a ajouté que le président avait déclaré l'état d'urgence et qu'il se trouvait en sécurité dans un lieu tenu secret.

On matait tout ça sans trop parler.

— Mettez *Tabi-Teens*, a gémi Chloe. Ça, c'est troooop nul !

Je me suis tourné vers elle. Elle avait rien capté. Elle s'amusait à essayer de décoller une étiquette sur le comptoir des mini-tablettes.

Aucun des tout-petits n'avait l'air de comprendre ce qu'on venait d'apprendre. Juste ils passaient le temps.

Moi, je devais continuer à regarder la télé. Pas moyen de penser aux gosses.

Je me sentais tout gris. Lessivé. Comme un caillou.

Rimmel Pâteux a ensuite annoncé que le méga-tsunami avait engendré des troubles météo sévères dans le reste du pays. Sa voix a flanché sur « reste du pays ». Elle a parlé d'orages « supercellulaires » qui balayaient les Rocheuses (nous, donc).

Je me suis tourné vers Josie. Elle regardait l'écran. Caroline avait grimpé sur ses genoux, et Josie lui caressait la tête d'un air absent.

CNN a diffusé d'autres images de la côte Est.

Ils ont montré une maison poussée vers le sommet d'une montagne. Un lac rempli de voitures. Des gens qui erraient à moitié nus dans des rues qu'on aurait dû reconnaître mais qui semblaient sorties d'un film de guerre.

Des gens dans des bateaux, des gens qui pleuraient, des gens qui étaient charriés sur des rivières comme des troncs d'arbres, des gens éparpillés avec leurs voitures, leurs garages, les arbres, les poubelles, les vélos et Dieu sait quoi d'autre. Des gens qui étaient des débris comme les autres.

J'ai fermé les yeux.

À côté de moi, quelqu'un s'est mis à pleurer.

— Mettez *Tabi-Teens* ! a exigé Chloe. Ou alors *Traindawgs* ou quelque chose !

J'ai pris la main de mon frère. Elle était glacée.

On a maté la télé pendant des heures.

À un moment, quelqu'un l'a arrêtée.

À un moment, quelqu'un a sorti des sacs de couchage pour tout le monde.

Ça pleurnichait pas mal chez les tout-petits, et nous autres les grands on n'arrivait pas bien à les réconforter.

Ils nous soûlaient. Surtout Chloe et Batiste.

Batiste n'arrêtait pas de parler de la « fin des temps ».

Comme quoi le révérend Grand avait dit que ça se passerait comme ça. Le jour du Jugement dernier était arrivé. J'avais envie de gifler sa petite face toute grasse.

Je voulais juste réfléchir. Mais je n'y arrivais pas, et ils étaient tous là à chialer et à réclamer des trucs débiles, à s'accrocher à nous, alors que tout ce que je voulais, c'est qu'ils la bouclent.

Astrid a fini par prendre Batiste entre quatre yeux.

JOUR 1

D'une voix bien claire et un peu méchante, elle lui a sorti :

— Les gosses, vous pouvez aller chercher des bonbecs. Autant que vous voulez. Ouste !

Ils se sont pas fait prier.

Ils sont ensuite revenus du rayon bonbons avec des sachets remplis.

C'était ce qu'on avait de mieux à leur offrir, ce soir-là : des bonbons. On a éventré leurs sachets pour entasser tous les bonbecs ensemble, et tout le monde a pu se goinfrer comme il a voulu.

On les a pris comme des médocs. Comme si tout ce sucre allait nous ramener par magie à notre vie normale. On s'est gavés jusqu'à plus pouvoir, puis on est allés au lit.

Chez les plus petits, ça pleurait pas mal, et on a souvent dû gueuler « La ferme ! ».

La première nuit, c'est comme ça qu'on s'en est sortis.

CHAPITRE QUATRE

HUIT VIRGULE DEUX

UNE SECOUSSE NOUS A RÉVEILLÉS VERS 8 HEURES.

Pas comme quand on rêve qu'on est pourchassé par une bête en forêt, et que tout à coup un arbre nous agrippe et se met à nous secouer jusqu'à ce qu'on se réveille et qu'on se rende compte qu'en fait c'est notre mère, que le réveil sonne et qu'on est en retard pour l'école.

Rien à voir.

Là, c'était genre : t'es dans un sac de couchage, au milieu d'un centre commercial, et d'un coup le sol se met à trembler, toi tu t'agites comme du pop-corn dans une poêle chaude, ça dégringole des rayons, tout le monde beugle, tout le monde panique sec, toi comme les autres.

Ça ressemblait plutôt à ça.

Et le plus drôle, c'est que ça n'était qu'un… SÉISME PRÉ-CURSEUR. Apparemment, c'est ce qui se passe juste avant un séisme de 8,2. Le truc, tellement maousse, il envoie des messagers à l'avance.

— Tous à la pizzeria ! a ordonné Niko. Tout le monde sous les tables !

JOUR 2

J'ai attrapé Alex d'une main, Ulysses de l'autre, et j'ai foncé. Ça pleuvait toujours des gondoles. Du rayon alimentation et d'autres, on entendait les bouteilles en verre qui se fracassaient par terre.

Les autres me talonnaient. J'ai vu que tous les grands tenaient un ou deux petits par la main. Astrid accompagnait Josie. On a fait de notre mieux – malgré les dérapages et les chutes – pour rallier la pizzeria au plus vite et se réfugier sous les tables. Elles étaient vissées au sol, c'est pour ça que Niko nous avait dit de venir là.

— On sera plus en sécurité ici, ai-je affirmé à Alex et Ulysses, dont le nez coulait déjà.

— Accrochez-vous aux pieds des tables ! a crié Niko.

— C'est débile, a grondé Brayden. Le tremblement de terre est passé. Qu'est-ce qu'on fout là-dess…

Là, sa voix s'est mise à trembler.

Parce que le sol s'était mis à trembler.

Et Brayden a empoigné un pied de table.

La secousse a été moins effrayante que le séisme précurseur, j'ai trouvé. On était prêts. Bien réveillés.

On s'est mis à trembler comme des malades, dans le vacarme de tous les articles qui valdinguaient autour de nous.

C'est un miracle que le Greenway ne se soit pas effondré, mais en fait, on l'a découvert par la suite, il était construit comme un coffre-fort. Du coup, il a tenu. Un vrai roc. À l'intérieur, tout s'est retrouvé par terre, y compris certaines gondoles, mais le bâtiment n'a pas tant souffert que ça.

— Tout le monde va bien ? a demandé Jake.

— Moi, je crois pas, non, lui a répondu Astrid. Le monde tel qu'on le connaît, il existe plus. On est coincés dans le Greenway, et un SÉISME vient juste de le ravager !

Elle était furieuse et en même temps elle était à tomber.

— Je sais, Astrid ! lui a renvoyé Jake. J'ai bien compris que tout fout le camp, mais je suis censé tenir la barre, alors je demande !

Les jumeaux se sont remis à pleurnicher. J'ai remarqué que, comme Ulysses, ils avaient leur petite figure pleine de crasse et de morve. Tous les petits semblaient mal en point.

— Jake fait de son mieux, alors la ramène pas, Astrid ! a craché Brayden.

— Toi, je t'emmerde ! T'es la dernière personne avec qui j'aie envie de me retrouver coincée ici !

Josie se couvrait les oreilles à deux mains. Les tout-petits pleuraient, et Chloe s'est mise à gueuler.

— OK, c'est bon, tout le monde se calme, a lancé Jake. Astrid, tu pars en live. Reprends-toi !

— Excuse-moi, lui a fait Henry. Caroline et moi, on a décidé. On veut rentrer chez nous.

Henry et Caroline voulaient rentrer chez eux. Comme si la soirée pyjama avait mal tourné, et qu'ils demandaient à Jake d'appeler leurs parents pour qu'ils viennent les chercher.

— Ouais ! Moi je veux ma nounou ! a hurlé Chloe.

— Écoutez, les petits, il faut attendre Mme Wooly, leur a calmement expliqué Jake.

Sauf que chez les mioches, c'était la débandade, maintenant. Ça chialait, ça coulait du nez, ça reniflait – la totale.

Ulysses se tenait près de moi, il hochait la tête comme pour approuver les cris, les appels et les pleurs des autres. Des larmes grosses comme des pois chiches lui giclaient des

JOUR 2

yeux et coulaient sur ses joues ; à tel point que ça lui lavait la figure, vu qu'il n'arrêtait pas de les essuyer avec sa manche.

— Tout va bien se passer, lui ai-je dit.

Mais il s'est contenté de faire non de la tête en se mettant à beugler plus fort.

Je me suis levé. Bien décidé à trouver un dico espagnol-anglais.

— Ne pars pas – les répliques, m'a prévenu Niko.

Il avait raison. Le sol a tremblé, je me suis jeté sous la première table venue. Celle sous laquelle se trouvait Astrid – pur hasard.

Je n'avais jamais été aussi près d'elle, c'est clair. J'ai empoigné le pied central. Astrid avait les mains juste au-dessous des miennes.

Elle avait la tête baissée, je n'ai vu qu'un mélange de cheveux blonds et de pull violet jusqu'à la fin des secousses.

Là, elle a levé les yeux vers moi et on a vécu un instant de simplicité. Elle me voyait, je la voyais. Elle avait l'air effrayée, on aurait dit une gamine, en plus elle avait les larmes aux yeux.

Je sais pas trop ce qu'elle a lu sur mon visage. Sans doute que j'étais fou d'elle. Que je l'aimais de tout ce que j'avais de meilleur en moi.

Mais bon, je me dis que ça n'a pas dû lui plaire, vu qu'elle a essuyé ses larmes et a détourné la tête. Elle serrait la mâchoire, genre elle se retenait de me frapper. Je mens pas.

Je suis sorti de sous sa table.

— Fait chier, a pesté Sahalia. Je rentre chez moi.

— Pas question, s'est interposé Jake. Mme Wooly nous a dit à tous de rester ici, de rester ensemble, alors on reste tous ensemble.

— Tu te fous de moi ? a rétorqué l'autre. Jamais elle va revenir, Mme Wooly. On est tout seuls. Et franchement, je préfère tenter ma chance dehors que de rester avec des minables comme vous.

— Et comment tu comptes faire pour sortir ? est intervenu Alex. Les grilles sont baissées.

Sahalia lui a montré le mur, à côté du rayon alimentation. 'Tain.

Il y avait une porte avec une pancarte Exit éclairée en rouge au-dessus.

Pourquoi je l'avais pas vue plus tôt ?

— Il y a toujours des issues de secours, a répondu Sahalia.

Sur ce, elle est allée pour l'ouvrir.

— Laisse-moi faire, a dit Brayden.

— Bray ! a hurlé Jake, mais l'autre avait déjà rejoint la fille.

Il poussait contre le battant de toutes ses forces.

— Ça sert à rien. Elle est fermée à clé.

— Comme je disais, a répété Jake en regardant son pote dans les yeux. On bouge pas d'ici tant que Mme Wooly n'est pas revenue.

— Je trouverai bien une sortie, a conclu Sahalia en s'éloignant.

— Excuse-moi, s'est immiscée Chloe, mais Sahalia, c'est ma voisine. Si elle, elle rentre, je rentre aussi.

— Moi aussi, a décidé Max. Je peux faire du stop.

Jake perdait patience.

— Vous avez entendu ce qu'a dit Mme Wooly ! On reste ici jusqu'à son retour. C'est pourtant simple.

— Mais pourquoi Sahalia elle a le droit de rentrer ? a gémi Chloe.

JOUR 2

— Sahalia, elle va nulle part, lui a rétorqué Jake. Les portes sont fermées à clé !

— Mais je veux ma nounou !

Là, Jake s'est penché pour se caler bien devant la petite.

— Ne parle plus de rentrer chez toi. Personne ne rentrera avant le retour de Mme Wooly.

— Mais je veux…

Jake lui a donné un petit coup dans la poitrine.

— Arrête.

— Ma nounou…

Nouveau petit coup.

— Arrête.

Elle s'est arrêtée. Puis elle s'est frottée là où Jake l'avait tapotée, et l'a fusillé du regard.

Bref, on avait du bol que le Greenway ait été solidement construit ; par contre, dedans, je vous dis pas le bazar. Tout ce qui se trouvait sur des étagères ou presque était tombé. Les gondoles elles-mêmes étaient encore debout vu qu'elles étaient vissées au sol. Ça, c'était bon. Mais tout le reste, c'était le bronx, et la quasi-totalité des articles en verre étaient foutus.

On s'est frayé un chemin jusqu'à notre « campement » de sacs de couchage à l'espace multimédia.

— Niveau rangement, va falloir en mettre un coup, m'a dit mon frère.

— Tant mieux, ai-je répondu. Ça nous occupera, le temps qu'on vienne nous chercher.

Alex a haussé les épaules.

Les tablettes qui étaient accrochées au mur de l'espace multi-média se trouvaient à présent sur le sol de l'espace multimédia.

Comme tout ce qui était entreposé là, ou presque.

Le mur de présentation lui-même avait commencé à se décrocher de la cloison en béton.

Les tablettes, tombées sur leurs écrans, se chevauchaient comme des tuiles. Des bouts de verre noir et de cadre en plastique jonchaient les lieux.

Tous les autres étaient là à regarder les débris, l'air triste et penaud, quand Alex et moi on est arrivés.

— Déjà qu'on avait juste la vieille téloche de merde, se plaignait Brayden. Maintenant, elle aussi elle est naze. On peut même plus savoir ce qui se passe dehors !

— Je pense qu'on devrait réfléchir à une stratégie, pour sortir, a dit Astrid.

— Chhhut ! l'a coupée Alex.

— Non, sérieux, a-t-elle continué, toute surprise que mon frère l'interrompe.

— J'entends la télé, a-t-il fait.

On s'est tous tus. En tendant l'oreille, on percevait comme un vrombissement. Un très léger vrombissement.

Brayden et Jake se sont mis à farfouiller parmi les tablettes.

— Gaffe à pas prendre le jus, les a prévenus Alex.

Jake a trouvé la télé.

Il a enjambé la colline de tablettes foutues en la tenant précautionneusement par les côtés.

L'écran était pété. De drôles de pâtés de couleur sortaient dans tous les sens.

Alex a récupéré le poste et l'a posé par terre.

Il a appuyé sur le bas du cadre plastique. C'est comme ça qu'on faisait pour zapper – je me le suis rappelé de notre télé, la dernière qu'on ait eue avant de passer à une tablette quand j'avais, genre, sept ans.

JOUR 2

Mon frère a fait deux trois réglages, et le bruit des parasites s'est amplifié.

Puis une voix a retenti.

— *Yes !* a fait Jake.

Les mioches ont sauté de joie.

— Du calme, les a recadrés Niko.

— Chut, les petits ! a ajouté Astrid.

C'était une voix d'homme. Une espèce d'interview.

— Tout à fait inattendu puisque la région ne se trouve pas sur une ligne de faille. C'est proprement inimaginable. D'autant qu'un séisme de cette magnitude est sans précédent. Il ne fait aucun doute dans mon esprit qu'il a été provoqué par le méga-tsunami d'hier.

Alex s'est assis devant le téléviseur. Nous autres, on s'est installés comme on a pu, mis à part Chloe qui a annoncé qu'elle partait chercher à manger.

Une autre voix a pris la parole dans le poste.

— Excusez-moi, professeur. Mais nous avons du nouveau. Il serait question d'une fuite. Une fuite de produits chimiques dans des complexes militaires.

» On parle de plusieurs agents chimiques qui fuiraient d'un certain nombre de dépôts du commandement de la Défense aérospatiale de l'Amérique du Nord.

— Taisez-vous ! Taisez-vous ! a soudain hurlé une voix dans le studio télé. Nous avons un message du commandement de la Défense aérospatiale de l'Amérique du Nord : À l'attention des résidents du Colorado et des États limitrophes. À 8 h 36 ce matin, mercredi 18 septembre 2024, des entrepôts du commandement de la Défense aérospatiale de l'Amérique du Nord ont été endommagés. Toute personne habitant dans un rayon de 800 kilomètres d'un site du commandement doit se mettre à l'abri dans un bâtiment et calfeutrer toutes les fenêtres immédiatement.

Niko s'est relevé. Il avait l'air tendu, il était tout rouge. Limite en panique.

— Les gars, a-t-il annoncé, on va devoir recouvrir les grilles de devant. Tout de suite.

On s'est frayé un chemin à travers les cartons tombés par terre et les marchandises fracassées. Niko s'est mis à balancer des ordres à tout-va.

— Jake, trouve des bâches en plastique. Brayden et Dean, rapportez-nous du ruban adhésif fort.

— Des bâches en plastique ? s'est affolé Jake. Genre quoi ?

— Des rideaux de douche, ça peut faire l'affaire, a suggéré Alex. Ou des bâches comme utilisent les peintres.

— Alex, va aider Jake. Trouvez ce qu'il faut. Astrid, tu maintiens les gosses à l'écart.

— Eh, me les colle pas sur les bras, a-t-elle protesté. Je suis aussi forte que vous !

— Fais ce que je dis ! a gueulé Niko.

Elle a obéi.

Brayden et moi, on a dégoté du ruban adhésif et on s'est trouvés cons de pas avoir pensé à prendre un chariot ou un panier. On devait pouvoir en porter genre une dizaine de rouleaux chacun maxi.

— J'ai une idée, ai-je dit en retirant mon maillot de rugby.

— Qu'est-ce que tu fous, Geraldine ? Et puis merde, je me casse.

Il est parti avec ses dix rouleaux.

JOUR 2

Moi, j'ai noué les manches de mon maillot et je m'en suis servi de sac. Ça m'aurait peut-être pris autant de temps d'aller chercher un seau ou un sac, mais là j'ai pu embarquer minimum trente rouleaux.

Quand je suis revenu à l'entrée, Niko et Jake essayaient de dégager le bus, pour qu'on ait plus de place. Il a pas bougé d'un millimètre.

— Laisse tomber, a conclu Niko. On va le contourner.

Brayden avait commencé à déchirer les emballages des bâches.

— Je m'en occupe, l'a interrompu Niko. Retourne chercher du ruban adhésif. Il va nous en falloir des tonnes…

C'est là que je me suis pointé et que j'ai déchargé mon stock.

— Excellent, a fait Niko. Ouvre-les.

Je venais de commencer quand Brayden m'a donné un coup de coude dans les côtes en disant :

— Pas mal, les abdos, mec. Tu fais de la muscu ?

Gros éclat de rire. Jake s'est aussitôt arrêté de déballer les bâches et a foncé droit sur Brayden. Il l'a secoué. Violent.

— On va crever à cause de putains d'armes chimiques et tu trouves rien de mieux à faire que de te foutre de son physique de bouffe-papier ? 'Tain, mec !

Il a relâché Brayden, qui a reculé en titubant.

Moi, j'essayais de défaire les nœuds de mon maillot pour le remettre.

Maintenant, je savais ce que Jake pensait de moi. Bouffe-papier ? OK. Si ça lui faisait plaisir.

En attendant, on avait des bâches à coller.

— Avec ça, on ira plus vite, a annoncé mon frère.

Il patinait sur le lino, deux pistolets à agrafes et une boîte d'agrafes dans les mains.

Jake et Niko se sont occupés des pistolets. Brayden, Alex et moi on tenait les bâches.

Deux couches de rideaux de douche. Une couche de couvertures en laine (idée d'Alex). Puis trois couches de bâches en plastique. Le tout collé au niveau des bordures à grand renfort de ruban adhésif.

Astrid s'est ramenée avec les mioches. Ils venaient admirer notre travail.

— Pas mal, a-t-elle commenté.

— Ça fera l'affaire, a estimé Jake.

Là, il l'a attrapée et lui a coincé la tête sous son bras.

— Hé, les gosses, a-t-il lancé. Qui veut chatouiller la miss ?

Les petits sont venus la chatouiller en gloussant.

— Lâche-moi, idiot ! se débattait Astrid en rigolant.

Ensuite, elle s'est dégagée de Jake et a repoussé les mioches.

— Laissez-moi, bande de petits monstres ! leur a-t-elle crié d'une voix guillerette.

Son chemisier s'était relevé pendant l'opé Chatouilles, et j'ai aperçu le bas de son dos. Bronzé, musclé, à tomber.

Elle était plus en forme que moi. Et de loin.

— Allons chercher d'autres couvertures, a décidé Niko. Pour mettre une couche de plus. Après, j'aimerais voir si on peut trouver du contreplaqué, histoire de consolider l'ensemble.

J'ai essuyé la sueur sur mon front et j'ai senti l'air frais sur ma peau, c'était agréable. Mais du coup, j'ai capté un truc et ça m'a retourné.

— La clim, ai-je murmuré. (Puis j'ai carrément gueulé :) La clim !

JOUR 2

La clim était en marche. Une énorme machine pompait l'air extérieur et le recrachait dans le centre commercial. D'où la fraîcheur qu'on ressentait malgré tous les efforts fournis.

— Putain… a fait Niko.

Chapitre CINQ

L'ENCRE

— **OÙ SE TROUVE LE POSTE DE CONTRÔLE ?** a demandé Niko à Astrid. Tu ne l'as pas entendu dire, quand tu bossais ici ?

— Il y a une espèce de bureau de sécurité, à l'arrière, a-t-elle bégayé. Dans la réserve.

Vu que les petits ne la lâchaient pas, Astrid est restée avec eux pendant que nous autres on a foncé où elle avait dit.

On a passé les deux grandes doubles portes métalliques de la réserve.

Il faisait sombre. L'endroit était bourré de cartons et d'étagères renversés. Ça sentait plein d'odeurs différentes : jus de fruits, ammoniaque, électricité, pâtée pour chien.

Au niveau du mur du fond, il y avait deux quais de déchargement, chacun fermé par deux énormes portes métalliques.

Je n'y avais pas pensé une seconde, mais c'était obligé. Les rideaux de sécurité s'étaient abaissés devant ces portes-là comme devant celles de l'entrée.

Et sur un côté de cet immense entrepôt, il y avait une petite salle avec Centre d'opérations marqué sur la porte. Ses parois en verre n'avaient pas résisté au séisme : les tessons parsemaient le sol.

JOUR 2

— Bingo ! s'est exclamé Brayden, jamais le dernier pour constater une évidence.

La porte du Centre d'opérations était fermée à clé, mais, vu que les parois en verre étaient défoncées, Niko n'a eu aucun problème pour entrer.

Une série de caméras de sécurité permettaient de surveiller les moindres recoins du centre commercial, même si la plupart étaient braquées sur l'espace multimédia.

— Trop fort, a murmuré Brayden. Regardez, on peut mater les cabines d'essayage des femmes !

— Concentre-toi, Brayden, l'a repris Jake. On cherche les commandes de la clim.

Alex a pointé du doigt un mur. Il y avait là quatre tableaux encastrés. Le premier contrôlait les panneaux solaires du toit. Les loupiotes étaient au vert, ça confirmait ce qu'on savait déjà : on avait du courant.

Le deuxième tableau gérait les portes automatiques. Un message électronique s'affichait : « Commande à distance – Portes anti-émeute. » Le troisième gérait la pression de l'eau. Tout semblait aller.

Enfin, le dernier était celui qu'on cherchait : la clim.

On l'a étudié tous ensemble.

Des chiffres et des indications de secteurs. Des pourcentages et une foule d'icônes indéchiffrables. L'une d'elles ressemblait à un éclair. Une autre à un smiley à l'envers. Une autre, on aurait dit quelqu'un qui montre son cul. Je blague pas. Indéchiffrables, donc.

— Eh ben… commençait à s'angoisser Alex.

Brayden s'est mis à appuyer sur des icônes au hasard.

— Non, a voulu l'arrêter mon frère, mais l'autre tache ne l'a pas laissé finir sa phrase.

— Un de ces boutons va bien l'arrêter !

— Mais tu ne peux pas appuyer sur tous comme ça, est intervenu Niko. Tu risques juste de…

Là, comme si c'était fait exprès, la clim a ronflé plus fort et nous a balancé de l'air froid.

— Tu risques juste d'aggraver les choses.

Brayden a levé les mains en l'air.

— On va devoir trouver la machine et l'éteindre manuellement, a indiqué Niko. Ce sera plus rapide.

— Elle est sûrement sur le toit, a dit Alex.

On l'a tous regardé un moment, l'air bête.

— Je monte, a tranché Niko.

— Moi aussi, a embrayé mon petit frère.

Je ne pouvais pas le laisser y aller sans moi.

— Moi aussi, ai-je donc annoncé.

— Je reviens, a dit Jake. Attendez-moi !

Là-dessus, il a foncé récupérer un truc dans le centre commercial.

— On fait comment, pour grimper sur le toit ? a demandé Alex.

— On passe par là, lui a répondu Niko en indiquant du doigt un escalier en métal qui menait à une trappe dans le plafond.

La trappe était ouverte, on distinguait le ciel jaunâtre.

— Qui est-ce qui… ai-je bégayé.

— Sahalia, a compris Niko. Elle a dû trouver la trappe.

J'avais gravi la moitié des marches quand Jake a foncé vers moi en disant « Tiens ».

Il me tendait un masque antipollution qu'il avait récupéré au rayon maison & bricolage.

— Merci, ai-je dit en passant la lanière du truc à l'épaule.

JOUR 2

— Vous feriez mieux d'en mettre aussi, ai-je suggéré. Au cas où.

Jake a un peu tiqué que je lui donne ce qui ressemblait à un ordre, même si j'avais mis les formes.

— Je gère, mec, a-t-il répondu.

Je suis passé par la trappe et me suis retrouvé sur le toit.

Comment décrire ?...

Déjà, le toit était recouvert de grêle et tout défoncé.

Mais surtout, Sahalia était là. Assise sur le rebord, à contempler le ciel. Une boîte à côté d'elle. Une échelle de secours pliable. La boîte était encore fermée.

Sahalia regardait droit devant elle.

Dans son dos, Niko et Alex braquaient leurs regards dans la même direction.

Je me suis arrêté net, et les masques me sont tombés des mains quand j'ai vu.

Au loin, près des montagnes, une épaisse bande noire s'élevait dans le ciel en s'entortillant comme un ruban. Elle montait en ligne droite jusqu'au niveau des nuages, où elle s'évasait comme un entonnoir.

On aurait dit de l'encre aspirée par le ciel, qui faisait une mare tout là-haut.

L'eau froide de la grêle s'infiltrait dans mes tennis et mouillait le bas de mon pantalon. Je m'en foutais.

Ce nuage noir grossissait à vue d'œil, une boule de nuit qui s'étendait vers l'horizon.

— Qu'est-ce que c'est ? a murmuré Alex.

— Demande à Brayden… lui a rétorqué Niko.

Là, Sahalia a dit tout bas :

— Ils ont fait des trucs trop dangereux au commandement de la Défense aérospatiale.

Le nuage noir occupait à présent autant de place dans le ciel que les montagnes qui se trouvaient derrière. Et il était toujours relié au sol par son long panache.

— La clim, nous a recadrés Niko. Tout de suite.

Grand Chasseur Courageux avait parlé.

On a tous obéi aussitôt.

Les machines ont été faciles à repérer. Elles se trouvaient pile au milieu du toit. Trois gigantesques boîtes, grosses comme des fourgonnettes. Avec des fentes sur les côtés pour laisser entrer l'air pur, et des tuyaux en métal reliés à une grosse conduite. C'est elle qui pénétrait dans le toit du Greenway.

— Merde, a fait Niko. Les tuyaux.

C'était ça le problème. La grêle les avait amochés. Cabossés et perforés. Il y avait des gros trous par lesquels l'air du dehors entrait se mêler à l'air purifié par les machines.

— Même si on éteint les machines, le mauvais air s'engouffrera par ces brèches, a indiqué Alex d'une voix paniquée.

Il commençait à flipper.

— Il faut condamner la conduite, a décidé Niko. (Se tournant vers Sahalia, il lui a ordonné :) Va chercher un gros marteau. S'il est trop lourd, demande à Jake de nous le monter.

— C'est bon, je peux le porter, ton marteau à la con, a pesté la fille.

— Eh ben, vas-y, alors !

Sahalia s'est précipitée vers la trappe.

Niko, lui, s'est approché de la conduite, à un bon mètre de l'endroit où elle s'enfonçait dans le toit. Il a grimpé dessus

JOUR 2

et s'est mis à sautiller. *BOUM*. Écho métallique. *BOUM*. Elle a légèrement cédé.

— Venez m'aider, nous a-t-il demandé, à mon frère et à moi.

On est montés sur le machin et on a commencé à sauter dessus tous ensemble. Ça aurait pu être marrant, sans ce nuage noir qu'on regardait se répandre dans le ciel comme une nappe de pétrole.

Au bout d'un moment, à nous trois, on a réussi à enfoncer un peu le truc.

Sahalia est revenue avec le marteau. On est descendus de la conduite.

Niko a pris l'outil et *BAAM*. Il s'est mis à taper dessus. C'était franchement plus efficace que nos sauts. Les muscles du dos de Niko ressortaient – respect. Ce mec était balèze et résistant.

Le jour a soudain viré au vert. Tout avait l'air bizarre, comme si on était sous l'eau.

BAM, BAM, BAM, le marteau n'arrêtait pas.

Le nuage chimique chassait l'air devant lui comme un orage d'été. Sauf que cet air-là était malsain et que mes yeux commençaient à me picoter.

— Rentrez, nous a ordonné Niko. Je vous rejoins.

— Non ! ai-je rétorqué. Tu as besoin de nous…

C'est là que je me suis aperçu que j'avais laissé les masques à côté de la trappe.

J'ai foncé les chercher.

Alex et Sahalia ont dû croire que je rentrais. Ils m'ont suivi.

J'ai récupéré les masques ; Alex et Sahalia se sont engouffrés par la trappe. Ils descendaient déjà les marches en toussant et en jurant.

— J'arrive, leur ai-je lancé.

J'allais m'élancer vers Niko…

Quand ça m'a pris.

J'avais mal à la gorge, dans tout le corps, et j'étais mal dans ma tête. J'avais l'impression que mon sang brûlait. Ça me grattait partout, j'avais envie de tuer quelqu'un. Sérieux. J'avais envie de tuer quelqu'un, et ce quelqu'un, c'était Niko.

Je le voyais là, en train de jouer du marteau, et j'aurais voulu l'étrangler. Mettre fin à son cirque de grand héros noble et sérieux.

Je me suis avancé vers lui en titubant, un masque à la main.

Je lui ai beuglé dessus.

Et là je suis tombé par terre, le nez dans les grêlons. On m'avait fait un croche-pied.

Quelqu'un me tenait par le pied et j'étais furieux. C'était mon frère. Il avait passé un masque et il m'attirait vers la trappe.

Je lui ai mis un coup. Je l'aurais tué. Me faire ça à moi. Je lui aurais arraché la tête.

J'attrapais des grêlons par poignées entières que je les lui jetais dessus.

Il m'a traîné jusqu'à la trappe et m'a fait rentrer.

Je me suis mis à le tabasser avec le masque que j'avais toujours à la main. Lui, il ne me lâchait pas la jambe et me forçait à descendre les marches.

Je le cognais encore pour le déséquilibrer. J'essayais de lui arracher son masque. Je le tirais par les cheveux. J'ai mordu mon frère au bras jusqu'au sang.

J'ai vu rouge, comme on dit. J'avais un film rouge sang devant les yeux et je n'arrivais plus à réfléchir. J'étais en mode totale violence. Des coups, des coups, des coups.

Une fois au pied de l'escalier, Alex a voulu se dégager. Je me suis jeté sur lui.

JOUR 2

Jake m'a intercepté.

Je me suis étalé sur le béton froid et j'ai pourri Jake d'insultes en lui griffant la figure.

— 'Tain, mec ! a fait Jake. Qu'est-ce qui s'est passé, là-haut ?

Je rugissais comme un lion. Je n'avais plus de mots.

— Il lui est arrivé quoi, à ton frère ? a demandé Jake en se tournant vers Alex.

Mon frère a pleuré. À cause de moi.

— C'est un animal ! a crié Jake en me clouant par terre, le genou contre mon ventre.

J'avais les bras derrière le dos, je ne sais plus trop comment. En plus du foot, Jake faisait partie de l'équipe de lutte du lycée. Il devait avoir une grosse vingtaine de kilos de plus que moi – j'étais mort.

Nous n'avons entendu Niko que lorsqu'il a été juste à côté de nous.

— Je l'ai calfeutrée, c'est bon, a-t-il annoncé. Par contre, on va devoir recouvrir la trappe avec des bâches. *Idem* pour les portes des quais de déchargement. Je vais chercher les pistolets à agrafes, occupez-vous des…

Là, j'ai dû grogner ou aboyer ou je sais pas trop quoi.

Niko m'a montré du doigt.

— C'est quoi, son problème, à Dean ? a-t-il demandé.

Je vous jure, j'avais envie de lui déchirer la gorge.

CHAPITRE SIX

L'HOMME À LA GRILLE

JAKE ME MAINTENAIT TOUJOURS AU SOL. J'enrageais toujours. Je voulais me relever !

C'est là que j'ai entendu ce gémissement bizarre. Un gémissement de panique.

Ça venait de Brayden.

— C'est quoi ? a-t-il demandé, une moue de dégoût sur les lèvres. C'est quoi ce mec ? Qu'est-ce qu'il a dans lui ?

— Qu'est-ce que tu racontes ? a fait Jake sans relâcher la pression sur mon ventre.

Il devait peser dans les cent kilos. J'étais aplati contre le sol en béton froid.

— Regarde-le ! a crié Brayden. Y a de la fumée qui sort de son corps. C'est un monstre de l'enfer !

— Mais qu'est-ce que tu délires ? est intervenu Alex.

Sa voix trahissait sa peur. On l'aurait dit au bord des larmes, mais, couché comme j'étais, je n'arrivais pas à le voir.

Brayden se tirait les cheveux et regardait autour de lui.

— Il y en a partout ! s'est-il exclamé. La fumée de l'enfer.

Il s'est éloigné de nous et est allé se recroqueviller dans un tas de grosses caisses.

JOUR 2

— Brayden, il n'y a pas de fumée ici, lui a assuré Niko. Tout va bien.

— Le mal est partout, a gémi l'autre.

— Mec, tu flippes grave, là… a jugé Jake.

Niko s'est approché de Brayden.

— Me touche pas !

— Regarde, a dit Niko en s'adressant à Jake. Ses pupilles sont complètement dilatées.

— Barre-toi, lui a craché Brayden.

— Ça doit venir de l'air, a estimé Grand Chasseur Courageux. L'air qui est devenu tout vert. On a dû respirer les produits chimiques. Une espèce d'agent psychotique.

Niko avait l'air bizarre, lui aussi, même si je n'étais pas en état de le dire.

Il avait des cloques autour des yeux, ça lui faisait un masque de raton laveur. Et quand il m'a touché, ses mains étaient couvertes de petites cloques de sang, on aurait dit qu'il portait des gants en dentelle rouge.

Il s'est mis à tousser. Gras.

Il a craché un gros mollard rouge dans sa main. Quand il l'a vu, il a fait une tête genre j'y-crois-pas puissance mille qui m'a fait marrer.

Pas un rire cool et ironique, plutôt un ricanement de malade.

Je vous le dis comme ça s'est passé, OK ?

Brayden était assis par terre, en boule, à pleurnicher en mode saccadé.

Bien.

J'ai fermé les yeux et j'ai écouté les battements de mon cœur. Ils étaient puissants, comme si j'avais un cœur de gorille.

Et tout ce que j'arrivais à dire, c'était « Agghrr… ».

J'essayais d'articuler « Alex ». Mais ça voulait pas sortir.

— Il faut qu'on se lave, a décidé Niko.

Il avait enlevé sa chemise et examinait sa peau. Les cloques lui poussaient partout. Elles suivaient le tracé de ses veines. Il commençait à ressembler à une illustration de bouquin de bio : le système sanguin.

J'ai essayé encore. « Agghrr… » Je cherchais à dire que j'étais désolé.

— Il nous faut de l'eau et du savon, a annoncé Niko. Et je ferais bien de prendre du Benadryl.

— Je vais t'en chercher, lui a proposé Alex.

— Sahalia, tu devrais te changer aussi, a poursuivi Niko.

La fille avait l'air en vrac. Son maquillage dégoulinait sur ses joues. Elle est repartie dans le centre commercial en passant bien à l'écart de Brayden.

— Dis, l'a interpellée Niko, tu ne voudrais pas nous rapporter des habits, aussi ?

Elle s'est retournée vers nous.

— Si, a-t-elle lâché. Si.

J'ai tenté de dire : « Laisse-moi me relever, je vais bien » Mais tout ce qui est sorti de ma bouche, ça a été *grrrrag*. Je poussais contre le corps de Jake.

— Calmos, Dean ! m'a-t-il crié en pleine face.

Alex est passé près de nous. Un rapide coup d'œil dans ma direction, puis il a détourné le regard. Il avait la figure zébrée, là où je l'avais griffé, lui aussi, et du sang séché au niveau du nez. Il avait les yeux rouges.

— Hé, petit gars, tu veux me rendre un service ? lui a demandé Jake. Va me chercher des cordes, que je ligote l'Incroyable Hulk.

JOUR 2

Se faire ligoter avec des cordes rapportées du rayon sport par votre propre frère, ça a un côté franchement malsain.

Quand il eut terminé, Jake a ramené Brayden dans le Greenway. Niko et lui devaient se dire que l'air de la réserve était encore pollué.

Niko s'est déshabillé et a jeté ses habits dans une poubelle. Il a dit à Alex de faire pareil. Ensuite, ils ont pris le savon antibactérien et l'eau minérale que mon frère avait trouvés et ils se sont lavés. Comme ça, sur le sol en béton.

— Ça va, toi ? a demandé Niko à Alex.

— Je crois.

— Plutôt flippant…

— Grave.

Ça m'a fait mal, d'entendre ça. Mal d'entendre Niko réconforter Alex. C'était mon frère. C'est moi qui aurais dû le réconforter. Sauf que, vous comprenez, c'est moi qui l'avais attaqué.

— Voilà ! s'est exclamée Sahalia en balançant des habits par la porte.

Elle nous avait choisi des joggings roses, avec pantoufles en peluche assorties.

Je commençais à me sentir à nouveau moi-même.

— Les gars… ai-je fait d'une voix cassée et râpeuse. Les gars…

Niko, en train de s'habiller, s'est interrompu pour cracher dans la poubelle.

— Ça va aller ? lui a demandé Alex.

Pose-moi la question, avais-je envie de lui dire.

Niko a fait signe que oui, tout en essuyant la bave de son menton.

— Les cloques disparaissent. On a bien fait de se laver. Je pense que si j'étais resté là-haut plus longtemps, ça aurait pu salement mal tourner.

Alex a confirmé d'un mouvement de tête.

— Les gars ! les ai-je appelés, toujours par terre.

— C'est bon, Dean ! m'a rembarré Alex. Deux secondes !

Niko examinait son torse. Les cloques disparaissaient. Il n'en restait presque plus.

Après s'être rhabillés, ils sont venus s'intéresser à moi.

J'ai repéré qu'Alex avait mes lunettes dans la poche de sa chemise. Il avait dû les récupérer pendant notre bagarre. Carrément sympa, vu que j'avais tenté de le scalper.

— Tu te sens mieux ? m'a demandé Niko.

— Ouais, ai-je croassé. Pas la grande forme non plus. Mais je suis redevenu normal.

— Comment s'appelle le président ? Quel jour sommes-nous ? Quel est le parfum de glace préféré de maman ? m'a interrogé Alex.

— Cory Booker. Mercredi. Elle fait de l'intolérance au lactose.

Ils m'ont détaché.

Quand on est retournés avec les autres, on devait avoir l'air trop chelous dans nos joggings roses.

Astrid nous a d'abord demandé comment on allait, avant d'éclater de rire.

— Hé, regardez, les petits : l'équipe féminine d'athlé au grand complet !

JOUR 2

Fou rire général.

Y compris de Jake et Brayden. Et d'Alex.

Moi, j'avais encore des trucs chelous dans l'organisme.

Ce que je voulais, c'était Astrid. Je la trouvais trop belle. J'avais envie de la prendre, d'une façon sinistre et terrible.

Désolé pour le côté sanguinolent. Souvenir d'un produit échappé du commandement de la Défense aérospatiale de l'Amérique du Nord.

J'ai avalé ma salive. Essayé de reprendre mon souffle.

— On vous a préparé des pizzas, a annoncé Max.

— Et puis on les a toutes mangées, alors Astrid va vous en refaire, a ajouté Chloe.

Pendant que Jake, Niko et Brayden faisaient le topo à Astrid, moi, j'observais mon frère, que je n'avais franchement pas épargné. Le chariot rempli de produits de premiers soins était toujours dans la pizzeria, je suis allé farfouiller dedans, sans trouver ce que je cherchais.

— Viens avec moi, Alex, ai-je dit. Je vais te soigner.

Je savais de quoi j'avais besoin : de la Bactine. Notre mère ne jurait que par ça. Elle n'utilisait jamais autre chose pour tout ce qui est écorchures ou égratignures. Elle en avait même un petit flacon dans son sac à main.

J'ai donc fait signe à Alex de me suivre et on a filé direction le rayon pharmacie.

Je me sentais trop mal.

À lui aussi, je lui avais griffé la figure. En bon grand frère. Et il avait un énorme bleu au niveau de la mâchoire. Tendresse familiale, quand tu nous tiens. Enfin, il avait les yeux rouges à force de pleurer. À cause de moi.

J'ai fouillé parmi les produits tombés par terre jusqu'à trouver la Bactine. J'ai aussi pris un paquet de coton hydrophile.

— J'étais pas moi-même, ai-je commencé en lui badigeonnant une première balafre. Il y avait un truc dans l'air, ça m'a rendu dingue. Tu sais que je ne t'aurais jamais agressé comme ça.

Alex a acquiescé, les yeux baissés.

— S'il te plaît… Dis que tu me pardonnes. Je me sens trop mal. Ça pourrait pas être pire.

Les yeux pâles de mon petit frère se sont gonflés de larmes.

— C'est juste que… a-t-il répondu d'une voix étouffée. C'est juste que jusque-là j'avais pas peur…

Et maintenant si.

Grâce à moi.

— Je pige pas ce qui se passe, a-t-il repris. Pourquoi tu as agi comme ça. Pourquoi Niko a eu des cloques, ni pourquoi Brayden s'est mis à avoir des visions.

— On finira par trouver, lui ai-je dit. Et moi, je… je ne m'exposerai plus à ces produits chimiques. Promis.

— Mais Dean… Si on ne peut plus sortir, comment on va faire pour retrouver papa et maman ? Pour rentrer chez nous ?

J'aurais pu lui tirer des craques. Mais Alex était plus futé que moi.

— Aucune idée, ai-je alors avoué.

Quand je l'eus désinfecté, on est retournés avec les autres. Il m'avait pardonné, mais il restait un peu distant vis-à-vis de moi. Par prudence, j'imagine. Ou peut-être parce qu'il ne s'était pas encore bien remis des coups.

Bref, en arrivant près de la pizzeria, on a entendu :

JOUR 2

— Moi aussi, j'y suis allé, au Emerald !

C'était Max.

Entre ce que les grands avaient à gérer, et ce qui préoccupait les petits, il y avait un vrai gouffre. Par exemple, pendant que je soignais mon frère après avoir tenté de lui arracher la tronche à cause d'un délire causé par des produits chimiques, Max, Batiste, Ulysses et Chloe discutaient d'un club de strip-tease situé près d'une bretelle d'autoroute, à la sortie de la ville.

— Il ment. Tu y es même jamais allé, au Emerald. Les enfants, ils ont même pas le droit d'y entrer, protestait Chloe.

— Si, ils ont le droit, si leur tonton c'est le videur ! l'a contrée Max.

— Et qu'est-ce qu'ils y font, les grands, là-bas, en plus ? voulait savoir Batiste. Notre Église cherche toujours à les faire se repentir, ces pêcheurs. Mais je sais même pas quels péchés c'est qu'ils font.

— Sûrement des gros mots, a proposé Chloe.

— Des tonnes ! a confirmé Max.

— C'est péché, a soupiré Batiste.

— Et boire de l'alcool ? (Toujours Chloe.)

— Ça aussi. (Toujours Max.) Ils ont de tout petits verres avec tout plein de parfums différents, comme pastèque et pêche-passion et pomme épicée. À boire, c'est dégueu. À la fois sucré et dégueu. Une fois, j'en ai bu trois et j'ai tout vomi, comme ça sur le bar, et ma maman elle a dit que si mon tonton m'y emmène encore elle appellera les flics.

— Boire, c'est péché, a rappelé Batiste.

— Là, là… a murmuré Chloe.

— Moi en plus, je veux pas y retourner, a repris Max. Je fais que de m'ennuyer. T'as juste des madames qui dansent avec leur culotte dans les fesses. Trop nul.

J'ai réprimé un rire.

— Qu'est-ce qu'y a ? a demandé Chloe. Pourquoi tu ris ?

— Hein ? Euh… Non, c'est juste Alex qui me racontait une blague, ai-je menti.

— Dis-nous ! a applaudi la petite. On adore les blagues.

Alex a haussé les épaules, largué.

— J'ai oublié.

— Alleeeez ! ont-ils fait tous en chœur.

— OK, OK, ai-je abdiqué. Que dit un citron quand il fait un hold-up dans une banque ?

— Sais pas, a répondu Max

— Pas un zeste, je suis pressé.

Rien. Même pas un grognement.

Alex et moi, on a laissé les tout-petits discuter spectacles pour adultes, et on est allés retrouver les grands. On est passés devant Josie, affalée sur une banquette. Toujours aussi peu bavarde. Muette, en fait.

— Comment tu vas, Josie ? lui ai-je demandé.

Alex m'a poussé vers les autres. Il voulait savoir ce qu'ils pensaient de cette histoire de produits chimiques. Moi aussi…

— Je n'y comprends rien, disait Astrid. Niko, ça lui a donné des cloques ; Dean s'est transformé en une espèce de monstre ; et Brayden s'est mis à avoir des hallus. Mais Sahalia, Alex et Jake, eux, rien ?

— Ça ne tient pas debout, mais c'est ça, a confirmé Jake en se grattant la tête.

— Peut-être qu'ils attaquent en fonction de l'âge, ou un truc dans le genre… a proposé Brayden.

— J'ai remarqué que les effets semblent s'estomper rapidement, a coupé Alex. C'est ce qui me fait dire qu'ils attaquent le système nerveux central.

JOUR 2

— Rien que de penser qu'il y a des gens qui fabriquent ce genre de poison, je trouve ça horrible, a fait Astrid. Les mecs du commandement de la Défense aérospatiale, faudrait les buter.

— Hé ! Tu parles de mon père, là, s'est insurgé Brayden.

— Mais pourquoi ils fabriquent des saletés pareilles ? Sérieux… Des produits qui transforment les gens en sauvages ? Ou qui leur recouvrent le corps de cloques avant de les faire tousser à mort ? C'est mal.

— Ils font ça pour nous protéger.

— Nous protéger de quoi ? De qui ?

— De nos ennemis !

— C'est pas humain, ai-je déclaré. Mettre au point ces produits est une violation de la Convention de Genève. C'est illégal.

— Ça peut pas être illégal, vu que c'est le gouvernement lui-même qui les demande, a très connement affirmé Brayden.

— N'im-por-te-quoi, ai-je jugé.

— Au fait, Brayden, a repris Astrid, il fait quoi, au juste, ton père, là-bas ?

Je me posais la même question. J'aimais bien me dire que son père était seulement le concierge.

— Secret-défense, Nase-trid, a répliqué l'autre.

Là, on a entendu un bruit.

Chinka-chinka-chink.

— Ohé ! a lancé une voix au loin.

Ça nous a fait bondir.

Il y avait quelqu'un à l'entrée !

De l'autre côté de notre rideau de bâches et de couvertures, quelqu'un secouait la grille.

— Ils sont là ! ont crié les tout-petits. Ils viennent nous chercher !

— Il y a quelqu'un là-dedans ? a demandé la voix. Ohé !

On s'est précipités vers l'entrée. Tout le monde criait en même temps.

— Hé ! Ohé ! On est là ! Vous êtes qui ? Ohé !

— Levez la grille ! s'est écriée la voix. Je vous entends.

— Oui, oui ! On est coincés à l'intérieur et on veut sortir ! On veut rentrer chez nous ! répétaient les mioches.

Chloe s'est tournée vers Niko et lui a ordonné :

— Enlève le plastique. Il vient nous chercher !

— N'y touchez pas ! a grondé Niko.

Je ne l'avais jamais entendu parler aussi sérieux.

— Bon alors ? Vous ouvrez ? Dépêchez, j'ai faim ! a repris la voix.

Les mioches sautaient dans tous les sens tellement ils étaient excités, mais j'ai bien vu que les autres se raidissaient.

Ils tendaient l'oreille. Quelque chose dans la voix de ce type les gênait.

— On peut pas relever la grille ! a hurlé Jake. Elle est coincée.

— Mais si, enfin ! Mettez-y du vôtre ! Allez, quoi ! Chinka-chinka-chink.

— On est enfermés à l'intérieur, a voulu expliquer Jake.

— Il y a qui, là-dedans ? a demandé la voix.

— Des lycéens de Lewis-Palmer ! On s'est réfugiés ici pendant l'orage de grêle et…

— Ouvrez-moi, les gamins ! l'a coupé la voix.

— Pas possible, mec ! C'est une espèce de rideau de sécurité. Par contre, on voudrait transmettre un message à nos parents, comme quoi…

JOUR 2

— Leur transmettre un message ? s'est esclaffée la voix. Mais bien sûr. Excellente idée. Je m'en occupe. Relevez la grille, qu'on mette ça au point !

Ça sonnait quand même franchement faux. J'ai échangé un regard avec Alex. Ça lui faisait pareil.

— Comme je vous disais, c'est pas possible ! a répété Jake.

— Ouvrez, petits cons ! Et magnez-vous, j'ai faim ! Relevez-moi cette grille ! Ouvrez !

— On peut pas…

— P***** MAIS VOUS ALLEZ L'OUVRIR, OUI ? OUVREZ, OUVREZ, OUVREZ !

Et le gars s'est remis à secouer la grille. *Chinka-chinka-chink.*

Je sentais la peur envahir les tout-petits. Leurs visages, qui resplendissaient d'espoir quelques instants plus tôt, sont devenus pâles et froids.

Caroline et Henry se cachaient derrière moi, ils se sont agrippés à mes jambes en même temps. Je me suis accroupi pour les serrer contre moi.

Quand l'homme agitait la grille, la pression de l'air faisait bouger notre mur de bâches et de couvertures.

— Les bâches… ai-je fait à Niko. Tu crois que l'air va rentrer ?

— Aucune idée. Je ne pense pas.

— Cassez-vous ! a grondé Jake.

— Laissez-moi entrer, par les poils de ma barbe, lui a rétorqué le gars. Ou bien je vais souffler sur votre sale Greenway de m**** et il va s'envoler !

Il s'est remis à secouer la grille.

Chinka-chinka-chink. Chinka-chinka-chink. Chinka-chinka-chink. Et notre mur de protection qui se gondolait toujours.

Astrid est allée se planter devant les gosses.

— Bon, les petits, leur a-t-elle dit, vous aimez les marionnettes ? Je vais vous faire un petit spectacle.

Personne n'a bougé.

Ça n'est pas qu'ils n'aimaient pas les marionnettes. L'horreur et le choc les clouaient sur place.

— OUVREZ-MOI CETTE PORTE, BANDE DE PETITS MERDEUX !

— Barrez-vous ! a hurlé Jake. Foutez-nous la paix !

CHINKA-CHINKA-CHINKA-CHINKA-CHINK.

— Bon, les petits ! a lancé Astrid. Bonbecs pour tout le monde ! C'est moi qui régale. Pareil pour les jouets : prenez ceux que vous voulez ! On s'éclate, c'est la fête !

Elle faisait de son mieux.

— OUVREZ-MOI CETTE PORTE OU JE VOUS TUE TOUS. JE VOUS ARRACHE VOS PETITES TÊTES DE GNARDS, JE ME FAIS UNE BONNE SOUPE AVEC VOS PETITES CERVELLES DE GROS MALINS ET...

Je me suis mis à chanter.

Oui, à chanter.

— Un crocodile, s'en allant à la guerre / Disait au revoir à ses petits enfants.

J'ai lâché Henry et Caroline et je suis allé parader devant les gosses.

— Traînant ses pieds... la-la-la la-lalère / Il na-na-na combattre les éléphants.

Bon, pour les paroles, j'avais comme des trous.

Alex m'a prêté main-forte. Astrid aussi. On était là à marcher tous les trois comme des débiles.

— Ah les crococo, les crococo, les crocodiles...

C'est moi qui menais la danse, inventant les paroles au fur et à mesure : on défilait entre les petits et notre mur

JOUR 2

de protection dans le but de détourner leur attention de la terreur que faisait régner l'autre monstre.

L'autre monstre qui a soudain gueulé :

— VOUS CHANTEZ « LES CROCODILES » ? VOUS CHANTEZ « LES CROCODILES » ? MOI, JE VAIS VOUS BOUFFER COMME UN CROCO !

Niko est venu chanter avec nous, et je peux vous le dire : il chante comme une casserole.

Les mioches, par contre, ils ont accroché.

— Ah les crococo, les crococo, les crocodiles / Sur les bords du Nil, ils sont partis n'en parlons plus.

Les petits sont venus parader derrière nous – la parade la plus triste de tous les temps. On les a éloignés comme ça de l'entrée, du monstre, et on s'est dirigés vers le rayon gâteaux. On s'est gavés de cookies un bon moment.

CHAPITRE SEPT

GROUPES SANGUINS

LES TOUT-PETITS ONT FINI PAR S'ENDORMIR. Il devait être 3 heures de l'après-midi – difficile à dire, vu que l'éclairage était le même vingt-quatre heures sur vingt-quatre. J'ignore quelle heure il était, mais Astrid leur a dit que c'était le moment de la sieste, et les mioches se sont effondrés dans leurs sacs de couchage comme des morts vivants.

Les jumeaux dormaient ensemble ; Max et Ulysses ont rapproché leurs sacs. Chloe et Batiste se retrouvaient isolés. Batiste a bien tenté de se pelotonner contre Chloe, mais elle a refusé.

— Arrête, Batiste, lui a-t-elle dit. Tu sens.

Et elle l'a repoussé.

— Pousser, c'est péché, a grommelé le petit.

— Ouais, et ben c'est aussi péché de se coller à quelqu'un qui veut pas !

— Même pas vrai !

— Si c'est vrai !

— Même pas vrai !

— Si !

— Non !

— Si !

JOUR 2

— C'est bon, les petits, suis-je intervenu en essayant de rester zen.

— Les câlins, c'est pas péché ! hurlait Batiste.

— Si, si la fille elle veut pas que tu la câlines ! a riposté Chloe.

— Hé ! a hurlé Astrid. Bouclez-la !

Là-dessus, Chloe a frappé Batiste au ventre – ce qui n'a pas été entièrement pour me déplaire, vu comment ce gosse était agaçant.

Ensuite, Batiste a dit que taper quelqu'un dans le ventre, c'était péché.

Il a pleuré un moment, après quoi ses pleurs ont pris le rythme du sommeil.

Quel soulagement. Astrid et moi, on s'est comme qui dirait regardés et on a souri. Ce moment avait un petit côté papa-maman, genre là où j'aimerais qu'on en soit d'ici une vingtaine d'années, mais bon, bien sûr, avec à peu près cinq gosses de trop.

— Tu assures, avec les petits, m'a-t-elle dit.

— Pas vraiment. Toi par contre, carrément.

Super conversation, hein ? Je me connectais vraiment à elle.

— J'ai été mono de l'année trois fois d'affilée à la colo de jour Indian Brook, a-t-elle annoncé en ramenant une mèche blonde derrière son oreille.

— C'est pas rien. (La repartie qui tue, comme d'hab.)

Elle a haussé les épaules et s'est dirigée vers la télé cassée, où les autres s'étaient réunis pour écouter les infos.

Ils ont tous levé la tête quand on s'est pointés, mis à part Josie. Elle était là comme tout le monde, mais le regard perdu droit devant elle. Comme si elle était un peu « ailleurs ».

— Ils parlent des produits chimiques, m'a chuchoté Alex.

Je ne sais pas comment s'appelait le présentateur, mais il avait une voix très grave, rassurante. N'empêche, ce qu'il nous racontait, c'était terrifiant :

— À l'attention des habitants du sud-ouest des États-Unis : plusieurs sites de stockage d'armes chimiques du commandement de la Défense aérospatiale de l'Amérique du Nord situés à Colorado Springs (Colorado) ont subi des fuites.

» Ces produits chimiques s'attaquent aux individus en fonction de leur groupe sanguin. Les personnes du groupe A verront apparaître des cloques sur les zones exposées de leur corps. En cas d'exposition prolongée, les organes internes subiront une hémorragie entraînant un dysfonctionnement puis la mort.

Je me suis tourné vers Niko. Il était du groupe A. Comme au niveau de sa personnalité, d'ailleurs.

— Les individus du groupe AB souffriront de fantasmes paranoïaques, voire d'hallucinations.

Brayden s'est pris la tête à deux mains.

— On ne sait pas précisément quels effets affecteront les individus du groupe B. Il est possible qu'ils souffrent de difficultés à long terme pour se reproduire, voire de stérilité. Mais il est permis d'espérer que ces individus ne soient aucunement atteints par l'exposition.

Alex et Sahalia, qui étaient eux aussi sortis sur le toit, ne présentaient aucun symptôme. Ils étaient du groupe B. Jake, lui, avait été exposé dans la réserve et n'avait pas l'air affecté.

Mon frère allait s'en tirer. Ça m'a fait du bien.

— Les individus du groupe O, groupe le plus répandu, connaîtront des troubles du comportement et deviendront

JOUR 2

violents. Évitez ces gens-là à tout prix. Dans la mesure du possible, enfermez-les dans un placard ou dans une cave.

J'avais l'impression que tout le monde me regardait.

J'ai eu très chaud à la figure.

J'étais du groupe O. Comme le monstre de la grille d'entrée. Génial.

— Fort heureusement, les effets se dissipent très rapidement. En cas d'exposition, mettez-vous en lieu sûr et rincez-vous abondamment la peau et les membranes muqueuses à l'eau propre. Les effets cesseront sous dix à vingt minutes. Une exposition prolongée entraînera des dégâts irréversibles.

La voix nous a ensuite conseillé de ne pas sortir des bâtiments et d'attendre les secours.

— Comme si on avait le choix, a ricané Brayden.

Et ensuite la bonne nouvelle. Ha, ha.

Le présentateur nous a expliqué que ces produits étaient censés finir par se disperser d'ici trois à six mois.

— *Six mois !* s'est exclamée Astrid.

Comme pour nous rassurer, le type a ensuite raconté que les gars du gouvernement se démenaient pour désactiver le nuage qui enveloppait la région de Colorado Springs sur un rayon de 1 300 kilomètres. Un nuage magnétique qui flottait au-dessus de la zone de détonation, qui brouillait les signaux et n'était affecté ni par la pluie ni par le vent.

Sur ce, il a conclu par un :

— Citoyens des États-Unis d'Amérique, nous subissons la plus grande crise que notre pays ait jamais connue. Mais si nous faisons preuve de courage et de patience, si nous persévérons malgré les épreuves, nous triompherons de cette calamité. Bonne nuit, restez en sûreté, et que Dieu vous bénisse.

Puis son intervention est repassée en boucle.

Quelqu'un (sans doute Niko) avait apporté des fauteuils à l'espace multimédia, c'est là qu'on s'était installés. Moi, Jake, Brayden, Astrid, Niko, Alex et Sahalia. Niko, je m'en suis rendu compte à ce moment-là, avait du mal à rester sans rien faire – il s'était mis à nettoyer le bazar du séisme. Juste dans notre secteur.

On restait assis là, à encaisser ce qu'on venait d'entendre. Tout ce qui s'était passé.

Je me demandais quel groupe sanguin avaient mes parents.

Je priais pour que ce soit le B.

Problème de reproduction et stérilité. Oui, pourvu qu'ils soient du groupe B.

— Hé, Niko, s'est inquiété Jake. L'air qu'on respire, là, t'en penses quoi ? Il est sûr, d'après toi ?

— Ouais, a fait Brayden, on sait même pas de quel groupe ils sont, les mioches. T'imagines l'horreur s'ils se transforment tous en zombies ?

— Nous devons coûte que coûte empêcher l'air extérieur de polluer le nôtre, a annoncé Niko.

— Mais… est intervenue Sahalia, on ne risque pas de… genre de s'étouffer, si on est coupés de l'air extérieur ?

— Pas avec la quantité d'air dont on dispose, a répondu Alex. Le volume contenu dans le Greenway est colossal.

— On pourrait peut-être installer des filtres, a proposé Jake. Au cas où de l'air s'infiltrerait du dehors…

— Je me demande s'il y a des plantes quelque part, ai-je dit. Ou des graines. Si on avait des plantes, elles filtreraient l'air et nous donneraient de l'oxygène.

— Ce qui m'inquiète surtout, a repris Niko, c'est l'électricité. Le nuage magnétique risque d'affecter les capteurs solaires du toit.

JOUR 2

— Super, a râlé Brayden. Pile ce qu'il nous fallait. Se retrouver dans le noir !

— J'y ai réfléchi, a annoncé Alex en se levant. Ce nuage va être déterminant. Juste avant que mon frère m'attaque, sur le toit, vous avez remarqué que le jour avait verdi ?

Là, c'était le bouquet : le moment où j'ai essayé de tuer Alex était devenu un point de référence pour tout le monde.

— Si le jour a bien viré au vert, a continué mon frère, ou au jaunâtre, c'est que le nuage magnétique bloque les spectres bleu et rouge. Or ces spectres sont ceux qui permettent la vie végétale. Les panneaux solaires captent n'importe quel spectre. Du coup, s'il n'y a que le jaune qui passe, c'est bon. Ils continuent à fonctionner.

Il s'était mis à faire les cent pas. Ça lui prend quand il est super excité.

— 'Tain, t'es trop un geek… a râlé Sahalia.

Elle faisait tellement plus vieille que mon frère. C'en était dur de croire qu'ils avaient tous les deux treize ans.

— Je pensais, l'ai-je coupée, pour la nourriture. Il y a pas mal de produits frais qu'on ferait mieux de manger avant qu'ils tournent.

— Le plus important, a ajouté Niko, c'est de faire le ménage. Remettre tous les articles en rayon, jeter tout ce qui est cassé, de sorte à pouvoir estimer le stock et se préparer à…

— Personne ne songe à s'en aller ? l'a interrompu Astrid. On va tous vivre ici à partir de maintenant ? Comme une grande famille heureuse, pour le restant de nos jours ?

On s'est tus.

Affalée dans un fauteuil, Astrid tapotait du pied un carton retourné.

— Pas pour le restant de nos jours, non. Juste le temps que les choses redeviennent normales dehors, a répondu Jake.

— Et pour nos parents ? a insisté Astrid.

Long silence. Je matais mes mains. J'avais la peau sèche, et des coupures auxquelles je n'avais pas fait attention jusque-là. Mes mains étaient rêches.

— Ils sont morts ? On fait comme s'ils étaient morts ? a ajouté Astrid.

Elle parlait d'une voix tendue. Au bord de la rupture.

— On va rester terrés ici à se gaver de bonbecs alors que nos parents sont peut-être en train de mourir dehors. Si ça se trouve, ma mère va se faire agresser par l'autre malade de tout à l'heure. Ou bien mon père va virer parano et se cacher sous l'évier de la cuisine.

» À moins qu'il ait enfermé ma mère à la cave, vu qu'elle est peut-être du groupe O et qu'elle l'a attaqué avec un couteau de cuisine. Sauf si c'est elle qui l'a enfermé à la cave. Non, attendez. On n'a pas de cave. Ils sont sûrement morts. À tous les coups ils se sont entretués. Et mes frères…

Sa voix s'est brisée dans un sanglot.

— Eric, il a que deux ans et demi. Pas la peine de s'inquiéter pour lui, je parie. Il doit être déjà mort…

Jake s'est levé et est allé poser la main sur son épaule.

— Tout va bien, Astrid, lui a-t-il fait.

Elle a fondu en larmes.

— Tu t'en cognes ? a-t-elle lancé entre deux montées de larmes. Ça te rend pas dingue de penser à ce qui peut se passer dehors ?!

Il l'a serrée dans ses grands bras de footeux, et elle a pleuré.

J'en ai profité pour me lever et filer vers le rayon maison & bricolage. Sans savoir où j'allais.

JOUR 2

Alex m'a suivi.

En passant par le rayon animaux, je shootais dans les boîtes de biscuits pour chien.

— Dean ? m'a demandé Alex. Tu saurais pas de quel groupe ils sont, papa et maman, des fois ?

J'ai fait non de la tête.

— Ça m'embête d'être du groupe B et que tu sois du O, a-t-il ajouté.

— T'es con, lui ai-je répondu. Moi je suis content que tu sois du B. C'est le moins flippant du lot.

— La stérilité, c'est clair, a-t-il rétorqué. Vu que j'ai quasiment zéro chance d'être père un jour. M'étonnerait que l'envie m'en prenne, même si je pouvais, après tout ça.

Je l'ai regardé. Des fois, son mode de réflexion me laissait baba. Il était capable de gérer n'importe quoi, du moment qu'il arrivait à l'aborder de façon scientifique.

— Bref, je voulais juste dire que je suis désolé que tu sois du groupe qui morfle le plus.

Là, satisfait de notre discussion, il m'a laissé.

Alex, je vais vous dire, il était comme notre père. Portrait craché, même mentalité, même façon de remonter son pantalon.

Notre père était ingénieur et géomètre ; il bossait presque exclusivement pour Richardson Hearth Homes. Il adorait son boulot, mais détestait les lotissements qu'on lui demandait de dessiner. Ces baraques avec éléments personnalisables – îlot de cuisine, appareils électroménagers, couleurs de façade –, il disait qu'elles étaient faites pour les « simples des prix ». Un jeu de mots de son cru. Basé sur « simple d'esprit ».

Les gens « simples des prix », c'étaient ceux qui bossaient toute leur vie dans un grand magasin, et qui claquaient toute leur paie dans d'autres enseignes, à s'offrir des produits de merde et de la bouffe toute pourrie.

Ça en dit long sur mon père, ça. Il méprisait ses voisins, tout en leur construisant des maisons. Plutôt barré, comme paradoxe. En plus, nous aussi on vivait dans un de ces lotissements. Apparemment, on n'avait pas le choix – mes parents avaient eu une ristourne de folie.

Ce que mon père aimait par-dessus tout, c'étaient les aspects techniques de son travail. Calculer, mesurer, utiliser des machines et des ordis – pour ça, c'était un crack.

Alex aussi, pareil. Il pensait en termes de nombres, de chiffres et de tendances.

Tout gosse, il avait peur de tout. Des chiens, des camions, du noir, d'Halloween et j'en passe.

Un jour, notre père lui a appris à analyser ce qui lui faisait peur.

Du coup, quand on partait demander des bonbecs aux voisins pour Halloween, ça se transformait en séance débriefing :

— Ça, tu vois, ça n'est pas une vraie sorcière, c'est une figurine en plastique avec des diodes pour les yeux et qui récite un message enregistré. Là-bas, les pierres tombales, ce sont des fausses, elles sont en PVC, avec des inscriptions pour faire peur rédigées par un auteur comique. Après, les démons que tu vois dans la rue, ce sont en fait des lycéens qui ont acheté leur costume au Walgreen ou sur Internet…

Et tout ce temps-là, Alex me tenait la main, la serrant comme si elle seule pouvait l'empêcher de devenir cinglé.

JOUR 2

Ça me plaisait bien, à l'époque, d'être son protecteur – celui auprès de qui il se sentait en sûreté. Là, je me sentais d'autant plus mal de l'avoir attaqué.

Avant ça, on avait toujours formé une bonne équipe – lui le super-cerveau, moi le super-stable. Un peu comme nos parents, en fait.

Notre père était du genre brillant et angoissé, notre mère optimiste et les pieds sur terre.

Elle adorait les livres. C'était notre grand point commun. La maison débordait de vieux bouquins. Elle les achetait par cartons entiers, surtout depuis que les gens s'étaient mis à la lecture sur tablette.

Pour notre mère, ces achats étaient devenus compulsifs, comme si elle craignait qu'on arrête d'en imprimer.

Elle possédait plusieurs exemplaires de ses titres préférés. Elle devait en avoir huit d'*Une Chambre à soi* (un truc proprement illisible pour moi) et cinq du *Guide du voyageur galactique* (super roman).

Maman me parlait tout le temps de ses idées de romans, sauf qu'elle n'a jamais commencé à en écrire un seul.

Une fois, je lui ai demandé pourquoi.

— Oh, mon chou, m'a-t-elle répondu. J'essaie, tu sais. Mais dès que je t'ai raconté mon idée, va savoir pourquoi, c'est comme si la baudruche s'était vidée, je ne ressens plus le besoin de l'écrire.

Du coup, au lieu de faire écrivain, elle s'occupait de nous.

Et elle bossait pendant les vacances.

Alex et moi, on s'est trouvé à manger et on est retournés à l'espace multimédia.

La petite Caroline s'est réveillée en pleurant. Astrid est allée la réconforter, la prendre dans ses bras et la bercer.

— J'ai fait un cauchemar, sanglotait la petite. Je veux ma maman.

— Je sais, je sais, lui répondait Astrid en la serrant fort.

— Merci de m'avoir réveillée, Carochouine, l'a titillée Chloe. Maintenant j'ai envie de faire pipi. Qui c'est qui m'amène aux WC ?

— Dire « Carochouine », c'est dire une insulte, Chloe, lui a fait remarquer Batiste. Et c'est tu-sais-quoi.

— Même pas vrai !

— Oh que si !

— Tu sais, Batiste, s'est interposée Astrid, tu es tout le temps à porter des jugements. Ça aussi, je crois que c'est péché.

— Sûrement pas ! s'est indigné le petit. Les péchés, je sais ce que c'est, et porter des jugements, c'est pas péché.

— Possible, a concédé Astrid. Mais est-ce que tu es prêt à prendre le risque ?

Ça l'a fait réfléchir.

J'ai étouffé un rire en lisant la perplexité sur sa figure.

Puis Astrid a repris :

— OK, les gosses, je vous emmène aux WC. Tout le monde fait sa petite affaire et se lave les mains. Ensuite on ira chercher à manger au rayon surgelés.

Le petit Henry a voulu savoir :

— On va chez les dames ? Moi, je veux pas aller dans les WC des dames. Je veux aller dans les WC des monsieurs.

— Ma maman, une fois elle m'a emmené dans les WC des dames, s'est mis à raconter Max. Et là il y avait une madame qui pleurait et elle se frottait un œil avec un glaçon en disant :

JOUR 2

« Si jamais Harry me frappe encore, je sais pas ce que je ferai », et une autre madame est sortie d'un cabinet en disant : « Si jamais Harry te frappe encore, tu lui donnes à téter ce joujou. » Et là elle a posé sur le lavabo un vrai pistolet. Un pistolet en fer et je rigole pas. Alors ma maman elle s'est tournée vers moi et elle m'a dit : « Demande à papa de t'emmener dans les WC des monsieurs. »

Je commençais à me dire que Max avait eu une vie franchement intéressante. J'ai sorti mon journal pour noter ce qu'il venait de raconter.

Astrid a mis les petits en rang. Elle a expliqué à Henry qu'ils allaient rester tous ensemble et utiliser les WC des dames. Ça se justifiait, niveau psychologie, même si ça a fait rouspéter les garçons.

CHAPITRE HUIT

L'EAU

JE NE DEMANDAIS RIEN À PERSONNE, je notais des trucs, quand Brayden s'est pointé et a shooté dans mon fauteuil.

— 'Tain, Dean, tu sors d'où ? Tu vis au Moyen Âge ou quoi ?

— Brayden… a fait Jake, installé pas loin de moi.

Le ton de sa voix disait « Laisse tomber ».

— Non, c'est juste : je savais que Geraldine était barré, mais j'avais pas compris à quel point.

— J'écris. Ça me plaît bien, d'écrire.

— Je parie qu'il y a des trucs sur moi là-dedans, a-t-il fait en m'arrachant mon journal.

— Eh, oh ! me suis-je exclamé en me levant d'un bond.

L'autre tenait mon journal derrière son dos, bras tendu.

Quand j'ai voulu l'attraper, il l'a changé de main.

On se serait cru au CP.

— Je parie qu'il y a des trucs sur tout le monde, a continué ce crétin. Surtout sur Astrid.

Je l'aurais tué, si elle l'avait entendu dire ça. Mais Astrid était avec les petits.

Vous savez, on pourrait croire que se retrouver enfermé dans un Greenway pendant la fin du monde, ça fait ressortir

JOUR 2

ce que chacun a de meilleur en lui, eh ben, SURPRISE ! Brayden, lui, il était toujours aussi con et casse-couilles.

Là, il a déchiré une page et a tenté de la déchiffrer, tout en gardant le reste du journal au-dessus de ma tête, hors de portée.

— 'Tain, mec, c'est noir ton truc, a-t-il soufflé en lisant.

— T'es trop con, Brayden ! lui ai-je craché. C'est pas possible d'être autant immature.

— Lâche-le, Brayden, lui a ordonné Jake.

— T'as pas envie de savoir ce qu'il bave sur toi, Simonsen ?

— JE T'AI DIT DE LÂCHER CE TRUC !

Brayden a bondi. On a tous bondi.

Jake s'était levé, il se tenait devant Brayden les poings serrés. Son sourire sympa avait disparu. Il était bien vénère.

— Comme tu veux, a cédé l'autre en balançant mon journal à l'autre bout du rayon.

— Va falloir apprendre à te calmer, mec, a grondé Jake.

— 'Coute, je suis désolé, lui a fait Brayden, les mains levées. Sérieux. Désolé.

Est-ce que je l'ai traité de connard à voix basse en allant ramasser mon journal ?

Un peu, oui.

Et puis il y a eu ce petit bruit métallique. Comme une alarme incendie ou une sirène. Sauf que ça venait de dedans et que le son grossissait.

Ulysses.

Il hurlait et courait dans tous les sens pour nous retrouver.

On a foncé vers lui et c'est là qu'on a entendu les cris qui provenaient des WC. Des cris suraigus et limite inhumains.

Niko a ouvert la porte.

Les mioches étaient devenus fous.

Les jumeaux McKinley se cachaient sous les lavabos.

Chloe s'était assise sur Max et lui mordait la tête. Il y avait du sang par terre.

Ils hurlaient, ils chialaient et ils s'attaquaient les uns les autres.

Mais Astrid…

Astrid plaquait Batiste contre un mur en le tenant par la gorge.

Elle avait la figure toute rouge. Les veines du cou gonflées – énormes. Elle ressemblait à un taureau.

Batiste, lui, il se faisait tuer. Étrangler. Je vous souhaite de ne jamais voir ça, parce que c'est trop horrible. Il avait le visage bleu, les yeux exorbités et les jambes toutes molles.

Niko et Jake ont bondi sur Astrid et lui ont arraché le petit des mains. Elle s'est débattue, les a mordus et frappés. Moi, je voulais regarder, je voulais me jeter dans la mêlée, je sentais mon sang qui bouillait – à ce moment-là, quelqu'un m'a fait sortir des WC.

Je vous le donne en mille : Sahalia.

— Reste pas là, fou furieux, m'a-t-elle dit.

Je lui aurais bien arraché la tronche, mais je n'avais inhalé qu'un tout petit peu de cette cochonnerie, alors je me suis forcé à filer. Je me suis éloigné dans un rayon et me suis mis à respirer à fond.

Niko est ressorti des WC, tenant dans ses bras une Chloe hystérique qui gueulait et se débattait.

— C'est l'eau, a-t-il annoncé. Les produits passent dans l'eau.

Il avait déjà des premières cloques.

— Je vais bien, ai-je glissé entre mes dents. Je peux t'aider.

JOUR 2

J'ai pris Chloe par les mains. Elle essayait de me griffer. Elle gesticulait, chialait et tentait de me mordre. Sauf que j'étais trop fort pour elle – plus fort que d'habitude. Les bouffées de produits chimiques qu'elle dégageait m'enivraient. Et sa fureur a trouvé écho dans ma propre fureur.

En plus, cette gamine était soûlante, c'était un plaisir de la calmer. J'ai honte de l'écrire, mais c'est la vérité. Je serrais ses petits poignets boudinés, un grand sourire de malade aux lèvres.

Niko, les cloques, ça ne s'arrangeait pas.

— Va prendre du Benadryl, lui ai-je conseillé.

Il est parti en courant comme il a pu dans ce foutoir.

— Je reviens, a-t-il dit.

Sahalia est sortie des WC avec les jumeaux McKinley, qui hallucinaient et flippaient. On ne comprenait rien à ce qu'ils disaient – ils s'agrippaient l'un l'autre en gueulant.

Max les suivait, il sanglotait et appuyait ses deux mains sur ses morsures au crâne.

— L'eau est coupée, a soufflé Sahalia.

Jake a alors surgi, tenant Batiste dans ses bras. La tête du petit se balançait sur son épaule.

— Faites-moi de la place, a ordonné Jake. Il respire plus.

Brayden s'est avancé. Je n'avais pas fait gaffe qu'il n'était pas entré dans les WC. Il était resté derrière nous, dans un rayon.

Le lâche.

— Je sais faire la réanimation cardio-pulmonaire, a-t-il annoncé en s'agenouillant à côté de Batiste.

Mais là, il a relevé la tête, la figure soudain couverte de sueur et l'air effrayé. Les produits chimiques peut-être ? Je me dis que je pouvais lui laisser le bénéfice du doute.

— Moi aussi, a enchaîné Niko.

Et il est allé prendre la place que Brayden était bien content de lui céder.

Niko a appuyé ses lèvres sur les lèvres bleues de Batiste et lui a soufflé dans la bouche, comme pour raviver un feu de camp. Ça n'a pas duré, Dieu merci. Je ne pense pas que Niko aurait pu tenir longtemps.

Là, il s'est mis à tousser gras.

Deux ou trois longues expirations, deux ou trois pressions fermes mais délicates sur la cage thoracique maigrichonne du petit, et ses yeux se sont rouverts. Batiste a inspiré avec peine une première fois. Puis une autre.

Je regardais Brayden, qui regardait Niko. Son visage exprimait une jalousie mêlée de regret. La peur, aussi, peut-être. Mais surtout la jalousie.

Pendant ce temps, Jake se démenait toujours pour faire sortir Astrid des WC.

Elle avait le chemisier déchiré et du sang qui lui coulait de l'oreille.

— Il me faut des cordes ! a crié Jake.

Astrid se débattait et hurlait. Elle a mis un coup de coude à Jake sur le côté de la tête et il l'a lâchée.

Elle s'est dégagée. Elle a dérapé mais s'est aussitôt reprise avant de disparaître dans un des rayons.

Elle nous a adressé un dernier regard ; j'ai lu l'horreur dans ses yeux.

On avait donc cinq primaires en larmes, plus ou moins contaminés par des armes chimiques.

Bon, au moins, on savait à quel groupe sanguin chacun appartenait.

JOUR 2

En plus de la raclée que lui avait infligée Chloe, Max commençait à se couvrir de cloques (groupe A). Les jumeaux McKinley se cachaient – paranoïa (groupe AB). Ulysses parlait tout seul en espagnol, un monologue à deux mille à l'heure que j'ai attribué à la paranoïa (groupe AB lui aussi, donc).

Batiste était du groupe B, celui qui ne présente aucun symptôme – comme Alex, Jake et Sahalia (stérilité et problèmes de reproduction – youpi !).

— Faut les nettoyer, a dit Brayden.

— Tu crois ? lui ai-je pratiquement beuglé dessus (groupe O).

— Je t'emmerde.

'Tain, j'avais envie de le massacrer. Grave. Le démembrer méthodiquement.

Niko m'a regardé.

— Dean, va-t'en, m'a-t-il ordonné. Les produits sont trop forts. Ça t'affecte.

— C'est ça, va retrouver Astrid, m'a cherché Brayden. Vous êtes faits l'un pour l'autre.

Il semblerait que je l'aie mordu.

Je n'en ai aucun souvenir.

Je me suis réveillé un peu plus tard, ligoté, couché à plat ventre sur un fauteuil.

J'ai essayé de me relever – pas moyen.

J'ai roulé sur un côté.

Là, j'ai vu Chloe, lavée de frais, emmitouflée dans une serviette de bain, elle engloutissait des Butterfinger à la chaîne, comme un fumeur compulsif, tout en me dévisageant.

Je signale au passage qu'ils avaient lavé les petits avec des bouteilles d'eau minérale, dans une piscine de jardin. Après, ils ont balancé leurs habits contaminés là-dedans et recouvert le tout avec une bâche plastique. Une saleté d'eau capable de vous cramer la tronche ou de vous couvrir la peau de cloques, mise en quarantaine dans une piscine de jardin. Super idée, faut dire.

Une idée de mon frère.

Ils ont ensuite remisé la piscine au rayon puériculture. Rayon qui devait devenir notre décharge.

— S'il te plaît, Chloe, ai-je dit le plus calmement possible. Tu veux aller dire à Alex que je vais bien et que j'aimerais qu'on me détache ?

Elle a haussé les épaules.

— Chloe, va me chercher Alex.

— Et pourquoi je ferais ça, m'a-t-elle répondu, le nez plein.

— Parce que je te le demande.

Elle m'a ignoré, préférant grignoter le nappage chocolat d'un nouveau Butterfinger.

— Chloe !

— J'aurai quoi, en échange ?

— Tu te fous de moi ?!

Bâillement de la petite.

— Va chercher Alex.

— Je suis pas obligée de faire ce que tu veux. T'es même pas mon chef.

— Je te le demande. S'il te plaît.

— Tu demandes pas, tu dis des ordres. Et personne aime qu'on donne des ordres.

JOUR 2

Si je n'avais pas eu les poignets sciés par les cordes en nylon, j'aurais sans doute trouvé cette conversation amusante.

— Chloe, douce Chloe, princesse de tout ce que ce monde possède de beau et de charmant, accepteriez-vous, pourriez-vous délivrer pour moi un message à mon frère ?

Ça l'a fait glousser.

— Dis « s'il vous plaît ».

— Le plus doux des « s'il vous plaît », pour la plus belle des jeunes princesses…

— D'aaaccord… a-t-elle cédé.

Sur ce, elle s'est dirigée vers les autres.

Ce n'est qu'à ce moment-là que j'ai repéré Batiste, dans son sac de couchage – jusque-là, Chloe était installée entre lui et moi. Couché sur le dos, il matait le plafond.

— Hé, Batiste, l'ai-je appelé. Tu vas bien ?

Pas de réponse.

Alex a rappliqué en moins de deux et m'a libéré.

— Tu as mordu Brayden au crâne, m'a-t-il annoncé les yeux luisants. (Puis, dans un murmure :) C'était trop fort !

— Ils sont où, les autres ? lui ai-je demandé en me massant les poignets.

— On n'a pas fini de laver les jumeaux.

Il est retourné aider. Je ne l'ai pas suivi.

— À plus, quand on aura fini ? m'a-t-il lancé.

— Je compte aller nulle part, ai-je répondu.

J'ai entendu un léger ronflement en provenance d'un sac de couchage plus loin dans l'allée. Ils avaient dû gaver Max de Benadryl, vu comment il comatait. Ses cloques étaient moins impressionnantes, preuve que ça devait marcher.

Je me suis approché de Batiste. Il était tout nu, enveloppé dans une serviette de bain et couché dans son sac. Il avait l'air déprimé et frigorifié.

— Ça va, bonhomme ? lui ai-je demandé.

Ses mains, deux pains de glace.

— Je vais te chercher des affaires, lui ai-je dit.

Direction le rayon vêtements garçons, où je lui ai récupéré des habits chauds. J'ai même pris une paire de chaussons-chaussettes. Un peu ridicule, mais je me disais qu'il avait besoin d'un truc chaud et douillet.

— Hé, Batiste, ai-je fait en rapportant les habits. Mate un peu ton nouveau look.

Mais le petit n'a pas remué un muscle. Du coup, c'est moi qui l'ai habillé, genre comme on ferait avec un bébé. Quand j'eus terminé – chaussons-chaussettes compris –, je lui ai frotté le dos.

Tout à fait. Et je vous garantis que j'étais aussi mal à l'aise en le faisant que je le suis en l'écrivant.

Mais bon, je sentais qu'il se détendait un peu au niveau des côtes, alors j'ai continué.

Et j'ai pris ça comme un bon signe quand, quelques minutes plus tard, il a croassé : « J'ai mal à la gorge. »

Je suis allé lui chercher du sirop Advil pour enfants et une glace à l'eau. En revenant, je me suis cogné à Brayden. Il portait Henry, enroulé dans une serviette.

— Toi, t'es un connard, m'a-t-il assené en me pointant du doigt.

Pourquoi ça m'a fait plaisir comme ça, je ne saurais vous le dire.

JOUR 2

Personne ne semblait penser au dîner, mais les mioches avaient faim, alors j'ai fait le tour du rayon surgelés : nuggets de poulet en forme de dino, haricots verts surgelés et deux sachets de pommes noisettes.

Ensuite, je me suis demandé comment faire cuire le tout.

À la pizzeria, il n'y avait que des fours électriques et un micro-ondes. Par contre, zéro cuisinière, donc aucune idée pour les haricots verts. Je les ai mis au four sur une plaque à pizza. Quand je les ai ressortis, c'étaient des bouts de paille carbonisés. Je ne vois pas comment vous les décrire mieux que ça. Du charbon desséché en paille.

Les pommes noisettes, elles, aucun souci.

Mais les nuggets étaient froids à l'intérieur. Les petits, ça ne les a pas trop dérangés. Jake en a quand même mis à réchauffer pour les grands. Et sa fournée de dinos est allée rejoindre mes haricots verts au paradis du charbon.

Du coup, le dîner, ça a surtout été des pommes noisettes.

Après le repas, j'ai apporté sa part à Josie et lui ai tenu compagnie pendant qu'elle mangeait.

J'avais pris l'habitude de discuter avec elle. Enfin, « avec », faut le dire vite.

Nos conversations, ça donnait :

Moi : Comment tu vas, Josie ?

Josie : ———

Moi : Oh, je vais bien, c'est sympa de demander. Enfin, bon, je déprime un peu, entre la fin de la vie telle qu'on la connaît et tout ça. Mais je tiens bon. Et toi ?

Josie : ———

Moi : Ouais, c'est bien ce qui me semblait. T'as l'air de morfler grave. Mais tu sais, je me disais : on a tout plein de fringues propres. Et on ne peut plus utiliser l'eau, alors on se nettoie à la lingette. Ça le fait bien. Tu veux que je t'en apporte ? Ça serait pas du luxe, excuse-moi de te le dire. Et puis ton bandage à la tête, il faudrait le changer, maintenant.

Josie : ————

Moi : Pas de problème, je peux t'en apporter un neuf. Avec des lingettes, aussi. Je mentirais si je disais qu'on ne s'inquiète pas pour toi. Tu sais que tu n'as pas décroché un mot depuis le bus…

Josie : ————

Moi : Bref, en cas de besoin, je suis là. T'as qu'un mot à dire. N'importe lequel, d'ailleurs…

Etc.

Le dessert était juste inratable : des glaces à l'eau.

— Niko, a commencé Alex, les lèvres mauves à cause de sa glace, je compte faire l'inventaire des appareils électriques demain. Avec Dean, on pense qu'il faudrait nettoyer en priorité le rayon alimentation. Manger les produits frais…

— Oh, là, oh, là, oh, là ! l'a coupé Brayden. C'est Jake qui va gérer tout ça. Il a un plan.

— Ouais, a confirmé l'autre, demain on va se répartir en plusieurs équipes et remettre le Greenway en état.

Niko a acquiescé en direction de mon frère.

— Ça m'a l'air d'être un bon plan, a-t-il déclaré.

— On peut aider à nettoyer, a fait le petit Henry. Caroline et moi, on est forts pour aider.

— Moi aussi, je sais nettoyer, s'est proposé Max. Je suis le roi de la serpillière. J'ai épongé de ces trucs, vous y croiriez pas si je vous disais.

J'imaginais.

JOUR 2

— Super, a approuvé Jake. Demain : ménage.

Le problème des WC s'est posé sitôt qu'on fut couchés.

— Ulysses veut faire pipi, a annoncé Max.

— D'où tu sais ça ? lui a demandé Jake.

— C'est mon copain. Je le comprends.

— Dis-lui de faire dans un coin, a marmonné Jake. Moi, je l'ai déjà fait.

Je ne pouvais rien dire. J'étais aussi coupable.

— Ça n'est pas hygiénique, a avancé Alex.

— Il a peur. Il ira pas tout seul. Et moi non plus.

— J'ai besoin de faire, a ajouté Chloe.

— Super, a grondé Jake.

Ça, Astrid aurait sûrement su gérer, mais vu qu'elle était aux abonnés absents, on a dû se débrouiller.

Henry et Caroline se sont mis à chuchoter entre eux comme des malades. Après quelques secondes de débat, Henry a levé la main.

Jake ne l'avait pas repéré. Moi, si, alors je l'ai interrogé :

— Qu'est-ce qu'il y a, Henry ?

— Ben, des fois, Caroline et moi… des fois quand on va à une soirée-pyjama on met des couches. Là, comme on fait une soirée-pyjama, on n'a qu'à mettre des couches.

Sur ce, il a ouvert un paquet de six.

— Vous voudriez qu'on chie dans des couches ? a fait Brayden.

Henry s'est un peu recroquevillé sur lui-même.

Niko a alors pris la parole :

— Ça n'est pas une mauvaise idée. On étale une couche par terre, on fait ce qu'on a à faire. Ensuite on la replie et on la jette à la poubelle. Ça peut marcher.

On a fait comme ça.

Les petits ont enfilé des couches. Ils ne voulaient pas avoir à se lever la nuit, tout seuls. Je suis sûr qu'ils ne voulaient même pas penser aux WC, vu ce qui s'était passé lors de leur dernière visite.

Ils se sont donc juste mis à porter des couches.

Vous prendrez bien un peu de régression ?

(Le lendemain, Niko a installé des latrines dans le rayon puériculture : un siège de WC posé sur un baquet en plastique dont le fond était recouvert d'un sac-poubelle. Tous les tant de passages, on refermait le sac et on le mettait à la poubelle. Pour tout vous dire.)

Vers 10 heures, les lumières du Greenway se sont tamisées automatiquement. Ça faisait plus nuit. Les sacs de couchage n'étaient pas super confortables sur le sol dur. J'ai décidé de me trouver une chaise longue ou un truc dans le genre le lendemain.

J'ai eu mal partout jusqu'à ce que je m'endorme.

Une petite voix m'a réveillé.

Un des mioches qui parlait en dormant. Je n'arrivais pas à dire lequel.

Une conversation à un seul mot.

Un seul mot répété en boucle avec différentes intonations et différentes significations.

Le mot *maman*.

D'une voix qui suppliait, qui implorait. Qui appelait, qui exigeait. Qui réclamait, qui quémandait.

Je me disais que j'étais peut-être en train de rêver, mais c'est là que Brayden a fait : « Ta gueule, TA GUEULE ! »

Et les appels à maman ont cessé.

CHAPITRE NEUF

CORNE DE BRUME

LE LENDEMAIN MATIN, les tout-petits se sont réveillés les premiers. Ensuite, ils ont essayé de réveiller Jake, mais il ronflait à fond alors ils sont passés à moi. Niko était déjà debout et sûrement en train de se rendre utile.

Alex dormait encore. Je n'ai pas voulu le réveiller.

J'ai donc dû m'occuper du petit déj'.

Je n'avais franchement pas envie de devenir le cuistot de service, mais c'est pourtant ce qui semblait se produire.

Je battais des œufs à la main quand Batiste est venu me voir.

— Pourquoi tu fais pas au mixeur ? m'a-t-il demandé.

— On n'en a pas. C'est un des soucis, niveau cuisine, ici. Je n'ai que deux fours électriques et ce gros micro-ondes.

— Pourquoi t'en prends pas un ? a-t-il suggéré, la tête penchée de côté comme un petit caniche.

J'ai dû avoir l'air lent du cerveau, vu qu'il a ajouté :

— Dans le rayon.

Ça m'a fait rire. Trois jours qu'on était dans ce magasin, et je n'avais pas capté qu'on avait à disposition tous les appareils qu'on voulait. À deux pas.

— Mais bien sûr, ai-je dit. Tu m'aides ?

JOUR 3

— Oh, oui !

— On y va.

Batiste et moi avons donc équipé la cuisine : mixeur, gril électrique, gril format familial de la marque George Foreman, grille-pain six tranches, mini-four, bouilloire électrique, cuit-vapeur, et toute une batterie de poêles, de bols, de fouets, de spatules, de râpes à fromage. Grosso modo, tout le rayon cuisine.

Pendant notre séance « shopping », Batiste me parlait de ses parents, de leurs copains d'église, de leur pasteur, le révérend Grand, et de son chien Blackie.

J'avais l'impression qu'il se remettait un peu de son expérience avec Astrid.

Quand on est revenus avec les affaires, les autres petits nous ont aidés à tout déballer et ça leur a fait bien plaisir. J'en ai profité pour préparer des œufs au bacon (sur la poêle appropriée, donc !), mais très vite ils se sont mis à se chamailler et ça m'a rendu dingue.

Déjà que j'avais le petit déj' à gérer dans ce boxon.

— Allez trouver Jake, leur ai-je dit. Demandez-lui ce qui est prévu pour aujourd'hui.

Ils sont partis comme ça, qui shootant dans les cartons, qui se bagarrant, qui pleurnichant, qui papotant.

J'ai enveloppé une assiette d'œufs au bacon dans de l'alu, ai noté trois phrases sur une feuille de mon carnet et l'ai déposée sur l'alu. Ça disait à peu près :

Astrid,
Ces œufs sont pour toi. Un vrai fiasco mais tu peux les manger si ça te dit.

Je sais que tu dois te sentir trop mal. Je suis bien placé pour comprendre. Viens me voir si tu veux parler.

De la part de Dean

Alex a fini par se pointer. Je lui ai offert des œufs, mais il a préféré une tartine à réchauffer.

— Dean ? m'a-t-il demandé. Qu'est-ce qui se passe, dehors, d'après toi ? En vrai.

Je me sentais vanné. J'avais mal aux yeux. À la tête. Je n'avais pas vraiment envie d'en parler mais, pour tout dire, ça me soulageait qu'Alex m'adresse encore la parole.

J'ai retiré mes lunettes pour me frotter les yeux.

— Je pense que les gens du groupe O doivent être en train de piller la ville et de tuer des gens. La plupart des habitants doivent se cacher. T'en as qui doivent être couverts de cloques et pas loin de mourir.

Alex acquiesçait.

Il a sorti de sa poche plusieurs feuilles.

— J'ai établi des chiffres, a-t-il annoncé.

J'ai lu une de ses fiches.

En-tête : **POPULATION DE MONUMENT, COLORADO, AVANT LA CRISE : 7 000.**

Dessous, un tas de nombres.

Et en bas : **POPULATION ACTUELLE ESTIMÉE À : 2 200.**

J'ai relu le tout. Les horreurs évoquées.

Je savais comment mon frère fonctionnait. Les chiffres avaient des vertus thérapeutiques pour lui. La peur de tout ce qui était inconnu et inquantifiable, ça lui retournait la tronche.

— Je te fais le détail ? m'a-t-il proposé.

— Non. Cache-moi ce papier. Ne le montre à personne.

JOUR 3

— Ça n'est jamais que des chiffres, m'a-t-il rétorqué, limite offensé.

— Pas que. C'est des gens.

On avait nettoyé la cuisine. Sans eau courante, il a fallu ruser. Solution : des lingettes Clorox. Par dizaines.

Ensuite, on est retournés à l'espace multimédia, où c'était le bronx.

Jake et Brayden jouaient au Air Hockey. Ils avaient choisi le modèle luxe et s'éclataient dessus. J'ai remarqué qu'ils avaient aussi joué au ping-pong et mis de côté un jeu de fléchettes.

— Qu'est-ce qui se passe, Jake ? lui ai-je demandé.

— BAM ! GAGNÉ ! a-t-il hurlé.

Sahalia a crié bravo. Elle regardait la partie.

— Prochaine fois, je t'écrase, Simonsen ! a prédit Brayden.

Sahalia s'était changée, elle portait une micro-jupe. Si ça se trouve, c'était juste une écharpe, j'en sais rien. En guise de bas, une espèce de filet de pêche déchiré. Des bottines à talons pas croyables. Un débardeur par-dessus un tee-shirt hyper-mince. On aurait dit un top model de vingt ans.

Elle avait visiblement décidé de faire son marché dans tous les rayons.

Comme tout le monde.

Max et Ulysses buvaient du Coca par bouteilles de deux litres en vidant une boîte de chocos de deux kilos. Ils blaguaient et rigolaient tout le temps – ne me demandez pas comment ils faisaient pour se comprendre.

Batiste avait ouvert un paquet de marqueurs et il coloriait un livre d'images de la Bible.

Chloe, elle, était au paradis des Barbie. Elle s'était pris une ou deux poupées de tous les modèles disponibles. En plus de la maison Barbie, d'une décapotable Barbie, d'une piscine Barbie, d'une jeep Barbie et je sais pas quoi encore : un champ d'éoliennes Barbie, une boutique de chaussures Barbie et une usine d'armes chimiques Barbie. Elle avait aussi choisi deux ou trois Bratz pour pimenter le tout, mais ça restait une orgie Barbie.

Bref, tout le monde profitait du Greenway. À fond.

— Où sont les jumeaux ? ai-je voulu savoir.

Jake et Brayden n'ont pas eu l'air de m'entendre.

— Vous auriez pas vu les jumeaux ? ai-je répété plus fort.

— Non, a répondu Jake.

Voilà. Juste non.

— On est là, a alors annoncé la petite voix de Henry.

Dans l'allée d'à côté, ils s'étaient fabriqué une cabane avec des cartons de jouets. Pile à leur taille. J'ai jeté un œil à l'intérieur. Ils étaient recroquevillés sur une couverture, à sucer leur pouce et à discuter.

— Moi, j'aime sa figure quand elle sourit, disait Caroline.

— Oui, et moi, j'aime son pantalon marron. Le tout doux, ajoutait Henry.

— Et puis ses cheveux.

— Ils sont marron.

Caroline acquiesçait, rêveuse.

Ils parlaient de leur mère.

— Du coup, on n'a pas de plan ? ai-je demandé à Jake.

— Pas encore, m'a-t-il répondu. On commence par une pause. BAM ! DANS LE MILLE !

JOUR 3

Je les ai laissés ; Alex m'a suivi.

J'ai shooté dans un sac de couches.

— C'est trop naze, ai-je déclaré. Il y a tellement de trucs à faire. C'est le chaos dans tous les rayons. On est censés tout gérer tout seuls ?

Alex a posé une main sur mon bras.

— Ça va bien se passer, m'a-t-il assuré.

— Sûrement pas.

Sur le moment, j'ai eu envie de pleurer. Je me sentais rougir, et j'avais la respiration bloquée dans ma gorge.

— Rien ne sera jamais plus comme avant, ai-je dit.

Et j'ai filé dans une allée, en shootant dans les décombres. Je me suis retourné.

Alex restait planté là, les épaules voûtées. Son petit corps qui ployait sous le poids du monde.

Je devais me ressaisir. Je devais prendre soin de mon frère. J'ai essuyé mes larmes du dos de la main.

Puis je suis revenu vers lui.

— J'ai une idée, ai-je commencé.

— Quoi ?

— Monopoly.

— OK, s'est-il contenté de répondre.

Tous les étés, on passait une semaine dans une maison de Cape May dans le New Jersey (surtout ne pas penser à Cape May balayée par le tsunami). Ma mère y avait grandi, alors on était reçus comme des rois dans tous les restaus du coin (surtout ne pas penser au Jaime's Waffle Shop balayé par le tsunami). Vu qu'elle connaissait tous les gens du coin (surtout ne pas penser à Jaime). Par contre, comme Alex et moi, la plage, ça ne nous branchait pas trop, on passait le plus clair de notre temps à jouer au Monopoly (penser au Monopoly – rien à craindre).

On a dû passer une heure à se préparer une petite salle de jeu. On a d'abord dégagé un espace. Ensuite, on a rapporté une table à jouer du rayon meubles. On a aussi pris un minifrigo qu'on a rempli de sodas. Un stock de chips et autres friandises. On a même accroché des serviettes de plage aux gondoles pour se mettre dans l'ambiance.

En début d'après-midi, Niko est venu nous trouver. Sans rien dire, il a maté ce qu'on faisait. On s'est arrêtés, on l'a regardé. Ses yeux n'exprimaient rien – pas franchement étonnant. Au bout d'un moment, il a fait demi-tour et s'en est allé.

C'est difficile à croire, mais on peut passer une journée entière à jouer au Monopoly.

Mon frère et moi, on suivait des stratégies radicalement différentes. Moi, j'achetais tout ce que je pouvais. Alex se limitait aux gares, aux services publics et aux terrains bleu clair (avenues Vermont, Connecticut et Oriental).

Sa stratégie comportait selon moi de nombreux inconvénients. Déjà, pour l'adversaire, c'était super-barbant. Ensuite, ça avait l'air super-barbant pour lui aussi. Enfin, son idée de n'acheter que les terrains bleu clair paraissait débile et pas très rentable, mais il atterrissait toujours sur ces cases-là. Genre, sur la cinquantaine de parties qu'on se tapait chaque été, je ne devais arriver à acheter un de ces terrains que trois fois. Mais le plus gros souci, avec sa stratégie débile, c'est qu'il gagnait souvent.

JOUR 3

Là, par exemple, il a remporté la première partie.

Je me suis refait à la deuxième, quand Alex est tombé dans mon hôtel à New York.

La troisième partie – la belle – s'est achevée prématurément quand on a senti la pizza.

Une odeur délicieuse qui m'a fait me lever d'un bond.

Je me disais qu'Astrid avait peut-être repris du poil de la bête et qu'elle nous avait préparé à manger.

— Quand on reprend la partie, je te massacre, m'a assuré Alex.

— Mais oui, monsieur Compagnie des Eaux.

En fait, c'était juste Niko. Il avait compris comment marchaient les fours. Il nous avait donc préparé des pizzas qu'il avait alignées sur le comptoir.

L'odeur n'avait pas attiré qu'Alex et moi : tous les mioches avaient rappliqué, ainsi que Jake, Brayden et Sahalia.

Eux trois étaient affalés sur des banquettes. À voir leur posture et la façon dont les tout-petits les regardaient, j'ai tout de suite su ce qui clochait.

Ils étaient soûls.

Ils avaient trois grands gobelets de *granitas* devant eux, et j'ai alors vu Jake sortir de sa poche une flasque d'alcool et s'en verser une lampée.

Sahalia a gloussé et s'est penchée par-dessus Brayden pour tremper sa paille dans le gobelet de Jake.

— Hé, la miss, bas les pailles ! a quasi beuglé Jake, sourire aux lèvres.

— Juste une gorgée… a minaudé l'autre.

— Non, non. Même pas une courte paille !

Ils ont trouvé ça hilarant.

Max et Ulysses ont ri aussi, bêtement, comme rient les gamins quand des grands se marrent, pour ne pas se faire larguer.

Niko nous a lancé, à Alex et moi, un regard qui en disait long.

— À table, a-t-il annoncé ensuite. Venez tous vous servir.

— Vous l'avez entendu ? a enchaîné Jake avec un sourire niais. On se dépêche ! Rappliquez tous !

— Grand Chasseur Courageux a parlé, a ajouté Brayden.

— C'est pas toi le chef, tu sais ? a dit Sahalia à Niko en levant les yeux au ciel.

— Ta gueule, Sasha, l'a mouchée Jake.

Un surnom. Génial. Les terminales avaient donné un surnom à l'ado sexy.

— Venez tous, ai-je alors dit pour clore le chapitre. La pizza est chaude. On mange.

Tout le monde s'est plus ou moins mis en rang.

— Moi, je mange pas les saucisses, a protesté Max. Ma maman elle dit que c'est fait avec les fesses des cochons.

— Maman, maman, maman, s'est moquée Sahalia. Vous savez pas parler d'autre chose, les gnards ? Elles me soûlent, vos mères. Elles sont pas avec nous, et elles risquent pas de se pointer de sitôt !

C'était débile de sa part, mais elle ne s'en est même pas rendu compte.

Les jumeaux se sont mis à pleurer ; Ulysses était juste derrière eux, des larmes grosses comme des pois chiches aux yeux.

Niko est venu se planter devant le comptoir pour s'adresser au groupe et tenter de remettre de l'ordre.

JOUR 3

— Je me disais, a-t-il commencé. Si Jake le permet, j'ai un plan pour structurer un peu tout ça.

— « Si Jake le permet » mon cul, a dit Brayden d'une voix trop forte. Tu veux juste prendre sa place, oui.

— Non. Par contre, je pense qu'on a besoin de plans bien définis…

— Tu sais quoi, Niko ? l'a coupé Jake. Je sais que tu as de bonnes intentions, mais c'est juste que, tu vois, on vient de vivre un truc horrible. Dehors c'est la zone et on sait pas ce qui va se passer. Moi, je dis, on mérite une petite pause. Le temps de… le temps de se détendre, de décompresser, de profiter de tout ce qu'on a ici. On se la coule douce un moment, t'en dis quoi ? Hein, sérieux, honnêtement, ça peut pas faire de mal, si ?

— Ça va être le chaos, a calmement déclaré Niko.

Jake a alors levé les mains en l'air et reculé d'un pas mal assuré, tandis que Brayden s'avançait.

— Je t'emmerde, Niko ! lui a craché ce dernier. On n'a pas d'ordres à recevoir d'un paria comme toi !

Là, il l'a poussé et Niko a fait un pas en arrière.

— Je ne cherche pas la bagarre, a-t-il affirmé.

— Non, tu cherches juste à donner des ordres. Comme si tu savais ce que tu faisais !

Il l'a encore poussé. Niko s'est retrouvé dos au comptoir. Il a tenté de faire un pas de côté, mais il a dérapé sur une assiette en carton que quelqu'un avait laissée traîner là.

Il s'est relevé tant bien que mal, mais Brayden l'a de nouveau mis à terre.

— Arrête ! s'est écrié Alex.

Les mioches sont partis en live, ça gueulait en mode suraigu, comme une meute de singes.

— 'rête ça, Brayden, est intervenu Jake.

Brayden se tenait au-dessus de Niko.

— Quoi ? Tu te bats pas ? T'es trop « maître zen » pour ça ? T'es trop « Grand Chasseur Courageux » ? C'est quoi ton problème ?

— Je veux juste être prêt, a commencé Niko. Au cas où on…

— Oh, putain ! a beuglé Brayden. Oh-mais-pu-tain. J'ai pigé. (Il affichait une mine à la fois triomphante et menaçante.) T'es un scout ! C'est ça ?

Niko a haussé les épaules. A dégagé la mèche qu'il avait devant les yeux.

— Oui, je suis un scout, a-t-il fini par avouer.

Brayden s'est plié en deux.

Jake ricanait aussi, et les mioches se sont mis au diapason – pour dissiper la tension ambiante, sûrement.

— « Toujours prêt », c'est ta devise. Putain de scout. Et il voudrait nous donner des ordres !

— Je ne vois pas ce qu'il y a de drôle, a fait remarquer Niko.

Les tout-petits se marraient encore ; Niko, lui, avait les oreilles qui rougissaient.

— Moi, je suis content qu'il ait suivi une formation de scout, ai-je fini par dire à voix bien haute. Sans ça, je serais mort dans le bus. C'est lui qui m'a tiré de là. Je suis content qu'il soit un scout.

— On s'en cogne de ce que tu penses, Geraldine, a grondé Brayden.

— Moi aussi, je suis content que Niko soit un scout, m'a soutenu Alex. Il sait se débrouiller.

— C'est bon, vos gueules, vous deux, nous a craché Brayden.

JOUR 3

— Calmos, mec, a fait Jake.

— À moins que… Ah, d'accord, je vois. Niko, ton frangin et toi vous êtes dans un trip gay entre scouts. Vous voudriez filer dans les bois pour jouer à saute-moi-le-mouton…

Là, il s'est mis à mimer des coups de reins.

Comme il était devant moi, je n'ai pas vu Niko se jeter sur lui. La tête la première dans les côtes de Brayden.

Jake s'est aussitôt précipité pour les séparer, mais Niko s'est reculé et l'a bousculé. La tête de Jake a cogné contre un montant métallique. Un accident, j'en suis sûr, mais ça lui a fait péter les plombs.

Il s'en est pris à Niko. Coups de poing.

Brayden est venu en renfort.

Les tout-petits sont repartis en live. Batiste s'est enfui. Max beuglait. Les jumeaux pleurnichaient en s'agrippant l'un à l'autre. Chloe criait et se griffait la tête. Un truc de malades.

Niko se défendait de son mieux, mais seul contre deux c'était compliqué. Bêtement, je suis allé tenter d'éloigner Jake et Brayden.

Brayden s'est tourné vers moi, m'a souri comme s'il était content de me voir, et puis il m'a frappé sur le côté de la tête.

À la base, je voulais juste l'éloigner de Niko, mais je me suis retrouvé à le bourrer de coups de poing. Il me coinçait la tête sous un bras, mais ça ne m'empêchait pas de lui tabasser les côtes et là…

BRAAAAAAAAAM !

Une corne de brume.

Assourdissante.

BRAAAAAAAAAM !

On a arrêté de se battre.

Relevé la tête.

Josie tenait la corne à bout de bras. Debout sur le comptoir.

Elle portait toujours ses habits crades. Elle avait toujours des croûtes derrière les oreilles, là où Mme Wooly avait mal nettoyé. Son bandage lui collait au front uniquement à cause du sang.

On aurait dit un zombie.

Par contre, elle gérait.

— La bagarre est terminée, a-t-elle déclaré.

Sa voix était calme, mais on l'aurait entendue à plus d'un kilomètre.

— Demain, on organise une cérémonie pour honorer les morts.

On a pris le temps de digérer la nouvelle.

— Ensuite, on votera pour désigner un chef, jusqu'au retour de Mme Wooly.

Et voilà.

On avait un plan.

Chapitre DIX

MAMAN CANE

APRÈS LE DÎNER, pris plus ou moins dans le calme et le silence, Josie s'est levée et a mis son assiette à la poubelle.

Chloe, Max, Ulysses, Batiste, Henry et Caroline se sont levés et ont mis leur assiette à la poubelle.

Après, Josie est sortie de la pizzeria.

Et Chloe, Max, Ulysses, Batiste, Henry et Caroline sont sortis de la pizzeria.

Josie s'est dirigée vers l'espace vêtements enfants.

Chloe, Max, Ulysses, Batiste, Henry et Caroline l'ont suivie.

Elle leur a demandé leurs tailles et leur a choisi des pyjamas.

Elle a remis à chacun un pyjama neuf, qu'ils ont serré dans leurs bras comme un précieux trésor. Comme si ces pyjamas étaient ce dont ils avaient toujours rêvé.

Enfin, Josie a regagné l'espace multimédia et les petits l'ont suivie. En file indienne.

Ahurissant.

— Je crois que je vais gerber, a fait Sahalia, brisant ainsi le calme que Josie avait laissé dans son sillage.

JOUR 3

Alex a remporté la dernière partie de Monopoly grâce à ses saletés de gares, de services publics et d'hôtels sur les avenues Connecticut, Vermont et Oriental.

Quand on est retournés à l'espace multimédia, voici ce que j'ai découvert : six mômes dans des sacs de couchage neufs disposés sur des matelas gonflables neufs, la tête reposant sur des oreillers neufs fourrés dans des housses neuves. Tous en cercle autour de Josie, assise par terre devant une bougie qui diffusait un halo de lumière chaude et dorée sur les visages propres des petits.

Pourquoi n'avais-je pas eu l'idée des matelas gonflables ?

Josie aussi s'était (enfin) lavée. Elle portait un pyjama blanc, une robe de chambre et des pantoufles roses. Et elle s'était refait ses habituelles couettes droites sur la tête. Sa peau marron paraissait douce et luisante à la lueur de la bougie. Le seul détail qui rompait le charme, c'était le grand carré de gaze qui recouvrait sa plaie au front. Mais au moins, la gaze avait été changée.

Josie leur débitait un conte de fées grotesque et absurde. Ambiance :

— Quand Mme Wooly va revenir, elle conduira un grand bus jaune flambant neuf. Elle ouvrira la portière et dira : « Venez tous, il est temps de rentrer ! » Henry et Caroline monteront les premiers, naturellement, parce qu'ils sont les plus petits.

— Je suis le plus grand de quatorze minutes, a précisé Henry.

— Oui. Donc, Caroline montera la première, ensuite ce sera Henry. Puis Max, puis Ulysses, puis Batiste, et enfin Chloe puisque c'est la plus grande d'entre vous. Ensuite, Mme Wooly démarrera. Le ciel sera d'un bleu parfait, et le soleil brillera. Elle vous raccompagnera chacun chez vous. Oui. Et vos parents seront là pour vous accueillir.

» Vous imaginez un peu comme ils se sont inquiétés ! Mais c'est terminé. Maintenant, vous êtes en sûreté. Maintenant, vous êtes chez vous. Et Mme Wooly vous prendra par la main pour vous conduire jusqu'à votre porte, et vous pourrez rentrer.

— Et toi aussi, tu seras dans le bus ? a voulu savoir Chloe.

— Évidemment ! C'est mon boulot à moi aussi, de m'assurer que vous rentrez bien chez vous.

— Et tu viendras dans notre maison ? a demandé Caroline.

— Oui. Si vos parents m'invitent, je resterai à dîner. Ce ne serait pas super, ça ? Je me demande ce qu'on mangera.

— Ma nounou elle fait des lasagnes, elles sont trop bonnes ! a claironné Chloe. Tout le monde le dit.

— Si on va chez ma maman, elle nous prendra des trucs à emporter chez Popeyes, a annoncé Max. Si on va chez mon papa, il prendra des McDo. Lui il préfère le Wendy's, mais il y va plus parce que une fois, mon papa, il est allé au drive-in de chez Wendy's la nuit et vous devinerez jamais ce qui s'est passé parce que la dame qui travaillait là il lui a dit : « Vous êtes trop mignonne pour faire le service de nuit », et elle elle lui a répondu : « Ça, c'est sûr mon petit chou », et là lui il a sorti les bras par la vitre, il a attrapé la fille et il l'a fait rentrer comme ça dans son camion. Et maintenant, c'est ma tata Janet. Elle dort chez lui. Même qu'elle a une dent en or.

— Eh bé… a fait Josie.

Une pause.

J'imagine que Josie essayait de se remettre de tout ça.

— C'est du vrai or ? a voulu savoir Chloe.

JOUR 3

— Ouais. Mais ça s'enlève pas. Bref, moi je préfère manger chez Popeyes.

— Popeyes ou McDonald's, je suis sûre que ça sera un super festin, a déclaré Josie en passant une main dans la tignasse de Max. On sera tous trop contents quand Mme Wooly viendra nous ramener chez nous. Et maintenant, c'est l'heure du dodo et des beaux rêves.

Elle a bordé Henry et a fait un bisou à Caroline sur le front.

Elle avait ça dans le sang.

Astrid était peut-être une pro de l'encadrement de colo, mais Josie, c'était une mère. Une maman adulte de seize ans.

Son histoire m'a donné sommeil à moi aussi.

Alex ronflait déjà.

On a suivi l'exemple de Josie et on s'est trouvé des matelas gonflables.

Différence énorme. Énormément plus confortable. En m'allongeant dessus, j'ai senti toutes les douleurs et la fatigue que j'avais dans les os. L'adrénaline et le choc de… le choc de tout ça, ça m'avait fait oublier ces maux.

Là, je recommençais à sentir mon corps. Et il était en vrac. Ça me lançait aussi pas mal à l'endroit où Brayden m'avait cogné.

Josie est venue s'agenouiller à côté de mon lit.

— Tu pourrais écrire un petit mot que tu prononcerais demain ? m'a-t-elle demandé.

— À la cérémonie ?

Elle a fait oui de la tête.

— Je sais pas.

— Tu écris bien.

— D'où tu sais ça ?

Elle a levé les yeux au ciel.

— C'est juste que… Je tiens pas à être *lu*. Ce que j'écris, c'est pour pas oublier. Pour moi.

Elle a soupiré. La patience et la gentillesse infinies qu'elle avait paru avoir pour les gosses avaient disparu. Elle s'est frotté les yeux.

— On a besoin d'une cérémonie, OK ? Les petits en ont besoin. Et il faudra que ça ait l'air de venir de tout le monde. Pas seulement de moi. Tu me comprends ? Ça peut pas être un truc naze que je force tout le monde à faire. Si ça marche, si ça nous aide tous, c'est que ça sera venu de nous tous.

— OK, OK, ai-je cédé. T'as raison, Josie. Je vais écrire un truc. Promis.

J'avais déjà quelques pistes, pour tout dire.

— Et merci d'organiser tout ça, ai-je ajouté. On en a vraiment besoin. Surtout eux.

Elle s'est relevée, s'est éloignée, puis s'est retournée.

— Non, a-t-elle dit. C'est moi qui devrais te dire merci. Donc… merci.

De lui avoir tenu compagnie, j'imagine.

— Hé, Dean, je peux te demander encore un truc ?

— Vas-y.

Elle baissait les yeux, comme pour examiner ses pantoufles.

— On est quel jour ? a-t-elle lâché en riant. Je veux dire… J'ai un peu perdu le fil. Tout était flou. J'ai l'impression qu'on est là depuis longtemps, mais ça m'étonnerait.

— On est jeudi, ai-je répondu. Et on est arrivés mardi.

— Trois jours ? a-t-elle failli s'étouffer. (Puis nouveau rire.) Trois jours ?! C'est trop fou.

— Qu'est-ce qui est trop fou ? a demandé Niko en s'approchant de nous sans bruit, comme d'hab.

JOUR 3

Il avait l'œil gauche gonflé et refermé et, même si son aspect général était bon, j'ai repéré une mince croûte de sang dans ses narines.

— Ouh là. Tu vas bien ? lui a demandé Josie.

— Oui, a-t-il répondu. (Stoïque. Grand Chasseur Courageux.) Mais c'est gentil de t'inquiéter. (Poli, aussi.)

— Tu savais qu'on était jeudi ! s'est exclamée Josie. On n'est là que depuis trois jours. T'as pas l'impression que ça fait un siècle ?

— Si, carrément, a acquiescé Niko.

J'étais d'accord avec eux. J'ai repensé à tout ce qui s'était produit – l'accident de bus, l'histoire du méga-tsunami, du séisme, des produits chimiques, mon agression d'Alex, le mec à l'entrée, l'agression de Batiste par Astrid…

Trois jours.

— Ça me fait plaisir que tu ailles mieux, Josie, a fait Niko.

— Ouais, ai-je confirmé.

Puis je me suis couché sur le dos. J'avais sommeil, j'étais prêt à dormir.

Niko restait bloqué sur Josie, qui était perdue dans ses pensées.

Je ne l'avais encore jamais vu comme ça, Niko. Son regard détaché et intelligent s'était adouci. Il paraissait plus ouvert.

Comme s'il était vraiment ravi que Josie aille mieux, mais pas simplement parce qu'elle allait pouvoir aider : parce qu'elle comptait pour lui.

— Trois jours ! a répété Josie en secouant la tête.

Chapitre ONZE

CÉRÉMONIE

UNE SEMAINE AVANT LA CÉRÉMONIE, vous auriez eu à peu près autant de chances de me voir lire un de mes poèmes devant la classe que de me voir chanter la sérénade sous la fenêtre d'Astrid avec un groupe de mariachis.

Sauf que, une semaine, ça peut tout changer, et que là je m'apprêtais à lire un poème.

Ça m'était venu en pleine nuit. J'avais attrapé mon journal et noté furieusement, en essayant de ne rien oublier. Le crissement de la plume sur le papier était le seul bruit à rompre la tranquillité du magasin plongé dans l'obscurité, mis à part le ronronnement lointain des frigos.

Je me suis rendormi, convaincu d'avoir écrit le plus beau poème du monde. Dans mon demi-sommeil, j'étais sûr qu'il allait guérir le monde – mon poème.

Quand je me suis réveillé, Batiste répétait tout ce que Chloe disait.

J'ai rouvert mon journal pour me gargariser de mon génie. La page était – bien évidemment – illisible. Je n'arrivais à déchiffrer que trois ou quatre mots. Mon stylo avait parcouru toute la page, et le plus drôle, c'est que j'avais lourdement souligné certains endroits, sauf qu'il n'y avait

JOUR 4

rien au-dessus des traits. Juste des lignes ponctuées de points d'exclamation.

Du coup, j'ai dû plus ou moins tout reprendre à zéro.

Au fait, devinez qui s'est occupé du petit déj' ? Alex et moi. Vous pensiez peut-être qu'ils en avaient tous marre de mes chefs-d'œuvre mi-cramés mi-crus – pas du tout. Ils ont englouti mes gaufres froides mais croustillantes, et mon espèce de hachis noirci. Josie en a profité pour nous expliquer que la cérémonie aurait lieu dans une heure au rayon literie et salle de bains. Elle nous a demandé de ne pas en approcher avant qu'elle ait fini de tout installer.

— Faut qu'on mette des beaux habits ? a voulu savoir Caroline.

Max a grogné en levant les yeux au ciel.

— Ben quoi ? a repris la petite. C'est une cérémonie, non ? Comme à l'église ?

— Tu as eu une bonne idée, Caroline. Tout le monde met de beaux habits, a décidé Josie.

— Ça gêne si je porte juste ça ? a demandé Brayden (en jean et sweat-shirt).

Josie a adressé un regard insistant à Jake. Puis elle a attendu.

Jake s'est éclairci la voix.

— Je pense qu'on devrait tous faire un effort, a-t-il dit à Brayden. Tu vois ? Rapport au respect.

Je me suis fait tout propre à la lingette et j'ai passé des habits neufs. J'ai récupéré mon journal dans mon sac de couchage. Je relisais mon poème, chipotant sur tel mot, telle virgule ou tel truc, quand j'ai entendu un carillon.

— C'est quoi ce bruit ? a demandé Henry.

Il est sorti de la cabane en carton qu'il avait fabriquée avec sa sœur. Caroline l'a immédiatement suivi.

— Euh, un carillon, lui ai-je répondu. Je crois que c'est Josie qui nous appelle pour la cérémonie.

— Notre maman, elle adore ces bidules, m'a expliqué Henry en me prenant par la main. Elle en a au moins cinq qu'elle accroche dans le jardin de derrière. L'hiver, ils s'entortillent, mais elle va les remettre droit à chaque fois. Elle adore le bruit qu'ils font.

— Je sais, ai-je confirmé. On les entend depuis notre jardin.

Ma mère appelait la leur la « hippie » à cause de tous ses carillons, mais je n'allais pas le répéter aux petits.

— Notre maman, elle dit c'est la musique des fées, a ajouté Caroline.

— Hé ! est intervenu son frère. Tu crois qu'on pourrait lui en rapporter ? Pour quand on partira ?

— C'est un super cadeau, a approuvé Caroline.

— Bien sûr, ai-je dit. Vous prendrez *deux* carillons, si vous voulez. Un chacun.

Les jumeaux se sont regardés en souriant.

Ils avaient choisi des tenues assorties. Pantalon noir, chemise blanche et veste de jogging pour Henry. Petite robe écossaise blanche, collants et chaussures noires pour Caroline.

Ils s'étaient lavé la figure et peigné les cheveux.

Je me disais, c'est qui ces gosses ?

Et qu'est-ce qui se passe, ici, d'après eux ?

Sans qu'il m'ait rien demandé, j'ai pris le petit Henry dans mes bras. Il a passé les siens autour de mon cou et ça m'a fait du bien. Caroline me tenait la main bien fort.

JOUR 4

— Je suis contente que tu sois là, Dean, m'a-t-elle avoué. Parce que t'es notre voisin et qu'on te connaît d'avant.

— Moi aussi, ai-je acquiescé.

Josie avait dégagé un grand espace en poussant toute une gondole. Vu qu'il fallait en dévisser les pieds, je me suis dit que Niko lui avait prêté main-forte.

Elle avait fixé des écharpes dorées et orange aux néons du plafond, et ça changeait tout. La lumière était douce comme de la peau de pêche, apaisante. Par terre, Josie avait disposé des grands tapis qui se chevauchaient un peu. Un grand cercle d'oreillers nous attendait. Devant chaque oreiller se trouvait une grosse bougie pas encore allumée. Au milieu, une espèce de truc décoré avec un grand miroir posé à plat, des guirlandes de Noël et des boules de cristal.

C'était pas mal. Joli, même.

— Asseyez-vous, je vous en prie, nous a dit Josie, à Henry, Caroline et moi.

On s'est installés chacun sur un oreiller.

Chloe s'est mise à côté de Josie. Derrière elles, les carillons étaient accrochés au montant d'une gondole. À intervalles réguliers, Josie faisait signe à Chloe, et la petite tapait sur les carillons avec un maillet.

Jake et Brayden ont rappliqué. Ils portaient les marques de la bagarre avec Niko. Un bleu par-ci, une griffure par-là. Jake avait l'air un peu barbouillé, et j'ai remarqué que son pote et lui se protégeaient les yeux des guirlandes de Noël.

Si ça, c'est pas le signe d'une bonne cuite…

Découvrant le décor, Brayden a eu une grimace sarcastique. À son crédit, il n'a ni ricané ni prononcé la moindre moquerie. Ça devait être dur, pour lui, de ne pas se comporter en connard.

Niko est entré dans le cercle. Je ne l'avais pas entendu arriver. On ne l'entendait jamais arriver. Sûrement un truc de scout. Il semblait aller légèrement mieux que la veille au soir. Mais c'était peut-être juste les bougies qui le rendaient scintillant.

Niko a pris place en face de Jake et Brayden. Je les ai vus échanger un coup d'œil puis détourner le regard.

Sahalia s'est pointée avec, à la main, je vous le donne en mille, une guitare. Elle portait un jean blanc et plusieurs couches de chemisiers blancs. Ça lui donnait une allure magnifique, très pure. Zéro maquillage. À fond dans le respect.

Je vais vous dire, vous croyez connaître quelqu'un et c'est là qu'elle se ramène, toute mignonne, une guitare à la main.

Elle s'est assise en tailleur et a posé l'instrument derrière elle, adressant des regards à Jake et Brayden pour voir s'ils allaient se foutre d'elle. Jake ne la calculait pas. Brayden affichait un petit sourire narquois, quelque part entre la moquerie et (allez savoir) le flirt.

Chloe a continué d'agiter les carillons jusqu'à ce que tout le monde soit là et qu'il ne reste qu'une place de libre : celle d'Astrid.

— Elle est où, Astrid ? a demandé Max. Elle vient pas ?

Les autres mioches se sont mis à la réclamer eux aussi.

— Appelons-la, a suggéré Josie. Elle viendra peut-être.

Les petits ont aussitôt gueulé : « Astrid ! Astrid ! »

Chloe s'est remise à secouer les carillons… comme une folle, cette fois.

Astrid n'est pas venue.

JOUR 4

J'espérais vraiment qu'elle nous rejoigne. Ça faisait à peu près vingt-quatre heures qu'elle était partie.

Je savais qu'elle était en sûreté. Elle n'avait nulle part où aller. Mais je savais aussi qu'elle devait se reprocher ce qui s'était passé aux WC, avec Batiste.

Elle allait devoir surmonter cet épisode. Pas le choix.

Batiste était assis là, silencieux et le teint pâle. Les marques de strangulation sur son cou étaient bleu et marron. Comme s'il ne s'était pas lavé – ce qui était sans doute le cas.

Batiste n'a pas appelé Astrid. Lui non plus n'avait pas digéré l'épisode. Mais il finirait par passer le cap. Enfin, à ce que je me disais. Alex m'avait bien pardonné, lui. Grosso modo, en tout cas.

— Elle doit faire la sieste, a fini par déclarer Josie. On commence et peut-être qu'elle nous rejoindra.

Chloe s'est remise à secouer les carillons.

— C'est bon, Chloe, ça suffit, l'a arrêtée Josie.

— Pardon, a fait tout bas la petite.

Alors Josie a fermé les yeux, inspiré à fond et lentement. Puis elle a rouvert les yeux et pris la parole :

— Nous sommes ici pour honorer la mémoire de ceux qui sont morts. Nous ne savons pas combien nous ont quittés. Nous ne savons même pas réellement ce qui se passe dehors. Mais nous pouvons prier pour ceux qui ne sont plus, les conserver dans nos cœurs et les aider à rejoindre le paradis.

» À l'église que je fréquente, on ne parle pas beaucoup du paradis. C'est une église universaliste unitaire – ils piochent des idées dans pas mal de religions, mais ne parlent ni du paradis, ni de l'enfer, ni des péchés et de tout ça.

» Moi, par contre, je crois au paradis. Et c'est là que je vois se diriger toutes les belles âmes qui nous ont quittés. Les fidèles d'autres religions croient d'autres choses. Et c'est bien. Ce qu'ils croient de l'au-delà, c'est ce qui leur arrivera.

» Chacun se fabrique son propre paradis, c'est ce que je pense.

Les tout-petits ne l'écoutaient déjà plus.

Josie a fait signe à Sahalia.

Sahalia a empoigné sa guitare et a gratté deux trois accords.

— C'est une de mes chansons préférées, a-t-elle annoncé. Un morceau d'Insect of Zero. Je sais pas si vous la connaissez, mais voilà ce que ça donne.

Je ne connaissais pas cette chanson. Et encore moins ce groupe.

Sahalia a commencé à chanter d'une voix très râpeuse. Une voix qui faisait du bien. Comme si vous aviez une démangeaison dans l'oreille et que cette voix vous la grattait.

Les paroles :

Tous les oiseaux du ciel, il faut vous en aller.
Tous les chatons du monde, laissez-moi en paix.

Je suis d'humeur à mordre, d'humeur à me battre.
J'ai besoin de calme.
Si vous savez ce qui est bien,
Alors vous me laisserez
En paix.

Tous les poissons des mers, fuyez mon hameçon.
Tous les chiens des rues, filez à l'horizon.

JOUR 4

Je suis d'humeur à mordre, d'humeur à me battre.
J'ai besoin de calme.
Si vous savez ce qui est bien,
Alors vous me laisserez
Oh, Seigneur, vous me laisserez en paix.

Vu comme ça, ça fait antisocial. Mais la mélodie était belle et triste. Comme pour une veillée funèbre.

Je sais pas. C'était juste parfait.

La chanson terminée, Josie m'a fait un signe.

— Et maintenant, Dean a quelque chose à nous lire.

Alex me regardait, surpris. J'ai haussé les épaules et ouvert mon journal.

Je vous jure, non seulement je n'étais pas intimidé par Brayden et Jake, ni nerveux à l'idée de montrer mes sentiments, mais j'avais envie de le faire.

Et j'espérais bien qu'Astrid rôdait dans le coin. J'en étais quasi sûr. Je voulais qu'elle m'entende et qu'elle sache ce que je pense. Et j'espérais aussi que mon poème à deux balles l'aiderait à aller mieux.

Ce poème, donc :

La nuit est venue, s'est abattue lourdement.
Pas comme si Dieu recouvrait notre pays d'un drap
Plutôt comme si on avait étouffé une bougie.
Nuit soudaine, nuit totale.
En un clin d'œil.

Et nous attendons.
Dans le noir

Nous attendons
Qu'on rallume la lumière.

Nous pouvons trembler,
Nous pouvons avoir peur,
Nous pouvons nous perdre ensemble ou
Nous perdre seuls.

Mais à dire le vrai :
La lumière, c'est moi. La lumière, c'est toi.
Nous brillons ensemble.
Nous sommes des silhouettes de jour
Dans la nuit.

Nous brillons – brillons ensemble
Nous brillons – nous tenons la torche
Nous brillons – afin que nos familles
Puissent nous retrouver.

Nous brillons.

Je sais. Un poème. Ça fait pède. Que dire ?

Josie s'est levée. Nous n'avions rien prévu, mais croyez-moi ou pas, elle a frotté une allumette et l'a brandie. Puis elle a pris sa bougie et l'a allumée. Comme si c'était chorégraphié – mon poème parlait de lumière et après elle allumait les bougies. Sauf que rien n'était chorégraphié.

Josie s'est tournée vers Ulysses, assis à sa gauche, et a tendu sa bougie vers lui. Le petit savait quoi faire ; il a attrapé la bougie posée devant lui et l'a allumée à la flamme de celle de Josie. Puis il s'est tourné vers Max, assis à côté de lui, et lui a

JOUR 4

allumé la sienne. Quand c'est arrivé à la bougie d'Astrid, Jake s'en est emparé et l'a allumée.

Ça m'a fait plaisir qu'il prenne l'initiative. J'aurais aimé le faire.

Quand la flamme eut fait tout le tour du cercle, Josie s'est penchée pour poser sa bougie sur les miroirs qu'elle avait disposés au milieu du cercle. Elle nous a fait signe de l'imiter.

Quatorze lumières qui brillaient ensemble. Les cristaux et les miroirs reflétaient leur lumière et faisaient scintiller les lieux.

Les mioches étaient fascinés.

Josie s'est levée. Elle tenait à la main un panier rempli de petits papiers et de cartons. Des photos de gens. Pas des célébrités, non : des gens normaux. Elle les avait découpées dans des magazines, sur des cartons d'emballage des couvertures de livres.

— Ce sont des photos de personnes que nous ne connaissons pas, a indiqué Josie.

Chacun en a pris une.

— Je veux que vous regardiez tous la photo que vous avez choisie, et que vous envoyiez de l'amour à la personne représentée. Visualisez-la dans un cercle de lumière, et souhaitez-lui la paix.

Ulysses agitait la main en direction de Josie. Il murmurait des mots d'espagnol en lui tendant la photo. C'était peut-être la troisième fois que j'entendais sa voix. Ce qu'il racontait, aucune idée, mais c'était sérieux et ça l'a fait pleurer.

Il a rendu sa photo à Josie.

— Il a dit quoi ? ai-je demandé à Max.

Mais Josie avait capté. Illico, elle a passé les autres photos en revue et en a donné une autre à Ulysses : un gros Chinois en train de manger une pomme.

— Celle-ci, elle va ? s'est-elle assurée.

Ulysses a acquiescé.

J'ai vu Josie regarder le cliché que le gosse lui avait rendu : une mémé latina préparant des cookies. Elle avait dû trop rappeler sa propre grand-mère au gamin.

Ulysses s'est essuyé le nez à sa manche. Le pauvre petit hispanophone au milieu des anglophones. Le moral pas encore à plat. Il faisait de son mieux. Je l'adorais, ce môme.

J'ai jeté un œil au carton que j'avais pris.

Photo de bébé en couche-culotte et à quatre pattes.

Ça m'a fait mal au cœur, de penser à lui. Il devait être mort. Un bébé.

J'ai commencé à me dire que ça n'était pas une bonne idée. Toute cette cérémonie. Qu'est-ce qu'on cherchait à faire, là ?

Dans ma tête, je me rebellais déjà. Ça n'était qu'une perte de temps. Les tout-petits n'en ressortiraient que bouleversés ou perdus. C'était une idée à la con, et en plus elle se prenait pour qui, Josie ? De quel droit elle nous imposait cette épreuve, de quel droit elle nous forçait à penser à des bébés morts, de quel droit elle nous ravageait comme ça ?

Elle se prenait pour qui ?

Josie a pressé sa photo débile contre sa poitrine et s'est mise à chanter.

Paix sur vous, paix autour de vous,
Allez en paix.
Paix en vous, paix tout autour de vous,
Allez en paix.

JOUR 4

C'était une chanson toute simple, et quand Josie l'eut chantée trois ou quatre fois, les petits l'ont reprise de leur mieux.

Sahalia les accompagnait à la guitare.

J'avais pas envie de chanter cette chanson naze.

Je regardais le bébé sur mon carton.

Je me sentais trop triste pour lui.

— Tout le monde chante, a ordonné Josie.

Je l'ai fusillée du regard.

— Chante, Dean, a-t-elle insisté.

Pas moyen.

— Chante.

Assis à ma gauche, Alex a posé la main sur mon épaule.

J'étais tellement content de l'avoir. J'avais de la chance d'être auprès de mon frère ; je me sentais coupable d'avoir un proche près de moi alors que tellement de gens n'avaient plus de famille.

Tout ça, c'était trop pour moi.

Du coup, j'ai regardé mon petit carton et me suis concentré jusqu'à ne plus voir que ce bébé.

Là, j'ai ouvert la bouche et j'ai chanté-chuchoté « Allez en paix ».

Sauf que je ne pensais pas à tous les bébés du monde. Ni à tous les morts. Tous ceux qui étaient perdus. J'ai chanté pour ce petit bébé à boucles blondes, pour lui apporter la paix et le repos.

J'étais capable de l'accompagner jusqu'au paradis. Ce petit bébé.

De chanter pour lui et personne d'autre.

Pour conclure, Josie a prononcé « Amen ».

Je me suis aperçu que j'avais des larmes sur les joues. Elles avaient trempé le col de ma chemise et avaient même réussi à s'immiscer dans mes oreilles – chose qui ne s'était jamais produite.

— Voilà, a conclu Josie. Notre cérémonie est terminée.

— Attends, est intervenu Batiste. Je peux dire une prière ?

— Bien sûr, a accepté Josie.

Batiste s'est levé et a récité :

— Notre Père qui es aux cieux. Que Ton nom soit cent dix pieds. Que Ton règne vienne. Que Ta volonté soit faite sur la terre comme au ciel. Donne-nous aujourd'hui notre pain de ce jour, et pardonne-nous nos enfances comme nous pardonnons aussi à ceux qui nous ont enfancés, et ne nous soumets pas à la tentation mais délivre-nous du mal. Amen.

— Amen, avons-nous tous répondu en chœur.

J'étais à peu près sûr que le nom de Dieu n'était pas « cent dix pieds », et je comprenais mal le sens du verbe « enfancer », mais c'était gentil à Batiste d'apporter sa contribution. Et il avait le visage rayonnant. De fierté et de bonheur. Il nous avait donné quelque chose. Malgré son côté moralisateur, je commençais à l'apprécier.

Alex s'est penché vers moi, j'ai passé un bras autour de ses épaules et l'ai brièvement serré contre moi.

Caroline et Henry étaient blottis paisiblement l'un contre l'autre ; Ulysses assis sur les genoux de Josie, Max recroquevillé contre son bras. Elle lui aplatissait l'épi qu'il avait sur la tête. L'épi le plus récalcitrant du monde. Il se redressait chaque fois.

Chloe s'était approchée de Niko.

Niko, ça n'avait pas l'air de le déranger. Pas trop.

JOUR 4

Brayden fixait le sol avec une grande concentration – j'en étais à me dire que lui aussi était bouleversé et qu'il ne voulait pas nous le montrer. Jake a relevé le bas de son tee-shirt (révélant au passage ses abdos parfaits). Il s'est mouché dedans et a eu un petit rire comme pour se moquer de lui-même.

J'ai inspiré à fond, puis expiré.

— Pfou là là… a alors fait Chloe. On mange. Je meurs de faim.

On s'est tous marrés.

Le premier rire zen des trois derniers jours.

CHAPITRE DOUZE

L'ÉLECTION

Repas : pizza.

Cuistot : moi.

Excité par l'affaire : nan.

— **LÀ, LÀ... A ROUSPÉTÉ CHLOE EN POUSSANT SON PLATEAU** sur le comptoir. J'aurais jamais cru en avoir marre un jour de la pizza, mais vous savez quoi ? Eh ben, j'en ai marre.

— On en a tous marre, ai-je répliqué. Mais je fais de mon mieux, et on ne m'aide pas beaucoup.

— On peut aider ! a claironné Caroline. Henry et moi on est forts pour aider.

— Ouais, a confirmé son frère. On aide notre maman tout le temps. Pour les courses, la cuisine ET le ménage !

Caroline et lui ont gloussé, ça devait être une blague de famille.

— Je suis super forte en cuisine aussi, a ajouté Chloe. Tu me laisses t'aider ? Je fais des pâtes au beurre, elles sont trop bonnes.

— OK, ai-je dit. Voilà ce qu'on va faire. Chaque jour, je vais choisir un assistant, et cet assistant décidera ce qu'on mangera ; ensuite, on verra ensemble comment le préparer.

JOUR 4

— Oh, oui ! Oh, oui ! se sont excités les gosses.

Ensuite, ça a été des « Moi d'abord ! Moi d'abord ! ».

— Bon, ai-je repris. Pour aujourd'hui, je choisis Chloe. Et demain, ça sera Ulysses.

Je me disais que j'allais commencer par la plus embêtante. Après tout, j'avais déjà préparé deux des trois repas de la journée.

On a donc mangé nos pizzas en attendant que Jake et Brayden se pointent.

C'était l'heure de l'élection.

Niko, lui, il relisait ses notes. Il avait l'air nerveux mais décidé.

Jake et Brayden avaient zappé le déjeuner, personne ne savait où ils étaient.

Josie s'est approchée du comptoir.

— Bon, euh, Jake et Brayden ont dû oublier ce qu'on a à faire, a-t-elle déclaré pour gagner du temps. Je sais : on va chanter des chansons. Qui connaît : « Elle descend de la montagne à cheval » ?

« Elle » avait mené ses six chevaux blancs et « Elle » avait mangé du poulet et « Elle » devait dormir chez Mère-Grand lorsque, enfin, Jake et Brayden se sont ramenés.

Apparemment, ils avaient prévu une mise en scène flashy pour le discours de Jake.

Sa voix tonitruante nous est d'abord parvenue de loin.

« Trente-quatre, vingt-sept, prêts, GO ! »

Là-dessus, Brayden est arrivé en courant vers nous, il sautait par-dessus les articles tombés par terre.

Il portait un casque de football et un sweat-shirt trop grand rembourré avec des serviettes ou des trucs pour faire comme des vraies protections. Sur le devant du sweat, il avait dessiné un grand « 2 » au marqueur.

Bref, il fonçait droit sur nous puis il s'est retourné et là, BAM, un ballon lui est arrivé dans les mains.

— Touchdown ! a-t-il crié en plaquant la balle.

Les mioches avaient l'air mi-excités, mi-terrifiés.

Sur ce, Jake a fait son entrée dans la pizzeria, à petites foulées. Il a tapé dans la main de Brayden et celui-ci lui a rendu le ballon.

Jake portait lui aussi un casque et un sweat-shirt bricolé pour ressembler à un maillot de pro. Il a retiré son casque et l'a posé sur une table. Sur le devant de son sweat, il avait marqué QB pour « quarterback », et sur le dos « 1 ».

— Les gars, c'est moi le quarterback. Sur un terrain de foot, le quarterback, c'est celui qui dirige la manœuvre et qui s'assure que chacun joue à son meilleur niveau. Moi, je vais être un super QB pour notre équipe. Pour nous. C'est pour ça que vous devez m'élire chef !

Les mioches ont aussitôt applaudi comme des dingues en criant des bravos.

Niko s'est tourné vers Josie, puis il s'est de nouveau penché sur ses notes.

Le petit numéro de Jake était à la fois charmant, cucul et cent pour cent cool.

Pour Niko, ça s'annonçait difficile.

Josie a tenté de placer un mot, mais Jake avait déjà repris la parole.

— Moi, je dis, il n'y a aucune raison pour qu'on s'éclate pas, ici ! On a là, genre, tous les jeux du monde. Toute la bouffe qu'on peut se taper. Je crois qu'on pourrait la jouer camp d'été…

JOUR 4

Il parlait trop vite. Il avait l'air stressé. Limite il planait.

Je me suis même demandé s'il ne planait pas, en fait.

Il se comportait de façon trop zarbe.

— Je dois dire, est intervenu Brayden, que Jake est un super chef. Les gars, vous allez adorer l'avoir comme boss. Je vous le garantis.

Quelque part, regarder Brayden avec son sweat-shirt « 2 », ça me rendait grave nerveux.

— On apprécie tous ton enthousiasme, Brayden, a enfin réussi à placer Josie. Mais là, il n'y a que les deux candidats qui sont autorisés à parler.

— Clair ! Désolé. Toutes mes excuses, les gars.

— Hé, mec, a ajouté Jake. Elle a raison, assieds-toi, vieux. C'est un *mano a mano*. Juste moi et Niko.

Brayden est allé s'asseoir sur une banquette, à l'écart.

— Bon, pour être clair, a repris Jake. Je vois pas le truc comme un camp de foot – même si je trouve qu'on ferait une super équipe –, plutôt comme un camp omnisports. Je me dis même qu'on doit pouvoir s'éclater en faisant le ménage, la cuisine et tout ce bordel ! On pourrait se répartir en équipes, organiser des tournois, remettre des récompenses. Vous voyez le truc ?

Là-dessus, sourire. Puis pouces levés.

— OK, a conclu Josie. Tu as quelque chose à ajouter ?

Jake a pris le temps de la réflexion. Puis il a lancé :

— Votez pour moi, ça va être l'ééééclate !

J'espérais que c'était de l'impro, parce que comme slogan… trop naze.

Jake restait là, les pouces levés. Les tout-petits ont lancé des bravos un poil plus mous. Ils jouaient le jeu, sans paraître totalement convaincus. Moi, en tout cas, je ne l'étais pas.

— Bien, a repris Josie. Au tour de Niko.

— Génial ! a fait Jake.

Niko s'est levé et est allé se placer à côté de Josie, mais Jake, lui, ne s'est pas rassis. Il restait là à faire mumuse avec son ballon, à l'envoyer en l'air.

— Tu ne voudrais pas t'asseoir, le temps que Niko dise ce qu'il a à dire ? lui a indiqué Josie.

Les mioches ont gloussé.

Jake avait trop l'air défoncé.

Je me demandais si ça allait jouer pour lui ou contre lui dans les « urnes ».

— Hé, les mecs, a commencé Niko. C'était trop cool, comme idée, de venir déguisés. J'aurais dû y penser. Mais bon, vous auriez peut-être pas trouvé super cool que je me pointe en tenue de scout…

Il nous a regardés.

Il avait voulu faire une blague – j'ai compris trop tard.

Niveau speech, il aurait bien besoin d'un conseiller.

— Après, vous savez, les scouts, c'est peut-être pas cool, mais la formation que j'ai reçue avec eux m'a pas mal aidé, ici. Et ça nous a rendu service à tous. Par exemple, c'est grâce à mes connaissances en premiers secours que j'ai pu aider des gens à sortir du bus, tout ça.

Brayden a soufflé « Yo ! » à Jake en lui tendant les mains. L'autre lui a passé le ballon.

— Si vous me choisissez, continuait Niko, on ne passera pas tout notre temps à jouer. Je pense que nous avons besoin d'ordre et de structure. Tout le monde devra mettre la main à la pâte si nous voulons nous en sortir. C'est ce que je pense.

Les tout-petits avaient le regard baissé. Deux ou trois commençaient à s'agiter.

JOUR 4

Niko a lancé un coup d'œil à Josie, et j'ai vu qu'elle lui faisait un signe discret des deux mains, genre « T'arrête pas ».

Alors Niko a inspiré à fond. Puis il a paru se ressaisir. Il s'est redressé. Nous a tous regardés tour à tour.

— Je ne sais pas faire de discours. Je ne suis pas l'élève le plus populaire du bahut. (Ricanement de Brayden.) Par contre, je sais ce qu'il y a à faire ici. Je sais organiser et déléguer. Je sais rationner la nourriture de sorte qu'on ait suffisamment à manger le plus longtemps possible. Je sais garder mon sang-froid en cas de crise. Et je crois que vous avez déjà pu vous rendre compte de tout ça.

» Je sais comment faire pour survivre, et je vous l'apprendrai à tous. C'est ce dont nous avons besoin. Je me dis qu'on a sacrément plus de chance que la plupart des habitants de la région.

Il a de nouveau promené son regard sur chacun de nous. Sa façon de se tenir, bien droit, nous aimantait, bizarrement, et on s'est tous redressés sur nos sièges.

— Nous allons honorer ceux qui sont morts, en survivant. Nous tous. C'est la promesse que je vous fais. Si vous m'élisez, nous sortirons tous de ce Greenway sains et saufs.

Là, il est allé s'asseoir à une table du fond. Tout seul.

Josie nous a distribué des stylos-billes tout neufs et des petits papiers. Chacun était numéroté.

— Bien, a-t-elle annoncé. Vous écrivez le nom du garçon que vous voulez choisir comme chef jusqu'au retour de Mme Wooly.

Tout le monde a commencé par dessiner des ronds avec la pointe des stylos pour faire venir l'encre.

Puis une pause. Réflexion générale. Et enfin écriture des noms.

Je regardais les mioches. Ces petits crétins. En quoi pouvaient-ils faire le bon choix ?

S'ils élisaient Jake, on était dans le pétrin.

Le seul choix rationnel, c'était Niko, mais il ne leur avait pas fait une super impression. Il ne leur avait pas promis la fiesta.

Qu'allaient-ils choisir ? La fiesta ou les techniques de survie ?

J'ai marqué « Niko » et l'ai souligné plusieurs fois.

Ensuite, je me suis levé et suis allé déposer mon bulletin dans la boîte à pizza qu'Alex avait transformée en urne.

Après, mon frère s'est isolé sur une banquette d'angle pour compter et recompter les voix.

Il s'est levé puis s'est dirigé vers le devant de la salle.

J'essayais d'accrocher son regard, mais il gardait les yeux baissés.

Il a murmuré les résultats à Josie.

Celle-ci a attendu deux secondes avant de prendre la parole.

— Tout s'est joué à peu de chose, ce qui prouve la grande qualité de nos deux candidats. Les gars, surtout, pas de rancune…

Elle a regardé tour à tour Jake et Niko.

— Le vainqueur est Niko.

Il y a alors eu des applaudissements et quelques huées. Brayden a affirmé chier sur cette élection (classe !), mais Jake, lui, est allé serrer la main de Niko.

— Félicitations, lui a-t-il dit. Si je peux aider, tu me dis, OK, mec ?

Jake sautillait carrément sur la pointe des pieds tellement il débordait d'énergie.

— Oui. Merci, lui a répondu Niko.

JOUR 4

Puis il a ramené en arrière la frange qui lui tombait devant les yeux. Tout chez lui était raide : cheveux, posture, façon d'être. Ce mec était cent pour cent fiable et digne de confiance.

— Allez, viens, mon pote, ai-je entendu Jake lancer à Brayden en s'éloignant. On va se beurrer.

CHAPITRE TREIZE

GREENWAY 2.0

DE QUOI JE RÊVAIS, DÉJÀ ? De panaches d'encre mortelle ? Des longs cheveux d'Astrid me caressant la figure ? D'un meurtrier venu secouer la grille d'entrée ?

Sais plus. Quand Niko m'a réveillé, je me suis assis tellement vite que ça a chassé tout ça de ma tête.

— C'est quelle heure ? ai-je marmonné, les yeux plissés dans la lumière tamisée du magasin.

— 7 heures, m'a répondu Niko. 7 heures. J'ai besoin de toi en cuisine.

— Tu déconnes ? Repasse plutôt dans deux heures.

J'ai refermé les yeux et me suis tourné sur le côté.

Niko restait là, au-dessus de moi. Les mains sur les hanches. Il attendait.

— C'est bon, c'est bon, ai-je capitulé.

— Rejoins-moi à la cuisine.

Niko avait récupéré deux grands tableaux et une boîte de feutres. Là, il finissait de mettre au point un plan du Greenway ainsi que le programme détaillé de la journée.

Il avait passé l'après-midi de la veille à faire le tour du magasin avec Alex, pendant que j'aidais Josie à s'occuper des gosses.

Le dîner s'était plutôt bien passé – Jake et Brayden, bourrés, étaient occupés ailleurs à faire Dieu sait quoi ; Sahalia, elle, traînait sa mauvaise humeur dans notre périmètre ; et Josie jouait la mère aimante avec toute sa marmaille.

J'ai préparé du café en bâillant.

— Pourquoi je suis obligé de me lever si tôt ? ai-je demandé à Niko.

— Tu es notre cuisinier, m'a-t-il expliqué. J'ai besoin que tu prépares le petit déjeuner, ensuite on réveillera les autres et je leur remettrai leur programme pour la journée.

— Ils vont *trop* adorer…

— Question de structure, a rétorqué Niko. Les enfants ont besoin de structure.

— Tu ne comptes pas essayer d'embarquer Jake et Brayden dans ton plan, si ?

Niko a dégagé les cheveux qu'il avait dans les yeux. Il m'a jeté un petit coup d'œil.

— Pas vraiment, a-t-il avoué.

— Bien, ai-je aussitôt approuvé.

C'était marrant, on s'est marrés.

Je crois que c'était la première fois qu'on riait ensemble.

Là, j'ai entendu une voix se mêler à nos rires. Je me suis retourné, c'était Ulysses. Il portait un pyjama Batman, son petit ventre rond pointait dessous.

Ulysses, vous pouvez compter sur lui pour se poiler avec vous même s'il ne capte pas la blague.

— *Soy tu* « assistant » ! a-t-il dit en se martelant la poitrine du pouce. Ulysses il aide aujourd'hui.

— Tout à fait, ai-je confirmé en lui ébouriffant les cheveux. Qu'est-ce qu'on prépare de bon ?

— *Huevos rancheros !*

— OK. Tu sais les faire ?

— *Sí, sí !*

— Alors, allons chercher des œufs, ai-je décidé.

J'ai adressé un signe de tête à Niko en m'éloignant. Il s'était déjà remis à ses tableaux.

Si les *huevos rancheros* sont des œufs brouillés nappés de sauce piquante, alors Ulysses savait bel et bien préparer les *huevos rancheros*.

— OK, l'équipe, nous a dit Niko après le petit déj'. Nous allons faire deux choses aujourd'hui. D'abord, commencer à ranger et nettoyer le Greenway. Ensuite, faire le point sur nos ressources.

Chloe a aussitôt râlé, comme si ses parents l'obligeaient à faire le point sur leurs ressources tous les dimanches matin.

— Alex, toi et moi on va dresser l'inventaire de tout ce qui est électricité et sécurité. Les autres, vous commencez l'opération rangement.

Là-dessus, Niko nous a montré son plan du magasin. Les prénoms de tout le monde étaient notés sur des autocollants et affectés à un rayon.

Sahalia – Multimédia.

Chloe – Pharmacie.

Max et Ulysses – Auto.

Batiste – Jouets.

Jumeaux McKinley – Maison & bricolage.

Moi – (surprise, surprise) Alimentation & boissons.

— Pourquoi Josie elle a pas un rayon ? a remarqué Chloe.

— J'ai un projet secret, nous a confié Josie.

— Oooh… c'est quoi, c'est quoi ? ont aussitôt fait les petits.

— Vous verrez bien, leur a-t-elle répondu avec un clin d'œil.

Niko a ensuite précisé ce qu'il attendait de nous : à savoir remettre chaque rayon dans l'état dans lequel il se trouvait avant le séisme.

Après, il a désigné une file de chariots situés à côté de notre bus scolaire.

Six chariots remplis attendaient. Ils contenaient chacun une serpillière, un balai, une pelle, des serviettes en papier, du nettoyant liquide, du désinfectant, des chiffons et des sacs-poubelle – une tonne de sacs-poubelle.

Dans un premier temps, nous a expliqué Niko, on devait mettre tout ce qui était cassé ou endommagé dans les chariots et les transporter au rayon puériculture – notre décharge. Ensuite, on retournait remettre les articles en bon état sur les rayons et on nettoyait.

Tout ça, de 9 heures à midi. Puis déjeuner. Puis repos.

Josie approuvait de la tête. Niko l'avait manifestement consultée.

Après, encore trois heures d'opération rangement.

Les petits avaient ensuite quartier libre jusqu'au dîner.

Je m'attendais à ce que les mioches se révoltent. Pas du tout : ils sont allés prendre leurs chariots bien gentiment.

Bon, tous, sauf Sahalia. Elle a empoigné le sien en râlant, puis est partie en grommelant un tombereau de jurons.

Les petits, ça les motivait, d'avoir un truc à faire.

— C'est moi qui vais finir la première, a frimé Chloe.

— Nan-nan, lui a rétorqué Max. L'équipe à battre, c'est moi et Ulysses.

Jake et Brayden, ça va sans dire, n'ont pas participé.

Ils s'étaient construit un petit bunker au rayon sport, où ils passaient leur temps à boire de la bière et à jouer au Laser Game. Un peu comme s'ils avaient décidé de ne pas reconnaître Niko comme notre chef.

Toute la journée, on les a entendus beugler, jurer et jouer. Ils avaient l'air de casser pas mal de trucs.

Pile ce qu'il nous fallait : du nouveau bazar à ranger.

Mais bon, apparemment, ils s'éclataient.

Ranger les rayons aussi c'était fun, d'une certaine façon.

Niko nous avait montré comment lire les étiquettes, de sorte que chaque produit retrouve bien son emplacement d'origine. Il était perfectionniste et attendait de nous la même attention au moindre détail.

Exemple :

— Caroline, je vois que tu as trié les rideaux, mais je remarque aussi que tu as mélangé les couleurs crème d'un mètre cinquante avec les blancs d'un mètre vingt.

— Justement, on se posait la question, lui a répondu la petite, du haut de son escabeau.

Alors, son frère et elle ont retiré les rideaux crème, trouvé leur bon emplacement, les y ont rangés, et tout allait mieux.

— Hé, Chloe, regarde ces flacons d'Advil : ils ont un bouchon sécurité, d'accord ? Alors, ils vont ici. Ceux-là, avec le bouchon normal, ils vont là-bas.

— D'aaaaccord, a râlé la petite.

Mais elle est quand même partie les mettre à la bonne place ; en tapant des pieds, certes.

C'était vachement apaisant, ce boulot répétitif. J'aurais pu continuer comme ça jusqu'à la fin des temps.

JOUR 5

Après avoir servi les *enchiladas* au fromage qu'Ulysses et moi avions préparées pour le dîner, et après avoir fait la vaisselle et le ménage, je dormais quasiment debout, mais j'avais quand même envie d'aller chercher Astrid. J'ai pris une assiette d'*enchiladas* recouverte d'alu.

— Tu comptes faire quoi, avec ça ? m'a demandé Niko.

— Les déposer quelque part, pour Astrid.

— Bonne idée, a approuvé Niko en bâillant. J'ai pensé à elle, aussi.

Et moi donc…

J'étais certain qu'elle était toujours dans le Greenway – elle n'avait aucun moyen ni aucune raison de partir.

Mais où est-ce qu'elle se terrait ?… Même après une journée entière de ménage, ça restait le grand foutoir, alors allez chercher des indices…

J'ai installé un tabouret au milieu du rayon alimentation et j'ai posé l'assiette dessus.

Sans petit mot. Trop crevé.

CHAPITRE QUATORZE

LE POUVOIR
DES PANCAKES

J'AI ÉTÉ RÉVEILLÉ PAR LE *BIP-BIP-BIP* DE MON RÉVEIL DE VOYAGE Panasonic. Les autres avaient le droit de dormir jusqu'à 8 heures, mais pour mon petit assistant (quel qu'il soit) et moi, c'était 7 heures. Nous devions préparer le petit déj' pour les troupes.

— Batiste, ai-je murmuré à l'oreille de cette marmotte.

Le visage adouci par le sommeil, il perdait son côté arrogant et je-juge-tout-ce-qui-bouge. Il était tout mignon, couché sur le côté, les mains jointes sous sa joue comme s'il priait.

— Batiste, ai-je répété en le tapotant du bout de ma tennis. On a le petit déj' à préparer.

Il a ouvert les yeux et les a braqués droit sur moi.

— Pancakes fourrés au sirop de baies.

— C'est quoi ça ?

— Le petit déjeuner. J'ai déjà prévu le menu.

— OK. Tu sauras te débrouiller ?

— 'Videeeemment.

Bon, j'admets, c'était une question con. Mais aussi, rien ne vaut les sarcasmes d'un gnard de huit ans pour vous

JOUR 6

donner envie de lui tordre le cou. Surtout à 7 heures du mat'.

À côté de ça, Batiste était un vrai cuistot. Il a fait son marché dans les rayons comme un pro : préparation pour biscuits, œufs, sachets de baies surgelées, fromage à tartiner, extrait de vanille et sucre glace.

On a ensuite retrouvé Niko à la cuisine. C'est pour ça que je ne me plaignais pas de devoir me lever à 7 heures. Niko, lui, il était debout à 6 heures. Je confirme, 6 heures. *Seis*. Du mat'.

— Bonjour, nous a-t-il salués gaiement. Batiste, c'est toi qui aides Dean, aujourd'hui ?

— Oui, et j'ai déjà prévu toute ma journée. (Se tournant vers moi :) Il nous faut le mixeur.

Mis à part la fois où il m'a reproché de ne pas m'être lavé les mains (« Propreté rime avec sainteté, Dean ! »), Batiste a été un super assistant. En fait, c'est même moi qui suis devenu son assistant, vu qu'il arrivait très bien à mélanger le fromage à tartiner et le sucre grâce au mixeur, puis à préparer la pâte à pancakes et enfin à les faire cuire dans la poêle adéquate.

Qui aurait cru que des petits de huit ans savaient faire la cuisine ?

— Waouh ! se sont extasiés les autres gosses quand Josie nous les a apportés.

— Ben dis donc, ça sent trop bon, a fait Sahalia.

Elle était encore en pyjama alors que tout le monde était habillé, prêt à bosser.

— Bonjour, Josie, a dit Niko en lui tendant une tasse. Tu veux du café ?

— Non merci, je prends du thé.

— Ah. OK.

Et il est resté planté là.

— Chloe et Ulysses, ne sortez pas de la file. Vous savez dans quel ordre on passe. Si, vous le savez.

— C'est franchement bien vu de leur avoir attribué une place dans la file, l'a complimentée Niko.

Il me faisait de la peine. Ce genre de discussion « normale », c'était pas son fort.

Josie, elle, n'avait pas l'air de remarquer ses efforts maladroits. Elle n'avait carrément pas l'air de le calculer.

— Max, a-t-elle repris alors en s'éloignant. Tout le monde a droit à un pancake pour commencer, tu pourras en prendre un autre s'il y en a pour tous.

— J'en ai fait assez pour que vous puissiez en avoir trois chacun, a annoncé fièrement Batiste.

Et donc on s'en est tapé trois. Seul bémol à notre plaisir, chaque fois que quelqu'un s'exclamait : « Mon Dieu, c'est trop bon ! », Batiste lui reprochait de blasphémer.

N'ayant pour ainsi dire pas vu Alex de la journée la veille, j'ai voulu profiter du moment.

— Hé, Alex, l'ai-je appelé. On peut se voir, deux minutes, après le petit déj' ? J'aurais bien voulu que tu jettes un coup d'œil à nos fours. J'arrive pas à régler le thermostat…

Une machine à régler, ça aurait dû l'intéresser.

— Désolé, Dean. Niko a besoin de moi, m'a-t-il répondu en filant fissa.

Je suis resté là, mon tablier au cou, comme une mémère dont les gosses viennent de découvrir les joies du centre commercial.

JOUR 6

Le petit déj' terminé, j'ai mis trois pancakes sur une assiette, les ai inondés de sauce aux baies, puis suis parti à la recherche d'Astrid.

Au lieu de ça, je suis tombé sur Jake et Brayden.

Ils avaient dégagé une section du rayon vêtements pour femmes afin d'en faire une espèce de piste de bowling avec flacons de bain moussant en guise de quilles, et un gros ballon de yoga comme boule.

— Rôô, mec, fallait pas ! a lancé Jake en m'apercevant avec mon assiette.

Il est venu vers moi, les yeux injectés de sang ; il dégageait une odeur de bière pas fraîche.

— C'est pas pour toi, Jake, a sorti Brayden. C'est pour Astrid.

J'ai senti le sang me monter au visage.

— Ah ?... s'est désolé Jake. Sérieux ?

— C'est que... oui, je lui laisse à manger depuis le début, histoire qu'elle sache, tu vois, qu'elle peut revenir quand elle veut.

— Trop chou, a ironisé Brayden. Et dire qu'on pensait que tu venais nous ravitailler.

— 'Tain, ça sent mais trop bon, a fait Jake. Ça te dérange si on les mange ? M'étonnerait qu'Astrid vienne se plaindre. Je l'ai vue se taper des barres de céréales, hier. Je crois qu'elle gère.

J'ai haussé les épaules. Je ne tenais pas à ce qu'ils raflent les pancakes d'Astrid, mais je ne voulais pas non plus passer pour un con. Ou donner l'impression que je prenais ça à cœur.

Du coup, Jake s'est emparé de l'assiette, et Brayden et lui se sont jetés sur les pancakes comme des morts de faim.

— Juste pas croyables, a dit Brayden, la bouche pleine. Jamais mangé des pancakes aussi bons.

— Faudra féliciter Batiste, ai-je précisé. C'est lui le chef.

— Rââ, s'est extasié Jake en s'essuyant les lèvres sur sa manche. À midi, y a quoi ?

Du coup, à midi, ils sont venus faire la queue avec tout le monde. Sahalia se tenait juste derrière Jake, à essayer d'engager la conversation. Lui, il l'ignorait ; par contre, il blaguait avec les tout-petits, ébouriffait les cheveux de Max, etc.

En entrant dans la cuisine, Niko a repéré les deux mecs et s'est figé sur place. Ensuite, il a juste pris son plateau et a fait la queue.

Le repas, un carton. Curry de thon sur toast. Dans le curry, il y avait des bouts d'amandes et des raisins de Corinthe (qui aurait cru qu'ils en vendaient, au Greenway ? Des bio, à tous les coups).

Batiste avait dit à tout le monde qu'ils allaient adorer, et ça n'a pas loupé : dès qu'ils y eurent goûté, ils ont adoré.

— Où t'as appris à faire le manger ? lui a demandé Chloe.

— Dans un camp de vacances, avec l'église.

Pendant le repas, j'ai vu Niko s'approcher de la table de Jake et Brayden.

— Hé, les mecs, les a-t-il salués.

— Niko, a fait Jake.

Brayden n'a pas levé le nez de son assiette.

— Jake, j'aurais voulu te proposer un poste – chef de la sécurité, a balancé Niko. J'ai besoin d'un homme fort, capable de surveiller le magasin et de veiller à ce que tout soit sûr.

Les petits bavardaient en mangeant leur curry et en buvant leurs jus de fruits, mais Josie et moi on a échangé un regard : Jake allait-il rentrer dans le rang ? Allait-il nous aider, ou bien Brayden et lui nous poseraient-ils des problèmes ?

— Je vais y réfléchir, a-t-il répondu.

Niko a expiré.

— Bien.

Et là-dessus, il est allé s'asseoir à côté de Josie, avec son plateau.

Tandis que Batiste apportait à tout le monde les cupcakes *dulce de leche* qu'on avait passé la matinée à préparer, j'ai remarqué que Jake se détendait. Il s'est approché de Chloe et l'a complimentée sur la multitude de barrettes qu'elle avait dans les cheveux. Ensuite, il a proposé à Max et Ulysses de former une petite équipe de foot – ça leur a trop plu.

Brayden suivait le mouvement, mais il avait l'air ailleurs. Je le regardais observer Niko.

Celui-ci essayait maladroitement de flirter avec Josie.

Du coin de l'œil, Brayden n'en perdait pas une miette.

La mission « secrète » que Niko avait assignée à Josie, pendant que les mioches s'occupaient de nettoyer les rayons, c'était de nous aménager des nids douillets.

Elle avait donc commencé par repérer l'endroit le plus confortable et le plus sûr du magasin.

C'étaient les cabines d'essayage, figurez-vous. Elles se situaient dans l'angle nord-ouest du bâtiment, contre un mur.

Un des trucs qui rendaient l'endroit agréable, c'est que contrairement au reste du Greenway dont le sol était couvert d'un lino froid, les cabines d'essayage avaient un plancher en bambou.

Celles des hommes et des femmes obéissaient à la même disposition. On entrait d'abord dans un grand espace (grosso modo deux mètres sur trois, accessible aux handicapés), puis ça se divisait en deux groupes de quatre cabines dans un couloir assez large. Chacune mesurait un peu plus d'un mètre sur ses quatre côtés.

Je le sais parce que, cet après-midi-là, Josie m'avait demandé de l'aider à abattre des cloisons. L'idée étant de faire dormir tous les petits ensemble dans les deux grandes cabines. Nous autres, elle prévoyait de nous installer des couchettes de deux mètres sur un – c'est pour ça qu'elle voulait abattre une cloison entre deux des plus petites cabines. Il y aurait donc quatre couchettes chez les dames et quatre chez les messieurs.

— Attends, je suis pas le roi des menuisiers, moi, ai-je avoué à Josie en étudiant l'endroit.

— Tu te débrouilleras toujours mieux que moi, a-t-elle répondu.

— Je parie que Niko saurait faire ça comme un pro.

Allez savoir pourquoi, il me faisait de la peine. Pour moi, c'était clair qu'il craquait pour Josie. J'avais envie de le faire mousser un peu.

Mais elle, elle a juste levé les yeux au ciel.

— Niko, il est…

— Quoi ? l'ai-je pressée.

— Il est coincé et tout le temps sérieux. Il m'épuise.

— Ouais. On peut le voir comme ça.

— Donc, on peut peut-être découper cette cloison ici, a-t-elle repris en changeant de sujet. Chacun aura son intimité et pourra quand même s'étirer.

— Hé, vous auriez pas vu Jake ? est alors intervenu Brayden.

JOUR 6

Il était là, les mains fourrées dans ses poches. Ses cheveux foncés devant les yeux, et le regard braqué sur ses pieds.

— On l'a pas vu, non, lui a indiqué Josie.

— Si ça se trouve, il a décidé de se mettre au boulot ? ai-je proposé en tournant la tête vers les cabines.

— Faites quoi, là ? ai-je entendu Brayden demander à Josie.

— On abat des cloisons pour aménager des espaces pour chacun.

— Besoin d'aide ? J'ai fait un peu de charpenterie pendant les vacances, je sais me servir d'un marteau.

Là, j'hallucinais : que Brayden veuille aider – qu'il propose d'aider. Je me suis même retourné discretos pour voir s'il était sérieux.

Il était sérieux.

Il se tenait là, debout, la tête penchée comme un chiot tout triste.

— J'adorerais que tu m'aides, Brayden, lui a répondu Josie. Tu sais, je dois dire, ça nous ferait du bien à tous si Jake et toi vous reveniez avec nous et que vous participiez.

— Ouais, a acquiescé l'autre. Je crois que t'as raison. Allez, fais-moi bosser…

Le tout avec un grand sourire. Un sourire de star de ciné.

Je ne pense pas l'avoir vu sourire avant.

Rire, si. Un rire méchant. Mais là, c'était nouveau. J'ai compris que c'était le sourire qu'il réservait aux filles.

— Du coup, plus besoin de moi ? ai-je fait.

— Non, merci, a confirmé Josie.

Elle a détourné le regard de Brayden. Par contre, ses yeux scintillaient toujours. Limite elle rougissait.

— Je vais te montrer ce que j'avais en tête, Brayden, a-t-elle annoncé ensuite en pénétrant dans une cabine.

J'ai pas demandé mon reste.

CHAPITRE QUINZE

MON RAYON ALIMENTATION, LA NUIT

JOSIE ET BRAYDEN ONT BOSSÉ DUR TOUT L'APRÈS-MIDI, et au moment de la pause d'avant le dîner, ils avaient fini de mettre au point les chambrées.

Josie y a conduit les mioches. Ils se sont engouffrés dans les cabines. Ça gloussait et ça criait dans tous les sens, mais Niko et moi on est restés à l'extérieur pour regarder l'ensemble.

Josie et Brayden avaient transformé l'entrée en salon.

Ils avaient mis des tapis par terre et deux ou trois descentes de lit par-dessus. Ils avaient rapporté les fauteuils de l'espace multimédia et disposé là quelques meubles encore. Deux canapés futon, une chaise papillon en fausse fourrure, deux tables basses et un bureau. Une lampe à lave, posée sur une des tables, diffusait sa lumière douce. Il y avait aussi un mini-frigo et un pack de bouteilles d'eau à côté. Ils avaient customisé l'endroit comme des malades.

Ils avaient même prévu un petit espace avec trois tables à jouer, et sept chaises pliantes. Une lampe de chevet était disposée sur chaque table, et deux étagères proposaient – à ce que je voyais – à peu près un exemplaire de tous les bouquins du rayon livres.

C'était une espèce de coin travail. Comme dans une bibliothèque.

— Cent pour cent cocooning, m'a fait Niko.

C'était une blague ? Je scrutais son visage. Impossible à dire.

Du coup, j'ai juste dit comme lui : « Cent pour cent cocooning. »

Là-dessus, les petits partaient en live, alors je suis entré voir ce qui se passait.

Brayden avait retiré la cloison entre la partie dames et la partie messieurs, du coup ça faisait un grand bunker avec un couloir au milieu et des couchettes de chaque côté.

Josie et lui avaient écrit les prénoms des gosses au feutre sur les portes.

Chloe m'a pris par la main.

— J'ai trouvé ta chambre, a-t-elle annoncé. Je te montre.

Elle m'a donc entraîné jusqu'à une des anciennes cabines du côté messieurs.

Effectivement, il y avait « Dean » marqué sur la porte.

Dedans, c'était riquiqui. Un bon mètre sur deux bons mètres. Un hamac tendu d'un bout à l'autre. Un placard. Une petite lampe dessus.

Au-dessus du hamac, contre le mur, il y avait une étagère.

Et sur l'étagère, des livres de poche.

Un assortiment pioché au rayon livres. Romans à énigmes, SF, cinq bouquins de recettes. Ça m'a fait marrer.

— Elle te plaît ? m'a demandé Josie en se calant derrière moi.

— Vachement.

— Si ça te dit, tu peux la customiser. J'ai essayé de faire en fonction de tes goûts.

— J'aime bien.

— Le hamac, si ça te branche pas, tu peux toujours récupérer ton matelas gonflable. Remarque, je suis pas sûre qu'il rentre...

— Ça me plaît comme c'est, ai-je tranché.

Depuis le couloir devant ma porte, j'ai entendu Max et Ulysses qui discutaient. Ulysses a dit un truc et Max se poilait.

— De quoi ? a demandé Chloe.

— Ulysses, il dit que c'est comme le train ! a expliqué Max.

— C'est vrai, c'est comme le train ! a confirmé la petite.

Nos chambres, les cabines d'essayage du Greenway, venaient de se faire rebaptiser : le Train.

Le Train et ses architectes (Josie et Brayden), on n'a parlé que de ça au dîner.

Josie s'était assise à la table de Jake et Brayden – grande première. Ils n'ont pas arrêté de rigoler, le courant passait super bien entre eux.

À un moment donné, Brayden s'est étiré et en a profité pour passer un bras sur le dossier de la banquette. La plus vieille manœuvre du monde. Et Josie s'est appuyée contre lui.

Niko est allé s'installer avec eux. Il cherchait à s'intégrer à la conversation.

— Vous savez, une fois, avec les scouts, on a fait une sortie au parc du Yosemite. La nuit, il faisait si froid qu'on a dû se fabriquer des abris de fortune. On était là, à 3 heures du

JOUR 6

mat', en train de ramasser des aiguilles de pin et des feuilles pour servir d'isolant.

— Waouh, a sèchement fait Brayden. Super histoire.

Éclat de rire général.

— Mais le plus drôle, c'est quand on a voulu allumer le feu de camp : les aiguilles n'arrêtaient pas de tomber dans les flammes !

— Hé, mec, l'a interrompu Jake en s'adressant à Brayden. Tu te rappelles le Gros Marty et sa bombe au bacon ?

— C'était trop l'éclate, Josie, a enchaîné Brayden. Marty avait récupéré, je sais pas, l'équivalent d'un mois de gras de bacon. Il voulait nous montrer comment on fabrique une bombe avec. Sauf que quand il l'a allumée, au lieu d'exploser, ça a juste fait une fumée puante.

— Là-dessus sa mère est sortie en gueulant et elle nous a tous aspergés avec son extincteur.

— De la folie, a conclu Brayden. On a mis, genre, cinq heures à tout nettoyer.

Et Josie s'est marrée. Elle était sous le charme. Le charme de Brayden, le dur à la coule.

Niko restait là, à faire de son mieux pour se mettre au diapason. Sourire et se marrer aux bons moments.

Moi, je voyais bien que, chaque fois que Brayden touchait Josie, la titillait ou prononçait son prénom, c'était comme s'il poignardait Niko en plein ventre.

Il y en avait une autre qui n'était pas super excitée par cette histoire d'amour naissante : Sahalia.

Elle en rajoutait dans l'insolence. Elle avait failli jeter son plateau par terre, et elle restait plantée là, debout, les bras croisés, à fusiller Josie du regard.

Quand on eut tous regagné nos nouvelles chambres, je me suis rendu compte que j'avais oublié mon journal dans la cuisine.

L'éclairage s'était déjà tamisé automatiquement, il devait donc être plus de 22 heures, mais j'y voyais encore plus ou moins, alors je suis parti le chercher.

En approchant du rayon alimentation, j'ai entendu une voix.

Plus précisément, un rire étouffé. Le rire d'Astrid.

Je me suis avancé lentement, sans faire de bruit. Je ne voulais pas lui faire peur.

Mais elle ne m'entendait pas. Elle était avec Jake.

Ils étaient assis côte à côte, près des thés glacés. Astrid mangeait l'assiette que je lui avais laissée. Poulet au barbecue et salade de maïs sauce au babeurre – avec les compliments du chef Batiste.

Jake chipait non-stop dans son assiette.

— Arrête un peu, lui disait Astrid. T'as déjà mangé.

Là, il a posé une main sur son genou. Elle l'a laissé faire et s'est remise à manger.

— Je sais, mais c'est bon.

— Délicieux, oui, a rectifié Astrid.

Ça m'a rendu fier, et c'est un peu con, vu que c'est Batiste qui avait pratiquement tout fait.

— Tu devrais revenir, a repris Jake. Les petits arrêtent pas de demander ce que tu deviens.

Ça n'était pas vraiment vrai. Depuis que Josie jouait les mamans canes, ils avaient plus ou moins oublié Astrid-la-mono.

Pour moi, ça n'était pas lié à sa personnalité. Juste, pour les gosses, c'était positif d'avoir la mémoire courte à ce stade du traumatisme.

JOUR 6

— J'en ai pas envie, a grondé Astrid. Je te l'ai déjà dit.

— Tu nous manques, a insisté Jake. Bon, pas à Brayden, mais à Dean, si.

Je me suis senti rougir dans le noir.

Il savait que je craquais pour Astrid, et elle aussi.

— Je t'en prie, a-t-elle dit. T'as rien à craindre.

Rien à craindre. OK.

J'ai essayé de ralentir ma respiration. Là, je n'avais carrément pas envie qu'ils me repèrent.

Astrid a terminé son assiette. Elle a passé un doigt dans la sauce et se l'est léché.

Puis elle a recommencé mais, cette fois, Jake l'a prise de vitesse et lui a léché le doigt.

À genoux devant elle, il lui a enlevé son assiette.

Elle l'a laissé faire.

Il l'a prise par le cou et l'a attirée à lui.

Elle l'a laissé faire.

Il l'a embrassée.

Elle s'est mise à pleurer.

— Ma mère me manque, a-t-elle avoué. Mes frères me manquent. Et Alicia. Et Jaden. Et Rini.

— Je sais, a murmuré Jake en lui massant la nuque.

— J'ai la trouille. Ça me rend malade.

— On a tous la trouille, bébé. Brayden et Josie t'ont préparé un joli petit lit. Tu as ta chambre à toi. Tu devrais venir la voir.

— Je t'ai dit que je pouvais pas ! J'ai la tremblote en permanence. Je flippe trop. Limite ça m'étouffe, j'arrive plus à respirer et je vomis ! Je veux pas qu'ils me voient comme ça !

Jake l'a prise dans ses bras. Elle s'est accrochée à lui comme s'il était un radeau de survie et qu'elle se noyait.

— Tout va bien se passer, la rassurait-il.

— T'as pas peur ?

— On va s'en sortir, Astrid.

— T'as pas peur ?

En guise de réponse, il l'a embrassée avec passion. Et d'un coup, ils se sont retrouvés l'un sur l'autre.

Je savais que j'aurais dû m'éloigner, mais je suis resté.

Astrid l'a repoussé deux secondes et s'est rassise.

Lentement, avec Jake qui la regardait, et moi aussi, elle a déboutonné son chemisier.

C'était trop mal de mater, mais j'arrivais trop pas à m'en empêcher.

Elle a essuyé ses larmes avec ses poignets tout en déboutonnant son chemisier. Puis elle l'a retiré et a dégrafé son soutif. Elle l'a laissé tomber, et s'est retrouvée torse nu.

Son corps était si beau que j'en ai eu la gorge nouée.

Des courbes si douces, si lisses, si merveilleuses. Elle avait l'air toute douce. Une statue de déesse grecque qui se serait réveillée, la pierre froide prenant vie.

Jake lui a touché les seins. Une main sur chaque.

— C'est lequel, Hansel, déjà ? lui a-t-il demandé.

— Aucun de mes seins ne s'appelle Hansel, s'est-elle esclaffée malgré elle.

Visiblement, c'était une blague entre eux.

— Salut, Hansel a alors dit Jake à l'un des superbes et parfaits seins d'Astrid.

Il l'a même embrassé.

Puis il lui a asticoté l'autre.

— Ne sois pas jalouse, Gretel. Il y en aura pour vous deux.

JOUR 6

Allez savoir pourquoi, l'entendre dire ça – assister à leur petite blague perso et bizarre –, c'était pire que de les regarder se rouler des pelles.

Astrid s'est penchée et l'a embrassé furieusement.

— Fais-moi du bien, lui a-t-elle demandé. Fais-moi ressentir quelque chose.

Il l'a fait passer sous lui et je n'ai plus rien vu ; et quelque part tant mieux, parce que ça m'aurait pas mal ravagé la tronche.

Je me suis reculé, et j'étais pratiquement trop loin pour entendre, mais j'ai quand même reconnu la voix de Jake qui disait :

— Oublie.

Je me suis arrêté pour écouter.

— Attends, lui a fait Astrid.

— Oublie. Ça sert à rien.

— Oh, Jake, enfin, attends.

— Fous-moi la paix.

— C'est que le stress. Ça t'est jamais arrivé avant, non plus.

— Juste fous-moi la paix, a-t-il grondé.

Aux bruits, j'ai compris qu'il remontait son pantalon.

— Jake… s'il te plaît, l'implorait Astrid. Pars pas.

— Il y a un gentil petit lit pour toi dans le Train. Et on attend tous que tu reviennes. Si tu flippes tant que ça, reviens.

— Je t'ai dit, je peux pas.

— À plus, Astrid.

Je me suis accroupi quand Jake est passé devant moi. J'ai même retenu mon souffle.

Au bout d'un moment, je me suis rapproché d'Astrid.

Assise le dos bien droit, elle regardait dans la direction qu'avait prise Jake. L'air ailleurs, elle entortillait une mèche de cheveux sur ses doigts, cherchant à démêler un nœud. Puis elle s'est reniflé un dessous de bras et a fait la grimace.

Elle me faisait bouillir d'envie.

Là, j'ai dû bouger, parce qu'elle s'est arrêtée net.

— Jake ? a-t-elle murmuré.

Puis elle a tendu l'oreille.

Elle regardait droit vers moi et j'étais sûr qu'elle arrivait à me voir, mais je me suis figé.

Chaque battement de mon cœur faisait comme un coup de grosse caisse.

Enfin, elle a décidé qu'il n'y avait personne. Elle s'est rhabillée en vitesse et là, à ma grande surprise, elle a escaladé la gondole des thés glacés, se servant des étagères comme d'une échelle.

À mi-hauteur, elle a levé le bras pour soulever une plaque du plafond. J'ai aperçu un sac de couchage et des livres de poche là-haut.

Puis Astrid a pris appui sur le dessus de la gondole et s'est glissée dans sa cachette.

Les plaques du plafond se sont légèrement déformées.

Elle se cachait dans mon rayon. Et je l'avais vue seins nus. Je me détestais pour ça, mais c'était fait.

CHAPITRE SEIZE

UNE DAME

LE LENDEMAIN MATIN, j'arrivais limite pas à regarder Jake dans les yeux. Caroline et Henry étaient mes assistants du jour, et leur enthousiasme piaillant faisait une excellente diversion.

Sandwichs aux œufs brouillés et gaufres aux pépites de chocolat. Waouh !

Niko avait de nouveaux projets pour nous. Il a tapoté son plateau pour réclamer notre attention.

— Vous avez tous fait de l'excellent travail pour remettre les rayons en état et dresser l'inventaire du magasin et je tiens à vous remercier, a-t-il commencé. Je sais que vous n'avez pas bien terminé, mais aujourd'hui nous allons bousculer un peu la routine.

» Les grands vont travailler ensemble sur plusieurs projets importants, et les petits vont aller à l'école.

Un raz-de-marée de *rôôôô* et de *naaan* a couvert sa voix quelques instants.

L'école. C'était à ça qu'elles devaient servir, les tables à jouer et les chaises pliantes de notre nouveau « salon ».

— Je laisse la parole à Josie, a repris Niko, elle va vous expliquer.

JOUR 7

— Bon, les jeunes, a commencé Josie. Ça ne va pas être aussi barbant que la vraie école. On va juste essayer d'apprendre des trucs amusants et de faire des tas de projets artistiques. Peut-être même que Jake nous enseignera un peu le foot – tu en dis quoi, Jake ?

— Peut-être bien, oui, presque sûr, a répondu Jake en faisant signe à Josie avec sa gaufre.

Josie s'est rassise et Brayden a passé un bras autour de ses épaules. Il a tenté de lui mordiller le cou, mais elle s'est dégagée légèrement. Genre *pas devant les petits*.

Niko a repris la main. Il paraissait guindé. Froid et efficace.

— Autre changement à prévoir : l'utilisation de l'électricité. Alex s'est donné beaucoup de mal pour mettre au point un plan qui permette d'économiser nos ressources au maximum. Nous devons appliquer ce plan dès maintenant.

Alex s'est levé.

— Oui, euh, pendant la journée, on laissera allumé ici – dans la cuisine – et aussi dans l'espace salon…

— École, l'a corrigé Josie.

— Mais les autres parties du magasin, a repris mon frère, elles resteront dans l'obscurité.

— Comme dans le noir ? s'est inquiétée Caroline.

— Mais noir très noir ? a ajouté Henry.

— Pas mal, oui. Par contre, vous n'avez rien à craindre : je vous rappelle que le magasin est complètement isolé de l'extérieur. Rien ne peut y entrer. Tout ce que le Greenway contient est une quantité connue.

Il disait ça à moitié pour lui-même, je le savais. C'est à lui-même qu'il disait de ne pas avoir peur.

— En plus, a précisé Josie, nous aurons tous une lampe électrique.

Batiste, Ulysses et Max avaient l'air tout excités à cette idée, mais Henry et Caroline flippaient.

Chloe, elle, se grattait juste la tête. Vigoureusement et avec détermination.

Niko a ensuite présenté le planning de la journée.

Les grands allaient regrouper les surgelés dans les frigos pour économiser le courant.

Je voyais bien l'idée qu'il y avait derrière cette entorse à la routine. Nous ne pouvions pas gaspiller de l'électricité à laisser les petits éparpillés dans tout le Greenway. Niko voulait les rassembler en un même endroit de sorte à n'avoir qu'une section du magasin à éclairer.

Ça se tenait. Mais cette histoire m'agaçait aussi, et j'ai compris que c'était parce qu'Alex ne m'en avait pas parlé.

Il savait que le courant diminuait et il ne m'en avait pas averti. À la place, il était allé trouver Niko.

Niko qui lui avait fait faire le tour du magasin pendant que moi, j'étais coincé à la cuisine. Ils devenaient potes alors que moi, je me colletais les mioches.

Ça ne me plaisait pas, que Niko passe plus de temps que moi avec Alex. Je trouvais ça pas juste. On était frères. J'aurais dû savoir tout ce qu'il savait et vice versa.

Depuis que j'avais pris conscience de la chose, j'y pensais non-stop. Un après-midi, pendant la pause, j'ai proposé à Alex un Monopoly. Il avait une partie de Stratego en cours avec Niko. Au dîner, Alex a demandé à Niko d'aller voir avec lui une paire de talkies-walkies vidéo qu'il avait dénichée, et sur laquelle il bossait dans le salon. Du coup, je suis allé nettoyer la cuisine. Puis, toujours vexé, direction mon hamac, bien décidé à parler à Alex le lendemain.

JOUR 7

J'avais l'impression de ne dormir que depuis vingt secondes quand on m'a réveillé.

C'était Jake.

— Debout… a-t-il chuchoté en me secouant. Il y a une bonne femme devant le quai de déchargement. Elle veut qu'on la laisse entrer.

Niko, Josie, Brayden, Jake et moi, on s'est réunis dans le couloir commun du Train. Jake nous a fait signe de le suivre en silence.

Quand on a été suffisamment loin pour que les gosses ne nous entendent pas, Niko s'est tourné vers Josie.

— Je veux que tu restes ici pour veiller sur les petits, lui a-t-il dit.

— Je préfère vous accompagner, a-t-elle chuchoté. Ils dorment. Tout va bien se passer.

— On a besoin de toi ici.

— Rôô, allez, mec, elle veut venir aussi, est intervenu Brayden.

Il cherchait à marquer des points auprès de sa nouvelle copine.

— La réponse est non. J'ai besoin de savoir que les petits sont en sûreté et qu'ils restent dans le Train, a martelé Niko. Les autres, vous pouvez venir.

Sur ce, il s'est dirigé vers la réserve, je l'ai suivi avec les trois mecs tandis que Josie restait là, les bras croisés.

Y a pas à dire, Niko avait de l'autorité.

— Gros sexiste, a sifflé Josie dans son dos.

Elle n'avait pas tort non plus.

Dans la réserve, une voix nous parvenait par haut-parleur. Celle d'une femme.

— Ohé ? Vous êtes revenus ? Dépêchez-vous, pitié !

Jake nous a alors montré un appareil qu'on n'avait pas repéré jusque-là : un interphone vidéo, accroché au mur.

Un visage de femme, la tête enroulée dans un châle et la figure recouverte de plusieurs épaisseurs de tissu, occupait tout l'écran.

— Je faisais ma ronde quand je l'ai vue, a annoncé Jake. Je savais même pas qu'on avait un interphone.

— Laissez-moi entrer, pitié, nous suppliait la femme.

Niko a alors appuyé sur un bouton de l'interphone.

— Bonsoir. Nous vous voyons. Combien êtes-vous là-dehors ?

— Je suis seule ! Toute seule ! a-t-elle murmuré.

On la voyait regarder derrière elle en se tordant le cou.

Niko a relâché le bouton. Il s'est tourné vers nous.

— Écoutez. Je voudrais bien la laisser entrer, mais on ne peut pas. Physiquement, c'est impossible. On ne sait pas comment faire pour relever la grille de sécurité, et on n'a pas la clé de la porte.

— Moi, en plus, je lui fais pas confiance, a ajouté Brayden. Vous avez vu comme elle arrêtait pas de regarder dans son dos ? Elle est pas seule. C'est clair. Ça peut être un piège.

— Moi, je pense qu'elle est seule, a estimé Jake. Par contre, Niko a raison. On pourrait pas ouvrir la porte, même si on voulait.

— Pitié ! nous a lancé la dame. Faites vite, je vous en supplie.

Elle a retiré les couches de tissu qu'elle avait sur la figure, peut-être pour qu'on voie qu'elle était honnête. Elle avait

JOUR 7

des cercles foncés sous les yeux, et le bord des paupières tout rouge. Elle ressemblait à une mère.

— Pitié ! Je vous en conjure !

Niko s'est mis à se tirer les cheveux. Il souffrait le martyre.

— Et la trappe ? On ouvre la trappe et on balance une échelle ! ai-je proposé.

— Oui ! a approuvé Niko. Oui !

Mais à ce moment-là, la femme a hurlé. Son visage a disparu de l'écran.

Et on a entendu une voix basse et menaçante. Une voix familière.

— Tu. Te. Casses. De. MON. GREENWAY.

Il parlait à la femme, et sa voix était entrecoupée de bruits lourds. Les coups qu'il lui portait, sûrement.

— Ça. C'est. MON. GREENWAY.

Le monstre de la porte d'entrée.

Il « montait la garde ».

D'où le fait qu'il n'y avait pas plus de monde qui venait réclamer à entrer, ou à récupérer des vivres.

Je regardais l'écran, en état de choc, m'attendant à voir surgir le visage du monstre à tout moment, mais il n'est pas apparu.

Il était sans doute trop fêlé pour repérer la caméra.

On entendait ce qui se passait dehors, les derniers bruits d'une bagarre, puis le silence. Ensuite, ça a été ce que j'imaginais être le corps de la femme traîné au loin.

Après quelques instants d'inactivité, l'interphone s'est éteint automatiquement.

Nous autres, on était paralysés par l'horreur – je crois que c'est ce qui décrit le mieux notre état.

Il y avait eu une femme, là. À notre porte. Et maintenant elle était morte.

Niko a hurlé.

Il a serré les poings et s'est mis à se cogner la tête. *Bam, bam, bam !*

— Niko, arrête ! me suis-je écrié.

Alors il s'est tourné vers la première étagère venue et a commencé à en faire valdinguer le contenu.

Je me suis approché pour tenter de le calmer, qu'au moins il ne se fasse pas de mal.

— Laisse-le, m'a conseillé Jake. Il faut juste qu'il encaisse.

Niko a ravagé le rayonnage, déchirant et tabassant tout ce qu'il trouvait, le tout sous un déluge de jurons, de crachats, de cris. De larmes.

Puis, lentement, il a commencé à se remettre.

— OK, mec, lui a fait Jake. Tout va bien se passer.

— OK mon œil, a rétorqué Niko. Elle est morte et si j'avais réfléchi plus vite j'aurais pu la sauver !

Il a donné un coup de tête dans une grosse caisse en bois.

— T'as la haine ! ai-je gueulé. C'est la colère qui te donne envie d'exploser !

M'entendre crier si fort et d'une voix aussi sérieuse, ça l'a scié (et moi donc !) et il s'est calmé direct.

— On aurait pu la sauver et on a foiré ! T'aurais pu la sauver et t'as foiré ! ai-je beuglé.

Je me disais qu'il avait besoin qu'on le secoue aussi fort que la colère et le désespoir le secouaient.

— Elle est morte ! Ils sont tous morts et on peut rien faire pour les sauver !

Niko s'est recroquevillé sur lui-même, à genoux, le front collé au lino. Je pouvais arrêter de gueuler. Il m'entendait.

— C'est pas ta faute, Niko, ai-je alors dit.

— Mais j'aurais pu l'aider.

— C'est pas ta faute, ai-je répété.

— T'as pas déclenché le tsunami, mec, a ajouté calmement Jake.

— C'est pas ta faute.

— C'est la faute à personne, a dit Brayden.

Niko s'est détendu.

Jake, Brayden et moi, on est restés devant lui le temps qu'il se remette.

Puis il a passé sa manche sur sa figure.

Il s'est assis et a regardé autour de lui.

— La vache, a-t-il fait. Matez le bazar.

Ça nous a tous fait rire un peu.

— Allez, mec, a décidé Jake. Viens boire un coup.

Il l'a aidé à se relever et on est ressortis de la réserve.

Moi, j'ai jeté un dernier coup d'œil à l'écran de l'interphone.

Il était noir et muet.

Une dame de plus était morte. Ajoutée aux millions de victimes des jours précédents, elle paraissait minuscule. Mais pour nous, c'était énorme.

CHAPITRE DIX-SEPT

RHUM

ON S'EST RÉUNIS DANS LA CUISINE. Jake avait apporté une bouteille de rhum qu'il servait généreusement dans des gobelets à glace.

Puis il a brandi le sien pour porter un toast :

— À Niko, un mec super, même si c'est un scout.

— Bien dit, ai-je approuvé en trinquant avec les autres.

J'ai bu une gorgée. Rhum sec. Ça brûlait. Mais c'était agréable de ressentir quelque chose de fort et qui n'était pas le sentiment d'échec.

Brayden a descendu le sien sans grimacer.

— En fait, a repris Jake après avoir vidé son gobelet. Je les adore, les scouts. Et vous savez pourquoi ?

— Pourquoi ? lui a demandé Niko.

— Ils savent trop bien se servir de leurs mains.

On a crisé.

— Non, sérieux. Tout ce temps passé en montagne sans distraction. Et ils sont toujours prêts, hein, avec leurs petits flacons de lotion.

— Ha ha, a fait Niko. (Mais il n'avait pas l'air de le prendre mal.) C'est le genre de vannes qu'on nous sort tout le temps. Quand j'habitais à Buffalo…

JOUR 7

— T'es de Buffalo ? Dans l'État de New York ? l'a interrompu Brayden. J'ai une tante qui vit là-bas.

Une semaine qu'on essayait de survivre à la fin du monde ensemble et je n'avais même jamais demandé à Niko d'où il venait.

— Ouais. Bref, à Buffalo, il y avait quatre-vingt-dix-huit mecs dans mon unité. Et vous savez pourquoi je m'y suis inscrit ? Parce qu'on s'éclatait. C'est vrai que j'ai appris des tas de trucs. Mais ce qui me plaisait le plus, c'est qu'on se marrait tout le temps.

— Ça a dû te manquer, quand tu t'es installé ici, ai-je fait.

Il a haussé les épaules.

— Je vais vous dire un truc, vous n'allez sûrement pas me croire, mais à Buffalo, j'avais des tas de potes. Sans blague. (Il a écarté une mèche de devant ses yeux.) Et là vous allez carrément halluciner, mais j'avais même une copine.

— Elle s'appelle comment ? ai-je voulu savoir.

— Elle est bonne ? a demandé Jake en même temps.

— Lina et… ouais, a répondu Niko.

On s'est tous marrés.

— Elle est super mignonne. Elle était en terminale l'an dernier. Maintenant, elle est à l'université Sarah Lawrence.

— Minute. Tu veux me faire croire que l'année dernière, t'étais en seconde, et que tu sortais avec une terminale.

— Ouais, a fait Niko en haussant les épaules.

Jake a marqué une pause avant de juger : « Cool. »

Brayden examinait Niko en plissant les yeux. Je voyais bien qu'il se disait comme moi (et sûrement comme Jake) : Jamais. De. La. Vie.

Niko s'inventait une copine.

Mais après ce qu'on venait de vivre, personne, même pas Brayden, n'a voulu relever.

— Bon, j'ai un truc à vous demander, les gars, a repris Brayden. Quel est l'endroit le plus dingue où vous l'ayez fait ?

— 'Tain… a soupiré Jake. Tu pourrais changer de disque.

— Quoi ? a protesté Brayden.

— Genre, c'est sa question préférée, a grogné Jake. En plus, tout le monde ici ne pourra pas y répondre.

Petit coup de tête dans ma direction.

Je ne pense pas qu'il *cherchait* à être méchant.

— Ah, ouais, a fait Brayden. Pas encore la fête du slip, hein, Dean ?

Je me suis senti rougir. Connement.

— Qu'est-ce qui vous fait dire ça ? leur ai-je demandé.

J'essayais d'avoir l'air cool, mais ça foirait, j'en étais sûr.

Jake nous a resservi une tournée.

— Mec, a-t-il repris. On pense juste ça parce que c'est vrai.

Là, ils se sont marrés de bon cœur.

— Z'êtes trop cons, ai-je fait pour sauver la face.

— Hé, Brayden, a enchaîné Jake, en parlant de fête du slip, ça se passe comment avec Josie ?

J'ai jeté un coup d'œil à Niko. Jake avait rien capté, ou quoi ?

Il ne savait peut-être pas que Niko craquait pour elle. Mais quand même…

Brayden a bu une gorgée de rhum. Il évitait de regarder Niko, mais il avait le sourire.

— Ça se passe bien, a-t-il répondu. Elle est très gentille.

— Ah ! s'est esclaffé Jake. Traduction : elle fait que dalle.

Niko scrutait son gobelet.

JOUR 7

— On se câline pas mal, a affirmé Brayden.

L'air soulagé qu'a eu Niko, ça m'a fait marrer. Jake m'a donné une tape sur l'épaule. J'avais du mal à encaisser le rhum.

— 'Tain, la baise, c'est juste énorme, a repris Jake en se grattant la tête. Franchement, y a rien de mieux. Une fois que t'y as goûté, tu penses plus qu'à remettre ça. Des fois, pendant le sexe, je me demande quand ce sera la prochaine fois !

J'ai vidé mon rhum.

J'espérais qu'il allait la fermer fissa.

— Tu connaîtras ça un jour, Dean. Toi aussi, tu découvriras le monde fabuleux de la douce moule toute chaude.

C'était tellement petit. Tellement vulgaire.

Il parlait d'Astrid.

Il ne l'aimait pas. Il n'en avait qu'après son corps.

Trop injuste.

— Pour toi, ça doit être facile, ai-je estimé.

J'avais la figure en feu.

— De quoi ?

— Tu te pointes dans notre bahut, direct t'es une star. Le meilleur footeux de l'équipe. Tu sors avec la plus belle nana du lycée. La meilleure – et sans que t'aies à lever le petit doigt.

Je partais en live. Je me sentais fort, genre je pouvais dire ce que je ressentais vraiment. J'étais bourré.

— Mais t'es qui, en fait ? lui ai-je demandé en remplissant mon gobelet. Sérieux, à part ton charme et tes muscles, qu'est-ce que t'as ?

— C'est bon, relax, Geraldine, s'est interposé Brayden.

J'ai vidé mon rhum cul sec.

— Ça fait beaucoup d'alcool pour un poids plume comme toi, a estimé Jake.

— Tu la mérites pas. Elle est super intelligente, et trop trop belle. Elle est à la fois fofolle et marrante et gentille, et toi t'es qu'un bourrin. Tu l'aimes même pas. Tu la veux juste pour t'éclater avec.

Jake s'est levé, envoyant sa chaise valser derrière lui.

— Tu dépasses les bornes, Dean.

Mon sang battait dans mes veines, je me suis marré.

— Je dépasse les bornes ! Tu m'étonnes. Si je l'ouvre. Si je me défends ou si j'attire l'attention sur moi, je dépasse les bornes ? Parce que je suis pas aussi bien que toi ? C'est ça ?

Niko s'est approché de moi, les mains levées comme s'il voulait me calmer.

Je pointais Jake du doigt.

— IL LA MÉRITE PAS. Elle, c'est une déesse, et lui il donne des noms de personnages de contes à des parties de son corps !

Là, Jake a rugi de colère, forcément.

Il s'est jeté sur moi, forcément.

Il s'est mis à me défoncer, forcément.

Quand il m'eut balancé trois ou quatre bons directs, Brayden et Niko l'ont attrapé par les épaules.

J'étais couché par terre, le souffle court. J'avais la figure en sang, ça dégoulinait sur le lino.

Jake aussi essayait de reprendre son souffle pendant que les deux autres le retenaient.

— Sale mateur, faisait-il en me montrant du doigt. Sale pervers.

— C'est quoi ce délire ? est alors intervenue Josie.

Elle s'est précipitée vers moi.

— Qu'est-ce qui s'est passé ?

Niko et Brayden avaient l'air coupable. Jake a décampé.

— Brayden ? a demandé Josie.

JOUR 7

— C'est juste parti en live, a-t-il expliqué.

Josie les a fusillés du regard, Niko et lui.

— Bon, a-t-elle repris ensuite. L'un de vous compte m'aider à le relever ?

Je me suis tourné sur le côté et j'ai vomi.

CHAPITRE DIX-HUIT

JE DÉCOUVRE LES CALMANTS

MAMAN JOSIE M'AVAIT FAIT MA TOILETTE ET MIS AU LIT. Je lui ai demandé de s'occuper du petit déj' pour moi et elle a accepté.

— Dors, m'a-t-elle conseillé. Tu sens le poivrot.

J'ai fini la nuit là, à enchaîner les rêves fiévreux dans lesquels Jake me tabassait. Il me tabassait à la bibliothèque. Dans la file d'attente du Royal Cinema. Dans mon lit, chez nous.

Et tout ce temps, ma tête me lançait comme si elle allait éclater.

Le lendemain matin, j'avais l'impression d'être tombé d'un télésiège, d'avoir dévalé une piste noire pour ski de bosses et d'avoir fini ma course contre un chasse-neige.

Sans parler du mal de crâne.

Mais je savais ce que j'avais à faire. Je devais aller présenter mes excuses à Jake. Je ne pouvais pas me permettre de l'avoir comme ennemi.

J'allais être forcé de lui mentir.

Quand les petits ont été réveillés et sont partis en masse vers la décharge pour leur toilette matinale, je me suis levé progressivement.

Mon nez me lançait à rythme régulier – la douleur. Il était plein de croûtes, alors je devais respirer par la bouche, malgré mon haleine de fond de poubelle.

Je me suis rendu, tant bien que mal, jusqu'à la porte de Jake et j'ai frappé.

— Jake, l'ai-je appelé d'une voix sifflante.

Je me sentais minable, je prenais un ton de minable.

— Jake, ai-je repris, je viens m'excuser.

La porte de sa chambre s'est entrouverte.

— Hein ? a-t-il fait.

— Astrid m'avait raconté tous ces trucs en confidence, ai-je dit en surjouant l'essoufflement. J'avais pas le droit de le répéter aux autres, désolé.

J'avais capté son attention.

Sa porte s'est ouverte de la largeur d'une main. J'ai pu le voir dans son hamac, qui m'observait.

— Qu'est-ce que tu racontes ? a-t-il demandé.

— Astrid vient me parler, des fois, lui ai-je expliqué. Quand je lui porte à manger, des fois elle descend me parler. Elle m'a dit deux, trois trucs sur vous deux…

Jake me fixait à travers l'embrasure de la porte.

Boum. Boum. Boum. Mon mal au crâne.

Allait-il gober l'affaire ?

— Vachement perso, les trucs, a-t-il grommelé. Elle t'a dit quoi d'autre ?

— Rien. Juste, comment vous vous étiez rencontrés et…

Réfléchis. Réfléchis. Réfléchis.

— Elle t'aime vraiment, ai-je enfin lâché. Elle a dit qu'elle flippait et que t'étais le seul avec qui elle se sentait en sûreté.

Il a croisé les bras.

— Moi aussi je l'aime, a-t-il avoué. T'avais tort de dire le contraire.

Il gobait l'affaire. J'ai failli m'évanouir. Mais de soulagement ou de douleur, pas moyen de trancher.

— Je sais, ai-je concédé. Je suis désolé. Tu sais, j'avais jamais bu autant de ma vie.

Et mon nez qui me lançait toujours, comme des coups de poignard sur l'arête.

— Ouais, a enfin confirmé Jake. Je t'avais dit d'y aller mollo. 'Tain, j'ai cru que tu nous avais espionnés. Je savais pas que vous étiez si proches.

— Je pense qu'elle se sent seule. Et je me dis que tu te doutes que je craque pour elle.

Je n'avouais que ce qu'il savait déjà.

C'est ça, la tactique. Gagner la confiance de l'adversaire en lui dévoilant vos secrets. Il avait l'air de marcher.

Pour moi, c'était vital.

— Bon, ben dans ce cas, Bouffe-papier, a-t-il repris, désolé de t'avoir tabassé.

— C'était mérité.

Mon nez me lançait. Ça m'envoyait des vagues de douleur jusqu'au front.

— À propos, qu'est-ce que t'entends par « bouffe-papier » ?

— Quelqu'un qui lit beaucoup. Une espèce de gros naze, si tu veux, m'a-t-il expliqué avec un sourire penaud.

Bien. Il pensait ce qu'il voulait. Rien à foutre.

JOUR 8

Tant qu'il ne m'étripait pas pour l'avoir espionné.

Là, j'ai voulu m'en aller, mais j'ai dû m'appuyer contre le montant de sa porte pour garder l'équilibre. Ça grouillait de flashes aux extrémités de mon champ de vision. Comme des poissons qui remonteraient à la surface pour tenter de m'entraîner par le fond avec eux.

Jake s'est aussitôt levé pour m'aider, passant une épaule sous mon bras. Je m'appuyais lourdement sur lui, tout en m'efforçant de ne pas tomber dans les pommes.

— Je crois que je t'ai pété le nez, s'est-il excusé. Laisse-moi t'arranger ça.

Jake m'a couché sur le canapé futon du salon, puis il est parti chercher de quoi me bander le nez.

Il est revenu avec du sparadrap, des boules de coton, une paire de ciseaux et un flacon d'eau oxygénée.

— Ça m'est arrivé une fois, pendant un match contre Abilene Cooper. Ils avaient un arrière qui devait bien peser 150 kilos. Le gars m'a percuté comme un taureau sauvage envoie valser les clowns au rodéo.

Là, il a regardé alentour.

— Merde, j'ai oublié de prendre du linge.

Il a empoigné une couverture.

— Josie va rouspéter, mais on s'en tape, a-t-il déclaré en imbibant un coin de la couverture d'eau oxygénée.

Puis il a commencé à me tamponner la figure.

Je faisais de mon mieux pour ne pas broncher, mais je dégustais.

— Oh, mais attends. J'oubliais le meilleur.

Il a tiré de la poche arrière de son jean deux plaquettes de pilules.

— Je t'ai apporté des calmants. Des forts. Grosse éclate.

Il en a sorti un et me l'a donné. Il a fondu dans ma bouche. Goût menthe.

— Pas mal, hein ? Ça agit vite. (Puis, me passant l'autre :) Et ça, c'est des demi-stéroïdes. Ça va aider ton corps à guérir, mais tu sais quoi, mec, tu devrais continuer quelque temps. Histoire de prendre un peu de volume, si tu vois ce que je veux dire…

J'ai fourré les stéroïdes dans ma poche, je comptais les prendre plus tard, quand j'aurais de l'eau à portée de main.

Je me sentais déjà mieux. Je me réchauffais et je me détendais. Je me suis allongé sur le futon.

— Voilà, a approuvé Jake. Maintenant, ferme les yeux et la bouche.

Il m'a versé de l'eau oxygénée dans le nez.

Je me suis rassis en crachotant, l'écume aux narines.

Jake a appuyé la couverture contre mon visage.

— Bien, bien.

Sur ce, il m'a tâté le nez. Puis il m'a fourré du coton dans chaque narine.

— T'as du bol, a-t-il estimé. La fracture est nette. Ça va te donner un petit côté viril.

Là, il m'a collé deux bouts de sparadrap sur l'arête du nez.

— Tu devrais me remercier, a-t-il ajouté. Les filles adorent les nez cassés.

Je n'arrivais pratiquement plus à parler, entre la gueule de bois, les calmants et les boules de coton que j'avais dans le nez.

— 'rci, Tchek, ai-je réussi à articuler.

Ça l'a fait marrer.

— C'est bon, Bouffe-papier.

Puis, me tendant la main :

JOUR 8

— Désolé d'avoir tiré des conclusions trop vite.

Il secouait la tête – lentement. Sourire aux lèvres. Il me demandait sincèrement pardon.

Je me sentais merdeux. La raclée de la veille, je l'avais bel et bien méritée. Et là je venais d'embrouiller un mec qui, malgré tous ses défauts, était plutôt réglo.

Je lui ai serré la main en disant :

— Était a fauk.

— Là, là… qu'est-ce qui t'est arrivé ? s'est alors immiscée la petite voix nasale et énervante de Chloe.

Les gosses revenaient du petit déj' et venaient se préparer pour l'école.

Me voyant, ils ont tous bloqué.

— Il s'est fait taper dessus, a affirmé Max.

— Tu t'es fait taper dessus, Dean ? m'a demandé la petite Caroline en se grattant la tête.

— 'uis kombé, ai-je menti. Une étahère.

— Même pas vrai, il s'est fait taper dessus, a persisté Max.

— Nan, les petits, est intervenu Jake. Dean est vraiment tombé d'une étagère, je l'ai vu.

— Peut-être, a concédé Max.

Il nous regardait tour à tour, Jake et moi. Chaque fois qu'il tournait la tête, son épi blond s'agitait comme une plume sur un chapeau de vieille dame.

— Mais tout ce que je peux dire, a-t-il repris, c'est que la sœur de ma maman, qui s'appelle Raylene et qui est ma tata mais qui aime pas qu'on l'appelle tata parce qu'elle dit que ça fait vieux, alors je dis sœurette. Bref, elle venait jouer au poker et elle avait l'air de s'être fait taper dessus, alors ma maman a dit : « Qu'est-ce qui s'est passé ? » Et Sœurette elle s'est tournée vers son mari Mack et elle a dit : « Je suis tombée de l'échelle. » Alors ma maman elle a dit : « J'ai plutôt l'impression qu'on t'a tapé dessus. » Et le mari de Sœurette, Mack, il a dit : « Non. Elle est tombée de l'échelle. » Après, Mack il est allé jouer au poker et sœurette elle a pleuré en disant : « En fait c'est Mack, il m'a tapé dessus. »

Max nous regardait, Jake et moi, d'un air entendu.

— C'est tout ce que je dis.

Là, Josie est intervenue :

— Hm. Ça fait plaisir de vous voir debout tous les deux. (Elle a ramassé la couverture toute tachée de sang, et a fait :) Super, merci. Trop gentil de votre part. À propos, j'ai une bonne nouvelle. Vous avez remarqué que tout le monde n'arrête pas de se gratter la tête ?

J'avais plus ou moins vu ça, oui, et en fait, à cet instant précis, plusieurs mioches se grattaient.

— On a des poux, a annoncé Josie. (Puis, s'adressant aux petits :) Les jeunes, allez tout de suite enfiler vos maillots de bain.

Les gosses ont sauté de joie en criant Youpi. Sahalia a suivi le mouvement, l'air maussade, comme d'hab.

Là, Josie s'est tournée vers Jake et moi.

— Vous aussi.

CHAPITRE DIX-NEUF

POUX ET AUTRES PARASITES

JOSIE NOUS A DIT DE NOUS METTRE EN MAILLOT et de nous rendre à la décharge.

Elle voulait qu'on se lave les cheveux immédiatement. Ou plutôt : elle voulait nous les laver.

Jake et moi, on s'est trouvé des maillots, on les a enfilés et on est allés à la décharge.

Tous les mioches en maillot : trop mignon. L'air froid du magasin les faisait grelotter, du coup Niko leur a distribué les serviettes de bain que Josie avait apportées.

Elle avait aussi installé deux grandes baignoires en plastique et récupéré plein de shampooing antipoux et des bidons d'eau déminéralisée.

Brayden s'est ramené. En maillot, lui aussi. Il avait le ventre et le torse musclés et bien dessinés, comme Jake. Mais Jake était blond au teint pâle. Brayden, lui, avait la peau couleur olive ; du coup, même si on était en automne et qu'aucun de nous n'avait vu le soleil depuis une bonne semaine, Brayden paraissait bronzé. Paré pour la plage.

JOUR 8

Sahalia est arrivée à l'instant même où Brayden faisait un gros kiss à Josie. Josie qui visiblement avait oublié ses envies de discrétion. Ou bien elle n'avait pas pu résister à son corps d'athlète.

Sahalia, j'ai remarqué, ne portait pas de maillot. Ça m'aurait étonné, aussi. Je ne m'attendais pas à ce qu'elle fasse quoi que ce soit qu'on lui aurait demandé, en fait.

Bref, là, elle avait enfilé un tee-shirt blanc, un micro-short et des jambières qui lui montaient au-dessus des genoux.

Sur le coup, je me suis dit qu'elle cherchait juste à rester tendance pour l'opération épouillage.

Josie nous a expliqué qu'on allait devoir se pencher au-dessus d'une baignoire. Ensuite elle nous arroserait la tête, nous shampouinerait et nous rincerait. Puis bis repetita et basta.

On était donc tous rassemblés là. L'atmosphère était plutôt festive, vu la loufoquerie du truc : une soirée mousse en maillot de bain.

Josie s'occupait d'Ulysses qui gueulait et faisait tout un foin parce que l'eau était froide.

— Yé frrrooooid ! s'est-il exclamé avec son accent à couper au couteau. Soupé frrrooooid !

On se marrait tous. Et Josie galérait, vu que le gamin arrêtait pas de se débattre – sa tête toute shampouinée. Il en foutait partout.

Dans le même temps, Sahalia – treize ans, je vous le rappelle – s'installe devant l'autre baignoire, en face de nous.

Je suis là avec Niko, Jake et Brayden ; on attend notre tour, serviette sur les épaules.

Sahalia, elle, attrape un bidon et se penche sur la baignoire.

Du coup, on a ses fesses en gros plan. Et son short est super micro. Conclusion, on voit… on en voit trop. Sa peau sous le short. La peau crémeuse du dedans de ses cuisses, très haut.

Comme la double page du *Sports Illustrated* spécial bikinis.

J'ai détourné le regard, normal.

Jake et Brayden, moins.

— Oh, là, Sahalia, lui a lancé Josie. Tu gaspilles de l'eau.

Exact. Sahalia s'était versé deux bons litres sur la tête, tandis qu'on la regardait, hypnotisés par sa position.

Et puis ça a empiré (enfin ça, c'est selon les points de vue).

Elle s'est levée et s'est tournée vers nous.

Son tee-shirt était trempé.

On lui voyait donc parfaitement les seins à travers le tissu.

Ses tétons. La totale. En détail.

Trop chaud. De la folie.

— Ha, ha, est alors intervenu Max. Sahalia, je vois tes tétés.

Josie s'est précipitée vers elle avec une serviette.

— Ton tee-shirt est complètement transparent, a-t-elle gloussé.

Là, elle nous a décoché un regard, et elle a vu ce qu'on essayait de cacher : qu'on avait repéré ce que Sahalia voulait qu'on repère.

Pendant que Josie s'affairait à l'envelopper d'une serviette, j'ai surpris le coup d'œil que Sahalia a adressé à Jake et Brayden. Petit sourire aux lèvres.

Elle voulait qu'on voie son corps.

Elle voulait être désirée.

Quand ça a été mon tour, j'ai apprécié l'eau froide sur ma tête. J'en avais bien besoin.

JOUR 8

Lorsque ça a été à Brayden, j'ai remarqué que Josie se montrait particulièrement douce.

Je l'ai regardée lui masser tendrement ses épais cheveux châtains ; je l'ai vue éponger la moindre traînée de shampooing qui menaçait de lui couler dans les yeux ; je l'ai entendue murmurer « Ça va comme ça ? » et « Je te fais pas mal ? ».

Brayden avait les yeux fermés.

Toutes les petites attentions de Josie lui passaient au-dessus de la tête.

Ses pensées étaient blotties sous le micro-short de Sahalia.

CHAPITRE VINGT

PILULES

QUAND MON RÉVEIL A SONNÉ À 7 HEURES, je me sentais vachement plus mal que la veille. Un rapide coup d'œil au miroir rose de princesse que Caroline avait accroché dans le couloir m'a permis de constater que j'avais deux beaux coquards.

J'ai approché le miroir autant que j'ai pu pour voir si j'avais les pupilles trop dilatées. Signe de commotion cérébrale.

Max s'est pointé à ce moment-là. C'était son tour de m'aider.

— Dis donc… a-t-il fait. T'as l'air d'un monstre !

J'étais bien tenté de rugir ou de jouer au monstre, mais j'avais trop mal à la tête.

J'ai pris quatre Advil avant d'arriver à la cuisine.

Je me suis endormi pendant le petit déj'. Que dire ?

Ça s'est fait sans moi, Max distribuant bols de céréales et briques de lait.

J'avais la tête appuyée sur le comptoir quand Alex est venu me réveiller.

J'ai constaté que le petit déj' était terminé et que tout le monde était parti.

JOUR 9

— Qu'est-ce qui s'est vraiment passé ? a-t-il voulu savoir. T'es pas tombé d'une étagère.

— Tout le monde s'en cogne, ai-je répondu en essayant de me rendormir.

— Pas moi ! Dis-moi ce qui s'est passé.

— Retourne jouer avec Niko.

— De quoi ?

— T'es tout le temps fourré avec lui. À réparer ci ou ça. À tout gérer.

— Dis-moi ce qui t'a mis la tronche comme ça ?

— Jake m'a tabassé, ça va ?

— Pourquoi ? T'avais fait quoi ?

Je suis resté là à le dévisager, lui pareil. Il avait l'air exaspéré. Mélange d'irritation et de déception.

— T'avais fait quoi ? a-t-il répété.

Ça m'a trop retourné, qu'il parte du principe que c'était ma faute. Que c'est moi qui avais merdé.

Même si, pour le coup, c'était vrai.

J'aurais voulu qu'il prenne ma défense direct, et qu'il pose des questions après.

Les larmes me sont montées aux yeux.

— Casse-toi, lui ai-je dit.

— Dean…

— Fous-moi la paix !

Là-dessus, je lui ai tourné le dos et me suis dirigé vers les placards.

Au bout d'un moment, il a filé.

Ça devait être une heure plus tard. J'avais fini la vaisselle et je m'étais allongé sur le comptoir pour une mini-sieste, quand Jake s'est pointé.

— Hé, Bouffe-papier, m'a-t-il interpellé. Tu te sens comment ?

— Je déguste.

— Mouais, c'est ce que je pensais.

Il a sorti deux ou trois plaquettes de médocs de sa poche en disant :

— On plane un coup ?

— Ouais.

Un calmant de la veille et une pilule mystère (triangle orange) plus tard, je planais.

Je me sentais détendu et plein d'énergie. Zen et heureux.

On a décidé d'attaquer les cookies.

Un de chaque variété en rayon.

— Les « Chips Ahoy », ai-je commencé. Grand classique.

— Les mous ou les durs ? a relancé Jake.

— On dit pas « mous », on dit « moelleux », l'ai-je corrigé.

— « Moelleux » ! Tu me tues.

Sur ce, il a attrapé trois ou quatre paquets.

— Là, ça devient sérieux, a-t-il annoncé. Milanos à la menthe. Milanos à l'orange. Milanos nature. Milanos chocolat noir. D'où ils en fabriquent autant ?

— Va savoir. Il y a autant de variétés que d'êtres humains sur Terre.

— 'Tain… T'as sûrement raison, en plus. Vu qu'on doit plus être qu'une vingtaine, maintenant.

Ça nous a fait hurler de rire.

— Rââ, la vache, j'me sens mais trop bien ! ai-je lancé.

— Je sais. C'est dingue.

— C'est ça que t'avais pris, le jour de l'élection ?

— Grave.

— Vache. Comment t'as assuré.

JOUR 9

— Je sais.

On a trouvé ça tordant.

— Vous faites quoi, les gars ? nous a demandé Max en déboulant dans notre rayon.

Je me suis tourné vers lui et j'ai poussé un vrai RUGISSEMENT.

De monstre.

Le mioche s'est barré en gueulant.

Jake et moi, on n'avait jamais rien vu d'aussi poilant.

— Hé, a-t-il repris, tu sais ce qui est vraiment trop naze ?

— Vas-y.

— Les effets des produits chimiques sur les gens de mon groupe sanguin, les problèmes de reproduction, là, tu vois ?

— Ouais.

— Ben je suis tout le temps tout mou, m'a avoué Jake. C'est ça que ça veut dire. Plus moyen de bander.

— La vache ! C'est la méga-cata pour un mec comme toi.

On s'est marrés, marrés, marrés.

— Oh, putain, faut que j'aille pisser, m'a ensuite sorti Jake. Viens. On va à la décharge.

En passant devant le rayon sport, on a entendu le rire de Sahalia.

— Qu'est-ce qui se passe par ici ? a fait Jake.

Sahalia et Brayden étaient là à jouer au Air Hockey.

La fille portait ce que je ne pourrais décrire autrement que comme un déguisement. La menuisière sexy. Ou la fermière sexy.

Une salopette pour homme découpée aux genoux. Et pas grand-chose dessous. Soutif en dentelle et culotte assortie.

On voyait le soutif parce que les côtés de la salopette étaient ouverts. *Idem* pour la bande de dentelle au-dessus de la hanche. On apercevait presque la jonction avec le triangle au creux des reins, mais bon, je ne matais pas… pas tant que ça… enfin je crois pas.

— Hé, les mecs ! nous a appelés Brayden. Une petite partie ?

— Vous êtes pas censés taffer, vous deux ? a rigolé Jake.

— Moi, je range le rayon auto, a ironisé Sahalia en décochant un tir. Mais je me suis dit que j'allais faire une pause d'une heure ou trois…

— Fait chier, Niko, avec son planning, a ajouté Brayden. Il croit qu'il peut dire à tout le monde ce qu'on doit faire vingt-quatre heures sur vingt-quatre.

— Qu'est-ce que tu veux, Bray, le peuple l'a choisi, lui a rappelé Jake.

Je commençais à partir dans les vapes.

— Qu'est-ce qu'il a, Geraldine ? a demandé Brayden.

— Non mais ça va, ai-je répondu.

— Il plane, a précisé Jake.

Sahalia et Brayden ont éclaté de rire.

— T'as une de ces tronches, Dean, a commenté Brayden.

— On dirait que tu t'es fait percuter par un camion, a précisé la fille.

— Nan, c'est moi qui l'ai percuté, a souri Jake en bandant ses biceps. T'as envie de toucher ? Ça, je te garantis, c'est l'artillerie lourde.

Sahalia lui a tâté le bras. En faisant des « oooh » et des « aaah ».

— Jake a peut-être la taille, mais moi j'ai la définition, a repris Brayden en venant s'interposer entre lui et Sahalia.

JOUR 9

Il a bandé un muscle, elle l'a tâté. Elle s'appuyait contre lui tout en faisant jouer ses mains sur son biceps.

— Pas mal, a-t-elle murmuré.

— Vous m'excusez ? est alors intervenue Josie. Il se passe quoi, là ?

Brayden s'est écarté en disant « Rien ».

— Et tu peux me dire ce que tu as sur toi, Sahalia ?

— Des habits, Josie.

Le visage de Josie est devenu tout rouge, elle a attrapé Sahalia par le bras et l'a fait pivoter sur elle-même.

— Ça suffit ! s'est-elle écriée. On a capté, OK ? T'es sexy et tu veux te taper ces mecs. On a pigé. Sauf que ça n'arrivera pas, ma belle, vu que t'as treize ans. Treize. Ans. Tu comprends ce que je te dis ?

— Quatorze dans moins d'un mois, lui a renvoyé Sahalia.

— Va t'habiller, lui a ordonné Josie en la chassant du rayon.

— Bon, attends… a voulu dire Brayden.

— Il y a pas que moi qui m'habille comme ça, tu sais, a lâché Sahalia. C'est un style.

— Je confirme : le style des prostituées ! lui a rétorqué Josie.

Ça m'a plus ou moins fait penser à une discussion entre un père autoritaire et une ado. Sauf que si l'ado avait bien treize ans, le rôle du père, lui, était tenu par une lycéenne de première.

— T'as pas d'ordres à me donner ! a gueulé Sahalia.

— Tu crois ça ? Je suis responsable des petits, et t'en fais partie.

— J'en connais plus que toi sur le sexe, espèce de grosse coincée !

Au lieu de hurler, Josie est allée coller son visage à celui de Sahalia.

— T'es une gamine ! lui a-t-elle asséné.

Niko est arrivé en courant. Il était sale et couvert de sueur.

— Qu'est-ce qui se passe ? a-t-il demandé. J'ai entendu des cris.

— Sahalia n'arrête pas de chauffer les mecs, lui a expliqué Josie. Et vu leur réaction, je sais pas ce que ça peut donner.

— Josie, mais on faisait rien, a protesté Brayden.

Là, elle s'en est prise à moi. À moi !

— Et lui il plane ! J'aurais jamais cru ça de toi, Dean ! Tu étais le seul à qui on pouvait faire confiance.

— Bon, on se calme, a commencé Jake.

— Elle a treize ans, a continué Josie en se tournant vers Niko. (J'ai vu qu'elle avait les larmes aux yeux, prêtes à déborder.) Une gamine de treize ans.

— J'aime pas qu'on parle de moi comme si j'étais pas là, est intervenue Sahalia. Je suis aussi grande que vous. Jake et Bray le savent. Tu crises juste parce qu'il m'aime plus que toi.

Là-dessus, elle s'est jetée au cou de Brayden.

Lui, il a aussitôt rougi, puis il s'est dégagé.

— Sahalia, a-t-il fait. T'es qu'une gosse. On t'accepte avec nous, OK, mais jamais on n'irait… faire des trucs avec toi, quoi. Désolé.

Cette grimace qu'elle a faite.

L'espace d'un instant, elle a vraiment ressemblé à la gamine qu'elle était.

Elle a mis les bouts direct.

— Brayden, t'es trop con, a craché Josie. Je pensais que tu pourrais peut-être changer…

Et elle a filé à son tour dans la direction opposée.

JOUR 9

Brayden a levé les mains avant de s'exclamer :

— 'Tain, je fais ce qui faut et tout le monde me tombe dessus !

Niko nous a regardés tous les trois, puis il s'est élancé après Josie.

Brayden s'est tourné vers Jake et moi.

— Je prendrais bien comme vous, là.

Je les ai quittés quand Brayden eut avalé ses pilules. J'avais eu ma dose. Je ne tenais plus vraiment à avoir affaire à eux, pour tout dire.

Il fallait que je m'allonge. Au plus vite.

J'avais besoin d'un service, et je ne pouvais le demander à personne d'autre.

Il bossait, assis à un bureau, à côté des petits. Il avait trois ou quatre appareils électroniques désossés devant lui, dont il essayait de greffer des éléments entre eux.

— Alex, l'ai-je appelé. Tu pourrais faire le déjeuner à ma place ?

Il a levé les yeux vers moi, l'air froid et blessé.

— Je pense.

— Le dîner aussi, peut-être.

— Sais pas. Niko a besoin de moi. Un truc sérieux. Gérer cet endroit.

J'ai haussé les épaules.

— J'ai juste besoin d'un service, Alex, ai-je soupiré. Je suis désolé.

Je ne mentais pas.

Je suis allé m'allonger dans mon hamac et j'ai dormi jusqu'à plus soif.

Pas vu le déjeuner. Pas vu le dîner.

En pleine nuit, j'ai cru que je rêvais qu'Astrid était dans ma chambre.

Qu'elle se tenait là, debout, le regard posé sur moi.

Là-dessus, j'ai senti son odeur, ça m'a réveillé d'un coup.

Astrid était bel et bien dans ma chambre. Et elle puait.

Reste qu'elle était magnifique dans la lueur irisée de mon réveil de voyage. Mais elle cocotait grave.

Bêtement, ma première pensée a été de remercier Jake de m'avoir enlevé le coton du nez.

Amour-propre, quand tu nous tiens.

Astrid m'a empoigné par les cheveux, et m'a relevé la tête pour qu'on soit face à face.

— Toi, plus jamais tu m'espionnes ! m'a-t-elle craché à la face.

— Désolé, ai-je fait.

— Connard.

Elle m'a relâché et elle allait partir. Ma chambre était tellement minus qu'on était pour ainsi dire collés l'un à l'autre.

— Et puis arrête les calmants. Ça te vaut rien. Sont juste bons à te transformer en connard.

— Astrid, s'il te plaît.

— Quoi ?

— Je m'en veux vraiment, je te jure.

Je me suis rassis comme j'ai pu. J'avais une jambe pendue dans le vide, elle a frotté contre celle d'Astrid, qui ne s'est pas retirée.

— J'étais parti pour récupérer mon journal, je vous ai vus ensemble et… J'aurais pas dû. Ça se fait pas. Surtout que…

— Surtout que quoi ?

J'avais la bouche sèche. Le cœur qui cognait fort.

JOUR 9

— Surtout que… je tiens à toi, ai-je avoué avant de me reprendre un peu. Je veux que tu récupères. Que tu reviennes avec nous.

À la lueur de mon réveil, je la distinguais mal. Mais il m'a bien semblé voir des traces de larmes sur ses joues.

— Arrête ça, a-t-elle dit. L'espionnage. La dope. Faire peur à Max. C'est pas bien.

Je me sentais tout petit. Comme un acarien.

— J'ai besoin que tu restes du bon côté, a-t-elle conclu. Avant de filer.

Chapitre VINGT ET UN

LA TRAPPE

À 7 HEURES DU MAT', je n'ai pas réveillé Chloe. Elle était censée m'aider ce jour-là. J'ai sauté son tour et suis allé trouver Max.

— Max, ai-je murmuré au-dessus du petit nid dans lequel il était blotti avec Ulysses et Batiste.

Les tout-petits n'avaient pas de hamacs. Ils dormaient sur des matelas posés côte à côte.

Les trois garçons ressemblaient à de petites bêtes sauvages et adorables, genre des louveteaux dans leur tanière. Ils avaient les cheveux en bataille, et leurs draps et couvertures étaient tout entortillés. Ça m'a fait penser aux personnages de *Peter Pan*.

— Max, ai-je répété en le secouant doucement.

— Ouais ?

— Tu veux bien être mon assistant, aujourd'hui ?

— Encore ?

— Oui. Rapport à hier, pour me faire pardonner.

— Deux jours de suite, c'est ça ?

— C'est ça.

— Alors là oui je veux !

Et il s'est levé, encore à moitié endormi.

JOUR 10

En se dirigeant vers la cuisine, il a enfilé une veste en polaire. La température semblait baisser de jour en jour. C'est peut-être ce qui se passe quand les rayons du soleil sont bloqués par un gigantesque nuage métallique.

— Bon alors, on fait quoi ? ai-je demandé à Max.

— Des sundaes.

— Avec de la glace, tu veux dire ?

— Oui, voilà.

— Max, je ne pense pas que ce soit une bonne idée. On a besoin de nourriture, de vrais aliments, pour commencer la journée.

— Ouais, a-t-il fait. Mais quand même. Rapport à hier, comme tu disais…

— Écoute, Max…

— T'as été trop méchant avec moi hier et tu m'as fait pleurer…

J'aurais dû dire non. Là, j'ai juste haussé les épaules.

— OK…

Et pourquoi pas ? On n'aurait qu'à mettre des noisettes sur la glace, ou un truc dans le genre…

On a rempli le chariot avec tout ce qu'il fallait.

— Tu sais où c'est qu'ils sont les meilleurs, les sundaes ? Au Village Inn, m'a expliqué Max.

— Sérieux ? ai-je murmuré.

Mon mal de crâne revenait. Les ecchymoses, à ce que j'avais pu voir, étaient encore plus moches que la veille. J'avais du sang dans l'œil gauche.

Pour tout dire, je trouvais que ça me donnait un côté dur à cuire.

Ma tête, par contre… J'avais besoin de café et d'Advil.

— Une fois, m'a raconté Max en balançant un flacon de sirop de fraise dans le chariot, on mangeait au Village Inn et ma maman elle est allée aux WC. Ça lui a pris des heures, alors mon papa il est allé voir pourquoi, et ils sont pas revenus avant un bon bout de temps. Moi je restais assis à table, j'attendais et tout, et la serveuse elle m'a demandé si je voulais du dessert, alors j'ai dit oui. Elle m'a apporté un banana split, comme j'avais demandé, et je l'ai mangé. Je voulais partager avec ma maman et mon papa mais ils mettaient tellement de temps à revenir que j'ai tout mangé, et puis après je suis allé aux WC pour chercher mon papa et il y était même pas, alors je suis retourné à notre table et après la serveuse elle m'a réveillé et elle m'a demandé notre numéro de téléphone pour qu'elle puisse appeler ma maman et en fait c'est juste qu'ils m'avaient oublié au restaurant et qu'ils étaient rentrés sans moi.

— 'Tain, Max, ai-je fait. L'horreur.

— Ça t'est déjà arrivé ? m'a-t-il demandé.

— Pas vraiment.

— Ouais. C'est que tes parents, ils boivent sûrement pas autant que mes parents.

— Non, sûrement pas, ai-je acquiescé.

— Mais tu sais pas le meilleur ? Ils ont oublié de nous faire payer le banana split !

Je devais lui reconnaître ce mérite : il savait raconter une histoire.

Bref, on a ouvert notre bar à sundaes. Impressionnant. On avait neuf parfums de glace, de vanille à stracciatella. Entre autres, caramel mou, caramel au beurre salé, caramel dur, ananas et fraise. Et toute la gamme des garnitures : Oreo

JOUR 10

concassés, nounours, guimauve, pépites de chocolat, éclats de caramel dur, pépites de chocolat blanc.

— Ils vont trop adorer ! s'est réjoui Max.

— Entièrement d'accord. Au fait, Max…

— Ils vont pas y croire !

— Je sais. Bon, Max, à propos d'hier. Je suis désolé de t'avoir crié dessus. C'était pas gentil.

— Pff, hier c'est terminé. Moi j'y pense jamais à hier. Si j'y pensais je serais fichu.

Là-dessus, il a pris une cerise au marasquin dans le bocal et l'a enfournée.

J'aimais bien sa philosophie de vie, en fait.

Surtout vu le chaos dans lequel se trouvait le monde.

— Dis, tu y arrives, toi, à faire un nœud avec une queue de cerise ? m'a ensuite demandé Max. Je connais une strip-teaseuse, elle s'appelle Bingo, elle travaille au Emerald. Elle, elle arrive à faire un nœud avec une queue de cerise autour d'un manche d'épée en plastique ! Et rien qu'avec sa langue !

Je lui ai fait non de la tête.

— Mais bon elle a les dents de devant écartées, ça doit être son arme secrète.

La glace commençait à ramollir. J'ai regardé l'horloge.

— Quand est-ce qu'ils arrivent ? Je peux aller les chercher ? m'a demandé Max.

8 h 30.

Où étaient-ils tous ?

C'est là que je me suis rendu compte que le magasin était silencieux.

On n'entendait pas la moindre voix.

Pas la moindre chamaillerie matinale parmi les tout-petits.

Pas le moindre rire gras de Jake ou Brayden.

Pas le moindre mouvement.

J'ai foncé voir.

— Qu'est-ce qu'il y a ? Ils sont où ? criait Max en s'élançant après moi.

Le Train était entièrement vide.

Je me suis retourné.

Max m'a rattrapé.

— Où est-ce qu'ils sont tous ? s'est-il exclamé.

— Chut !

Je percevais de tout petits bruits en provenance de la réserve.

— Ils sont à l'arrière du magasin, ai-je annoncé à Max. Suis-moi.

On arrivait devant les portes quand Alex en est sorti.

— Dean, m'a-t-il appelé. Je venais te chercher. Il y a des gens à la porte !

J'ai écarté les petits massés dans la réserve pour m'approcher de l'interphone.

Sur l'écran gris terne apparaissaient deux silhouettes.

Niko : « Ils sont peut-être dangereux ! »

Josie : « Ils ont besoin de nous ! »

Jake : « On peut pas leur faire confiance ! »

Brayden : « Mais ils connaissent Mme Wooly ! »

C'est ce dernier argument qui a attiré mon attention.

— Quoi ? me suis-je écrié. Ils connaissent Mme Wooly ?

— Nous allons voter, a déclaré Niko.

— Minute ! ai-je gueulé. Quelqu'un peut me dire ce qui se passe ?

— On transportait les poubelles à la décharge quand Henry a entendu une voix, m'a expliqué Josie. Je suis venue

JOUR 10

là, il y avait un homme qui demandait à ce qu'on le laisse entrer. Il s'appelle Craig Appleton.

— Et il a un ami avec lui, l'a coupée Niko. Ils sont deux.

— Son pote connaissait Mme Wooly, a ajouté Brayden. Il bosse à l'entretien, à l'école primaire.

— Ouais, a fait Chloe. Il répare les bus, les chasse-neige, tout ça.

— Comment ils ont fait, avec l'autre ? ai-je demandé à Niko. (Il me regardait sans comprendre, alors j'ai précisé :) Le gars qui monte la garde devant le Greenway.

Les mioches commençaient à se demander de qui je parlais ; Niko a haussé les épaules.

— Je ne lui ai pas demandé.

— Bon, ben, c'est le moment, vas-y, a décidé Jake.

Niko s'est donc approché de l'interphone.

— Excusez-moi, monsieur, nous avons une question à vous poser.

Une des silhouettes s'est avancée vers l'interphone. Le visage emmitouflé sous plusieurs couches de ce qui ressemblait à de la polaire. Ou une espèce de carpette en laine ?

— Oui, Niko, dis-moi ?

— Voilà… Il y avait un homme. Affecté par les produits chimiques. À ce qu'on a compris, il avait plus ou moins décidé que le magasin lui appartenait, et il ne laissait personne en app…

— Tout à fait, a répondu Craig Appleton. Nous avons dû l'abattre.

Niko a dit à Josie de ramener les petits – Alex et Sahalia compris – au salon. Elle a refusé.

— Je veux participer à cette décision, a-t-elle affirmé.

— Moi aussi, a fait Sahalia.

Niko a inspiré profondément.

— Écoute, Sahalia, lui a-t-il dit. Si tu raccompagnes les petits au salon et que tu joues avec eux, j'arrêterai de te considérer comme une gamine. Tu seras traitée comme une grande, avec tous les privilèges qui vont avec.

— Ah, d'accord, maintenant je suis une grande ? Vous me traitez comme de la merde, mais quand vous avez besoin d'un truc…

— Sahalia ! J'ai. Besoin. De. Ton. Aide !

— D'accord, a-t-elle craché. Mais je veux que ma voix soit prise en compte.

— Et tu votes quoi ?

— On les laisse entrer. Ils pourront peut-être nous dire ce qui se passe dehors. Allez, venez, les gosses, a-t-elle ensuite lancé en rassemblant les petits autour d'elle.

— On les laisse entrer ! On les laisse entrer ! s'époumonait Chloe dans le vacarme des voix des autres.

— Au fait, Sahalia, l'ai-je appelée alors qu'elle s'éloignait. On a ouvert un bar à sundaes…

— Pour le petit déj' ? a-t-elle grimacé.

— Monsieur Appleton, nous allons vous demander d'attendre un instant, a repris Niko en s'adressant à l'interphone. Nous devons discuter et voter.

Le visage de l'homme, tout emmitouflé, apparaissait en gros plan.

— Nous comprenons que vous ayez besoin de temps pour vous décider, affirmait-il. Il y a pas mal de gens qui font peur, ici dehors. Mais Robbie et moi, vous pouvez nous faire confiance. C'est pour ça que Mme Wooly a dit à Robbie que vous étiez là. Robbie et elle sont de grands amis.

JOUR 10

» À côté de ça, moi, je suis blessé, et nous sommes à court de vivres. Trouver à manger et à boire, ça n'est pas évident, par ici. Si vous pouviez juste nous aider à refaire notre stock, nous vous donnerions la seule chose que nous avons à proposer en échange.

— Et c'est quoi ? lui a demandé Niko.

— Des infos.

Ça a été le débat le plus animé qu'on ait eu. Niko et Jake ont bien défendu l'argument en *défaveur* des étrangers.

Niko, ça le travaillait pas mal, qu'ils aient abattu le monstre du groupe O. Ils risquaient d'utiliser leur arme (ou leurs armes) contre nous. On pouvait se retrouver prisonniers. Ils allaient peut-être vouloir prendre le pouvoir dans le Greenway.

— Mon boulot, expliquait Niko les bras croisés, c'est d'assurer votre sécurité. Eux, ils ont des armes et ils sont adultes. Ils peuvent se débrouiller seuls.

— S'ils essaient de s'emparer du magasin, ça va être l'horreur, a fait Jake. (Il avait un étrange regard vitreux.) Ils ont qu'à passer leur chemin. On veut pas d'étrangers ici, qui viennent nous donner des ordres.

Brayden l'a secoué par le bras.

— Mec, tu débloques ? Ils peuvent nous dire ce qui se passe dehors ! Il faut qu'on sache ! En plus on a des tonnes de marchandises. On peut les échanger contre des infos.

— Je suis d'accord avec Brayden, a approuvé Josie. On devrait se montrer généreux et partager ce qu'on a. On a besoin de savoir ce qui se passe dehors. Il y a un risque, mais ça vaut le coup.

Alex, lui, était contre l'idée d'ajouter des variables à notre environnement stable.

Ce qui a fait basculer le vote, c'est les règles que Brayden a proposées.

Et ma voix.

Niko s'est adressé à nous.

— Je tiens à préciser que moi je suis contre. Et je le fais uniquement parce que vos voix l'ont emporté. Je pense que c'est une mauvaise idée.

— Ouais, ouais, a fait Brayden. Tu vas leur dire ou je leur dis ?

Niko s'est tourné, a poussé un soupir, puis il a appuyé sur le bouton « Parler » de l'interphone.

— Nous vous laissons entrer, a-t-il annoncé. Mais à nos conditions. Un : vous nous remettez vos armes jusqu'à ce que vous ressortiez. Deux : vous acceptez de repartir demain matin, quoi qu'il arrive. Trois : vous promettez de n'emporter que ce que nous vous donnerons. Et quatre : vous vous engagez à respecter nos règles.

— C'est d'accord, a répondu M. Appleton sans consulter Robbie. Et maintenant, on fait comment pour ouvrir cette porte ?

— C'est impossible. On va vous jeter une échelle depuis le toit.

J'ai été banni de la réserve, comme Niko et Brayden.

— Toi aussi, Josie, a dit Niko.

— Mais on ne sait même pas quel est mon groupe sanguin ! a-t-elle protesté.

— Justement.

JOUR 10

C'est Alex et Jake qui allaient faire entrer les deux hommes.

Ils ont d'abord enfilé plusieurs couches de vêtements, par mesure préventive. Puis Niko a remis à Jake l'échelle de secours. Mon frère et Jake ont ensuite grimpé l'escalier métallique et ont ouvert la trappe.

Après l'agression de la femme, Niko avait voulu qu'on simplifie son ouverture (sans la rendre perméable), en cas de nouvelle urgence.

Il avait dû faire du super boulot, vu que, le temps qu'on revienne avec des lingettes, deux bidons d'eau minérale et des vêtements propres pour les deux hommes, on entendait déjà des voix d'adultes à travers les portes de la réserve.

Ils avaient l'air bien intentionnés…

Josie, Niko, Brayden et moi, on attendait avec impatience devant les portes de la réserve.

Puis enfin Alex est apparu, deux armes à feu à la main. Il les tenait par la crosse, le canon braqué par terre et loin de lui. Comme si c'étaient des rats morts. Il avait aussi passé à son épaule un sac banane rempli de munitions.

— Vous savez quoi ? nous a-t-il demandé après avoir retiré une écharpe de devant sa figure. Ils ont un chien ! Trop gentil.

— Je te prends les armes, est intervenu Niko.

Il avait apporté un sac-poubelle de dix litres dans lequel Alex a rangé les armes et les munitions. Niko a refermé le sac et a filé au rayon accessoires. Sans doute pour le cacher.

J'ai donné à mon frère les habits neufs et les produits de toilette.

— Ils ont l'air comment ? lui ai-je demandé.

Il a haussé les épaules.

— Ils se montrent sympas, a-t-il dit. (Puis, me regardant en face :) Tu ferais pas pareil, toi ?

Sahalia est revenue avec les petits.

— Je pouvais pas les garder plus longtemps, a-t-elle expliqué. Tout ce sucre au petit déj', ça les rend hystériques.

Et en effet. Ça sautait dans tous les sens, ça rigolait, ça criait, ça se poussait, ça se bousculait.

Là-dessus, la voix de M. Appleton a résonné à travers les portes, et les mioches se sont tus.

Une voix d'adulte. Les adultes étaient parmi nous.

Caroline et Henry se tenaient par la main ; j'ai aussi vu Max et Ulysses s'agripper l'un l'autre.

La porte s'est rouverte, mais ça n'était qu'Alex.

— Ils se changent et se font propres, nous a-t-il annoncé. Et vous devinerez jamais ? Ils ont apporté une surprise !

Les questions des petits : « C'est quoi ? » « C'est quoi ? » « Qu'est-ce que c'est la surprise ? » « Ils vont rester pour toujours ? » « Ils viennent nous sauver ? » « C'est des gens qu'on connaît ? »

Josie leur a fait signe de la suivre et elle les a éloignés un peu des portes.

— Ces deux monsieurs sont venus faire des échanges avec nous, leur a-t-elle expliqué. Nous allons leur donner à manger et à boire et les laisser dormir ici cette nuit. Eux, ils vont nous raconter ce qui se passe dehors.

— Mais… mais… bégayait Henry. (Puis il s'est mis à brailler :) Je veux rentrer chez moi ! Je veux ma maman ! J'en ai marre de tout le temps attendre !

Josie l'a pris dans ses bras.

— Je sais, Henry. Caroline et toi vous avez été très patients. Mais peut-être que ces monsieurs vont pouvoir

JOUR 10

nous dire combien de temps on va encore devoir attendre. Allez, les jeunes, a-t-elle lancé ensuite au groupe des tout-petits. Chacun va chercher un cadeau de bienvenue pour les étrangers.

Et ils sont partis comme ça, en papotant et en piaillant : de vrais petits oiseaux.

Un rire d'homme nous est parvenu à travers les portes. Pendant ce temps, pour nous autres, on aurait dit que le temps s'était arrêté.

— Pff, a fait Niko. J'espère qu'on ne commet pas une énorme erreur.

— Ça va aller, l'ai-je rassuré. Mme Wooly ne leur aurait jamais parlé de nous si elle n'avait pas eu confiance en eux.

Niko a soupiré, puis s'est passé une main dans ses cheveux châtains et raides.

— S'il arrive quoi que ce soit à l'un de nous, je ne me le pardonnerai jamais, a-t-il dit. Jamais.

— Relax, Boy-Scout, est intervenu Brayden. Tout va bien se passer.

Chloe est revenue avec deux Snickers. Max et Ulysses apportaient une grosse bouteille de Gatorade chacun. Caroline et Henry avaient choisi des cartes de vœux. Batiste, deux bibles neuves.

— Le comité d'accueil est prêt, a annoncé Josie.

Et les portes se sont enfin ouvertes.

M. Appleton était grand, un mètre quatre-vingts ou plus ; il portait un pantalon militaire, une chemise en flanelle et un pull-over gris par-dessus. Le genre avec une pièce en faux cuir aux coudes. Il avait le bord des yeux rouge, et le bord des narines aussi. À part ça, il avait le teint pâle et il tremblotait. Ses cheveux poivre et sel étaient coupés court, et lui faisaient comme une brosse. Ils étaient sales – avec un bidon d'eau et des lingettes, on ne pouvait pas s'attendre à mieux, mais c'était sûrement pire avant.

Il boitait et on voyait déjà du sang frais imbiber son pantalon.

On aurait dû apporter du matériel de soins, me suis-je dit.

Robbie, lui, avait bien une tête de moins que M. Appleton. C'était un Latino – visage bronzé et pattes-d'oie au coin des yeux. Les joues rebondies. Lui aussi avait les yeux et le nez rouges, sauf que lui il nous souriait. Et il tenait dans ses bras un vieux chien.

Le chien était trempé, et Robbie avait beau l'avoir mal en main, il semblait patient et résigné à ce petit moment d'humiliation. L'animal ne ressemblait à aucune race particulière. Un bâtard gris-marron à la figure ratatinée – blanche autour du museau. Ce genre de figure qu'ont les chiens parfois, avec une dent du bas qui appuie contre la lèvre supérieure. À la fois hypra-moche et trop craquant.

Les petits sont tombés sous le charme direct.

Le chien, lui, il aboyait et agitait son petit bout de queue poliment.

— Bon, écoutez-moi tous, nous a alors lancé Jake. Je vous présente M. Appleton et Robbie.

— Et elle, c'est Luna, a fait ce dernier.

Ensuite, il l'a reposée par terre. La chienne est venue nous renifler les pieds. Elle avait une ficelle en guise de laisse.

On allait y remédier rapidement. Luna aurait bientôt tous les accessoires de luxe que le Greenway avait à offrir à une chienne.

Les tout-petits se sont approchés en masse pour offrir leurs cadeaux.

JOUR 10

M. Appleton leur a serré la main, ébouriffé les cheveux et a accepté leurs présents, après quoi il a comme vacillé sur ses jambes et Robbie a tendu un bras pour le soutenir.

— On va vous conduire à la pharmacie, a dit Niko.

— Ou bien vous pourriez peut-être apporter des bandages ici, a répondu M. Appleton en s'effondrant par terre.

Chapitre VINGT-DEUX

PETIT DÉJ'
AVEC DES ÉTRANGERS

MA PREMIÈRE IMPRESSION, ça a été que M. Appleton était un ancien militaire. Il y en avait pas mal dans la région. Il se tenait bien droit, comme tous ces mecs-là, sans parler de sa coupe : la même que celle des militaires quand ils se laissent pousser les cheveux. Ils ne veulent plus la boule à zéro, peut-être qu'ils estiment ne plus la mériter, mais ils ne tiennent pas non plus à se retrouver avec une tignasse.

M. Appleton semblait tolérer les petits, mais quelque chose me disait qu'il ne les portait pas dans son cœur.

Robbie, lui, par contre, il était très famille, ça sautait aux yeux. Entouré de tous les mioches, il semblait être au paradis. Mais c'est son attitude vis-à-vis d'Ulysses qui m'a convaincu.

Quand Niko est parti chercher du matériel de soins, les petits se sont rassemblés par terre autour de Robbie et Luna. Robbie apprenait leurs prénoms et leur présentait la chienne. Je voyais qu'il avait repéré Ulysses, et qu'il attendait que ça en vienne à lui.

Quand Ulysses a sorti « *Soy* Ulysses », Robbie l'a pris dans ses bras et l'a serré contre lui. Ils se sont parlé en espagnol,

JOUR 10

et Ulysses s'est rapidement mis à pleurer, et ensuite Robbie aussi. Il serrait le petit d'un bras et Luna de l'autre. La chienne avait décidé de leur lécher la figure à tous les deux.

Ulysses avait visiblement beaucoup de choses à dire. Et il ne l'avait pas fait jusqu'à présent parce qu'aucun de nous ne pouvait le comprendre.

Je n'avais que des notions d'espagnol. Je me demande encore pourquoi j'avais choisi français comme langue vivante.

Niko est revenu avec le matos. Il s'est agenouillé devant M. Appleton et lui a découpé son pantalon neuf. Sur toute la longueur.

L'homme avait deux blessures. Celle près de la cheville était bien ouverte. Jamais vu une horreur pareille.

— Josie, tu devrais peut-être éloigner les petits, lui ai-je suggéré d'une voix faible.

La plaie, on aurait dit des entrailles de poisson, si je peux dire. Une grande entaille avec des bouts de chair qui pendouillaient – et du pus vert et jaune. Elle ne saignait pas, mais on voyait des traînées rouges qui couraient sous la peau le long des veines. Ces lignes étaient aussi verdâtres par endroits.

Le sang provenait d'une autre blessure. Celle au-dessus du genou. Une espèce de morsure. Il manquait un bon bout de chair.

— Qu'est-ce qui vous a fait ça ? a voulu savoir Chloe.

— Du fil de fer barbelé, a répondu M. Appleton.

Niko a versé de l'eau oxygénée sur la blessure de la cheville et ça a fait *pchhhh*. Très fort.

— Venez, les petits, ai-je alors dit (la tête me tournait déjà un peu). Niko a besoin de place pour travailler. Venez tous m'aider à la cuisine.

Ça a protesté un peu, mais la puanteur de la plaie était telle que Josie, Sahalia, Alex et moi, on a fini par rassembler les mioches et les conduire à la cuisine.

On aurait dit des grillons : ils sautaient dans tous les sens, surexcités par l'arrivée de deux ADULTES et d'un CHIEN !

— Batiste, ai-je appelé. On va devoir préparer quelque chose de spécial.

— Un deuxième petit déjeuner ? a-t-il demandé.

— Attends, le premier, c'étaient jamais que des sundaes, bon Dieu…

— Les-blasphèmes-c'est-péché, m'a-t-il renvoyé. (Puis :) Super ! On va faire un festin d'actions de grâces, mais au petit déjeuner.

Il a aussitôt foncé au rayon alimentation. Chloe est partie l'aider. Ils devaient plus ou moins se rapprocher, je me suis dit.

J'ai demandé à Alex et Sahalia de jeter tout ce qui restait des sundaes.

Ensuite, pour occuper les autres mioches, je leur ai fait préparer des muffins banane-noisettes, sous la houlette de Josie.

En même pas trois quarts d'heure, Batiste et moi on avait préparé des quiches aux légumes, des patates sautées et une espèce de salade de fruits dont Batiste m'a dit qu'elle s'appelait Ambrosia. On a aussi fait cuire les quatre derniers sachets de bacon.

Niko a amené les hommes à la cuisine au moment où le café finissait de passer. M. Appleton était équipé de béquilles, que je ne lui avais encore jamais vues.

— *Ay Dios !* s'est exclamé Robbie. Regardez-moi tout ce manger !

JOUR 10

— Et on a fait des muffins pour vous ! s'est exclamé Max.

— Et le mien c'est le plus gros ! a renchéri Chloe.

Les mioches s'étaient remis à sauter dans tous les sens en gueulant à qui mieux mieux. Là-dessus, Luna a commencé à aboyer.

— Chut, les jeunes ! a essayé de les calmer Josie.

Mais ils ne voulaient rien entendre.

— Taisez-vous ! Taisez-vous ! a alors crié M. Appleton.

Les petits ont obéi tout de suite.

Silence tendu.

— Désolé, a fait l'homme. C'est juste que… nous… enfin je suis sous le choc de ma blessure. C'était un tel chaos. Dehors. Et je ne suis pas habitué à tant de… bruit.

— Nous comprenons, a dit Josie. Vous avez pas mal souffert.

— Asseyez-vous, je vous en prie, je vous apporte à manger, ai-je décidé.

— C'est toi le cuistot ? m'a demandé Robbie.

— Ah, oui, a embrayé son collègue. (Je voyais bien qu'il s'efforçait de paraître jovial. Qu'il essayait de se remettre.) Qui devons-nous remercier pour tout ça ?

— Je m'appelle Dean. C'est moi qui cuisine, la plupart du temps. Mais ce repas, c'est Batiste qui l'a mis au point.

Robbie nous a serré la main chaleureusement. Puis M. Appleton l'a imité. D'une main sèche mais forte.

— Ravi de faire votre connaissance, a-t-il ajouté.

— Oui, monsieur, lui a répondu Batiste.

— Comme je gère la nourriture, ai-je repris, je pense que c'est moi qui vais vous fournir les provisions. Je vous préparerai un bon petit stock pour votre départ.

Bizarrement, je me suis senti obligé de leur rappeler qu'ils n'allaient pas s'éterniser là.

Peut-être parce qu'ils mataient la nourriture avec des yeux de bêtes.

Tout le monde a mangé, mais les deux gars, ils ont pas fait semblant.

À un moment donné, Robbie s'est interrompu et a prononcé un petit speech en espagnol.

Un clin d'œil à Ulysses, puis il nous a expliqué :

— J'avais tellement faim que j'ai oublié de remercier *El Señor* de nous avoir conduits à ce petit paradis peuplé d'*angelitos*.

— Amen ! a approuvé Batiste. Je leur répète tout le temps, à tous ces pécheurs, qu'il faut dire une prière avant chaque repas.

Robbie a caressé Ulysses sous le menton. Le petit brillait comme un sou neuf.

— Et maintenant que la prière est dite, je crois que je reprendrais bien un peu de tout.

Tout le monde s'est marré, je l'ai servi une troisième fois.

CHAPITRE VINGT-TROIS

L'HISTOIRE DE M. APPLETON

NIKO ET JOSIE DISCUTAIENT DE QUI ALLAIT S'OCCUPER DES MIOCHES pendant qu'on irait parler avec les adultes.

— Pas question que je loupe cette réunion, affirmait-elle.

— Je te comprends, mais ça m'étonnerait que Sahalia veuille les surveiller.

Sahalia boudait dans son coin tout en fusillant Brayden du regard.

Niko a tourné la tête vers moi.

— Sûrement pas, ai-je répondu.

— Il va bien falloir que quelqu'un se dévoue.

— J'ai une idée, ai-je annoncé.

Je me suis approché des petits.

— Bon, les jeunes, on a un souci et il faudrait nous aider. Les grands, les monsieurs et moi, il faut qu'on se parle. Luna, elle, elle a vraiment besoin d'un bain. Est-ce que l'un de vous sait donner le bain à un chien ?

Caroline et Henry ont carrément brandi les mains.

— Oh, oh, oh ! faisaient-il en chœur.

JOUR 10

— Moi aussi ! a hurlé Chloe. Ma nounou elle a un bouvier bernois et je le lave toute seule !

— Super ! ai-je applaudi. On a trois experts. Commencez par récupérer les affaires qu'il faut et rapportez-les ici. Ensuite vous lavez Luna. Vous la séchez. Et vous la peignez.

— Après on lui préparera son lit et on lui donnera à manger ! s'est écrié Max.

— Même qu'on lui chantera une berceuse, a ajouté Caroline.

Josie me regardait en acquiesçant.

— Bien joué, Dean. Tu m'impressionnes.

— Maintenant on peut parler, a déclaré Niko en s'adressant aux deux hommes.

M. Appleton et Robbie ont réuni leur cour dans le salon. Robbie s'est assis en grognant sur un canapé futon. Il se tapotait le ventre.

— C'est le bonheur total, là, a-t-il affirmé en nous souriant. Je remercie Dieu de nous avoir conduits ici.

M. Appleton s'est choisi une chaise droite. Puis il a appuyé son mauvais pied sur une table basse. Je me suis efforcé d'ignorer l'odeur.

— Que voulez-vous savoir ? nous a-t-il demandé.

— Vous pourriez peut-être commencer par le commencement, a proposé Niko. Nous, on est coincés ici depuis la grêle, donc tout ce que vous avez à nous dire sur ce qui s'est passé dehors, on est preneurs.

— Bien.

Quelques instants de réflexion, puis :

— L'orage de grêle a causé une sacrée panique, vous vous en doutez. Tout comme la panne du Réseau, puisque personne ne pouvait plus contacter les secours. Mais c'est l'annonce de la catastrophe sur la côte Est qui a engendré ce que je décrirais comme un environnement chaotique. Pas mal de gens se sont retrouvés au foyer des anciens combattants pour suivre les infos sur un vieux téléviseur. L'heure était au deuil, il régnait un admirable sentiment de camaraderie.

» Je suis fier de vous affirmer qu'aucune émeute n'a été constatée, ni aucun pillage de magasins en ville. Devant les vitrines dont les rideaux anti-émeutes n'avaient pas été baissés, les gens faisaient tranquillement la queue et n'achetaient que le nécessaire. À ce que j'ai compris, la population de Colorado Springs ne s'est pas comportée aussi bien.

» Je me suis rendu à la quincaillerie le lendemain matin. Je gare mon Land Cruiser dans mon garage, il n'avait donc pas souffert de la grêle – contrairement à la plupart des véhicules de la ville.

» À ma grande surprise, la quincaillerie était fermée. Quelques employés attendaient à la porte, ne sachant trop à quoi s'en tenir. Il y avait parmi eux et les rares clients présents un mélange de confusion et de découragement.

» Puis le séisme a frappé. Les gens se sont écroulés par terre et ont été heurtés par les débris. Le toit du magasin s'est en partie effondré, les fenêtres ont explosé. Il y a eu des blessés légers parmi les personnes réunies devant la quincaillerie.

» Nous qui nous en étions sortis indemnes, nous nous demandions quoi faire pour ces blessés. Étant rompu au secourisme, j'ai passé environ une heure à donner des ordres et à tenter de gérer la situation. Je suis entré dans le magasin et y ai trouvé un kit de premiers secours. J'ai décidé qu'il fallait éloigner les blessés de la quincaillerie, au cas où des répliques la raseraient pour de bon.

JOUR 10

» J'ai alors constaté que l'air changeait de couleur. J'ai vu un panache de fumée noire s'élever dans le ciel vers Colorado Springs.

» En l'espace de quelques minutes, les personnes qui se trouvaient avec moi se sont mises à agir de façon insensée.

M. Appleton s'est interrompu pour essuyer la sueur à son front. Il regardait droit devant lui, comme s'il suivait le film des événements qu'il nous décrivait sur un écran.

— J'aidais un jeune employé du magasin à transporter une collègue qui avait une jambe cassée. Elle était lourde. Afro-américaine. Elle devait peser 100 à 110 kilos.

» Nous lui faisions donc traverser le parking, quand l'air s'est mis à tourner autour de nous. Tout a viré au vert. La peau de cette femme s'est couverte de cloques. Petites au début, elles ont ensuite gonflé puis éclaté. La femme s'est mise à crier et à se débattre. Nous avons été forcés de la poser au sol, non seulement à cause de ses mouvements, mais aussi parce que le sang qui coulait de ses lésions nous empêchait de bien la tenir. À l'instant où j'ai constaté qu'elle était morte, le jeune homme qui m'accompagnait a poussé un cri de bête et s'est jeté sur moi.

M. Appleton se balançait à présent légèrement d'avant en arrière en parlant. Ce mouvement de métronome l'aidait à poursuivre son récit à un rythme régulier.

— Je me suis défendu, mais ce jeune aurait pu me blesser grièvement s'il ne s'était pas fait agresser à son tour par un autre individu. Un homme âgé qui m'avait expliqué plus tôt être venu acheter du grillage. Je les ai regardés se battre jusqu'à la mort. Celle du vieil homme.

Soudain, M. Appleton a paru revenir parmi nous.

— Vous tenez vraiment à ce que les plus jeunes entendent tout cela ? a-t-il demandé à Niko en indiquant Alex et Sahalia du doigt.

La fille a soupiré.

— C'est bon, a affirmé Niko. Ils sont grands. Ils ont les mêmes droits et privilèges que ceux du lycée.

M. Appleton a donc repris :

— Le jour baissait de plus en plus, comme si la nuit tombait. Autour de moi, j'entendais des bruits horribles. Des cris de rage, les hurlements des gens qui se faisaient tuer et les gargouillis que j'attribuais à ceux qui s'étouffaient dans leur propre sang.

» Me protégeant la figure avec mon pull, je me suis dirigé vers ma voiture. Une fois à l'intérieur, j'ai pris garde à ne pas allumer les phares. Par contre, j'ai mis la radio, et un bulletin d'infos m'a expliqué ce qui se passait. J'ai tenté de rentrer chez moi. Les routes étaient complètement bouchées, pas un véhicule n'avançait. Dans ces voitures, je voyais des gens se couvrir de cloques et mourir. D'autres qui se jetaient sur des automobilistes. Parfois, je croisais le regard d'individus qui m'avaient l'air aussi sains et effrayés que moi.

» J'étais certain de me faire attaquer si je tentais de rentrer chez moi à pied, alors j'ai franchi le terre-plein central et j'ai coupé à travers champs. La grêle n'avait pas arrangé les choses, mais mon Land Cruiser a quatre roues motrices.

» Bref, en approchant de chez moi, j'ai constaté que le lotissement était en feu. Woodmoor était la proie des flammes. L'incendie se propageait rapidement d'une maison à l'autre. Je voyais des gens fuir les bâtiments en hurlant. J'ai alors décidé, plutôt que d'essayer de rentrer chez moi, d'aller me réfugier dans une de mes écoles.

JOUR 10

— Comment ça, une de vos écoles ? lui a demandé Niko.

On observait tous M. Appleton d'un air interrogatif.

— C'est que, a-t-il annoncé, je suis le recteur des écoles du comté d'El Paso.

À ces mots, Sahalia a poussé une espèce de grognement qui m'a fait éclater de rire.

Tout le monde s'est marré, y compris M. Appleton.

— Désolé, a-t-il repris. Mais c'est la vérité.

L'homme a continué son récit d'une voix toujours aussi mesurée et efficace. Il nous a raconté sa rencontre avec Robbie au lycée Lewis-Palmer. Robbie lui a expliqué que Mme Wooly était venue lui demander un bus pour aller récupérer un groupe de jeunes isolés dans le Greenway (nous !).

— Ouais, a enchaîné Robbie, j'étais à l'école pendant l'orage. Avec quelques professeurs. Ils sont tous partis après ça, moi, je suis resté. C'est là que Mme Wooly est arrivée. Elle nous a dit que vous étiez ici, en sécurité.

— Et elle va bien ? a voulu savoir Niko. Où est-ce qu'elle se trouve ?

— Je n'en suis pas sûr.

— Comment ça ? l'a pressé Josie.

Robbie semblait troublé.

— Nous, on essayait de calmer les gens, parce qu'il y avait des parents qui venaient récupérer leurs petits.

— Quels parents ? l'a coupé Alex. Mme Wooly leur a dit qu'on était là ? Vous connaissez leurs noms ?

— En fait, non. Pas vraiment. C'est que…

— Nous étions tout un groupe, a repris M. Appleton. Nous partagions les ressources et les informations. Nous cherchions à créer un périmètre sécurisé, non contaminé, dans lequel les familles pourraient se réunir. Mais nous nous sommes fait attaquer.

— Par qui ? a demandé Jake.

— Des gens du groupe O, a dit tout bas Niko.

M. Appleton a acquiescé.

— Ils ont tous été tués.

Ça nous a fait un choc.

— Mme Wooly ? a fait Niko.

— Je n'en suis pas sûr, a répondu M. Appleton. C'était le chaos total.

— Je pense qu'elle a pu s'échapper, a déclaré Robbie.

— Mais si c'était le cas, elle serait revenue nous chercher, a objecté Alex.

— Bon, et comment ça se passe, maintenant, dehors ? l'a coupé Niko.

Tout le monde s'est tu pour écouter.

M. Appleton a bu une gorgée d'eau à la bouteille. Il avait le teint verdâtre ; il n'allait carrément pas bien.

— Dehors, c'est dangereux, a-t-il avoué. La plupart des gens restent chez eux. Ceux qui n'ont pas d'eau sortent en chercher. Les individus du groupe O affectés par les produits chimiques sèment la panique. Ils tendent des embuscades aux passants.

— Un groupe de cadets de l'académie militaire a formé une espèce de gang, a ajouté Robbie. Ils attaquent les domiciles dont ils pensent que les occupants possèdent de l'eau et de la nourriture.

— L'un dans l'autre, a conclu M. Appleton, c'est vous les gamins les mieux lotis de la ville de Monument, Colorado. Une sacrée veine, de se retrouver enfermés ici avec assez de nourriture et d'eau pour tenir… des mois ?

JOUR 10

— Des années, l'a corrigé Alex. On a consulté l'inventaire. J'estime qu'on pourrait rester ici entre vingt et vingt-quatre mois, étant donné les stocks. Pour nous, le gros souci, c'est moins l'eau et la nourriture que l'oxygène et l'électricité.

M. Appleton s'est frotté le front. Il transpirait.

— Niko, a-t-il dit. Tu pourrais m'indiquer où sont les toilettes ? Je crois que j'ai mangé trop vite.

Niko s'est levé et a tendu le bras à l'homme pour l'aider à marcher.

Et il l'a conduit à la décharge.

— Vous autres, préparez des lits, nous a-t-il ordonné.

— Chef, oui, chef Niko, a glapi Brayden.

Robbie lui a adressé un sourire.

— Il plaisante pas, lui, hein ? a-t-il fait à voix basse.

— C'est notre petit dictateur à nous, lui a répondu Brayden.

— T'es pas juste, a protesté Josie.

— Bon, ça suffit, ai-je dit à Alex, allons préparer les lits.

Mon frère et moi avons donc aménagé un espace au fond du rayon auto : matelas pneumatiques, draps, couvertures, une petite lampe à piles et des torches électriques pour qu'ils puissent se balader dans le magasin.

Niko et Brayden nous ont rejoints avec les deux hommes quelques minutes après qu'on eut terminé.

M. Appleton semblait aller un peu mieux. Il avait des plaquettes d'antibiotiques à la main.

— Merci, nous a-t-il dit. Je vais dormir quelques heures, je crois. Mais vous avez ma parole, demain matin, nous partons.

— Oui, a confirmé Niko. C'est le deal.

Robbie a ensuite aidé son collègue à s'allonger sur le matelas pas super stable.

— Je dois bien vous reconnaître un mérite, les enfants, a alors déclaré M. Appleton en nous regardant à tour de rôle. Vous avez arrangé les lieux de façon très intelligente. Ingénieuse, même.

Hmmm. On l'a pris comment, ça ? Il faisait sombre, et la seule lumière du rayon provenait de la petite lampe, du coup je n'ai pas bien pu voir les réactions des autres, mais il m'a semblé que Niko croisait les bras.

Il n'aimait franchement pas ces deux hommes.

J'ai senti Alex se raidir un peu – il se tenait à côté de moi. Le compliment l'avait touché, c'était clair.

Et il ne l'avait pas volé. Il avait bossé dur pour notre petite colonie.

Brayden, lui, à tous les coups, il devait lever les yeux au ciel.

Je ressentais un profond malaise.

Ce compliment rappelait ceux que les adultes vous font juste avant de s'emparer de ce pour quoi ils vous félicitent.

On a fini par le laisser, et Robbie est venu avec nous.

— Tu ne restes pas ? lui a demandé M. Appleton avant qu'il ne parte.

— Moi ? Nan. Je veux jeter un œil à ce bus.

Chapitre VINGT-QUATRE

TOUT SUR LES BUS

COMME ON ARRIVAIT PRÈS DE LA CUISINE, et donc du bus, les mioches ont accouru vers nous avec une Luna toute pimpante.

En fait elle était blanche, sous sa couche de crasse !

Robbie s'est esclaffé. Il avait un bon rire franc.

— Mais je savais pas que tu étais blanche, *mi angelito* ! a-t-il lancé à l'animal en se penchant pour la prendre dans ses bras.

Tous les petits parlaient en même temps, ils lui racontaient la grande aventure du bain de Luna.

J'ai tourné la tête vers la cuisine. Une piscine de jardin remplie d'eau cradingue trônait au milieu de la pizzeria. De l'eau partout, des serviettes, des flacons de shampooing vides. Le bordel. Mais bon, ça nous avait au moins permis d'écouter le récit des deux hommes tranquilles.

Josie s'est approchée de moi.

— Je vais t'aider à nettoyer, a-t-elle proposé.

— OK.

Robbie, lui, s'est dirigé vers le bus, suivi par tout le monde – grands et petits. Il en a fait le tour en l'inspectant bien. Il tenait toujours Luna dans les bras. Ensuite, il l'a posée par

JOUR 10

terre et s'est couché sur le dos pour se glisser sous l'avant du véhicule.

— *Oye*, quelqu'un pourrait me passer une lampe électrique ?

Plusieurs paires de petits pieds ont aussitôt détalé.

Apparemment, il existe plusieurs types de bus scolaires – celui qui nous avait conduits à l'abri dans le Greenway était un type D.

Le bus du lycée était un type C, avec le moteur à l'avant. Il n'y a qu'à ouvrir le capot pour y accéder, comme sur une voiture.

Les types D, eux, ont l'avant plat.

Le moteur se trouve sous le véhicule. C'est pour ça que le bus de Mme Wooly avait si bien résisté à l'orage. Et qu'il était encore en état de marche – la grêle n'avait pas endommagé son moteur.

Les pneus, c'était une autre histoire.

Il y en a six au total sur ce bus. Deux à l'avant, quatre à l'arrière.

À l'avant, il y en avait un de crevé.

— Celui-ci, pas de problème, a indiqué Robbie à Niko. On va le colmater avec un kit. Ils en ont au rayon auto. Ensuite, on le regonfle.

Puis il est passé de l'autre côté et a éclairé le dessous du véhicule avec sa lampe.

— Mais ce pneu intérieur, là, a-t-il montré, il a fondu. C'est pas bon.

Le pneu en question était crevé et percé d'un gros trou.

— Le bus ne pourrait pas rouler sur sa roue extérieure ? a voulu savoir Alex.

— Sur une courte distance, peut-être, a répondu Robbie.

— Bon, ben merci d'avoir regardé, a tenté de conclure Niko.

— Je vais essayer de le réparer, a poursuivi Robbie. J'ai vu faire un truc de fou à la télé, une fois : ils ont rempli un pneu de balles de tennis, puis ils l'ont refermé avec de la fibre synthétique.

— Cool ! s'est enthousiasmé Brayden.

— On devrait réparer ce bus. Faire la vidange, régler le moteur. Comme ça, vous pourriez l'utiliser en cas d'urgence.

— Excellente idée, a approuvé Alex.

— Cela dit, a objecté Niko, cela prendrait plus d'une journée. Merci quand même.

— Les gosses pourraient m'aider.

— Niko, on devrait trop le faire, l'a pressé Brayden. En cas d'urgence.

— Je ne dis pas le contraire. Juste, je doute que vous ayez fini en un jour. Et les deux hommes s'en vont demain. C'est tout.

— Rôôô, a râlé Chloe. Moi, je veux pas qu'il parte. Plus jamais jamais.

— Moi non plus ! a renchéri Max.

Les autres mioches à l'unisson.

Niko s'est éloigné.

J'ai jeté un coup d'œil à Robbie, il souriait et passait la main dans les cheveux des tout-petits qui s'étaient groupés autour de lui.

Je ne voyais pas où était le drame si Robbie restait plus d'un seul jour.

Là, il a soulevé de terre Chloe et Max. Ça les a fait couiner de plaisir.

JOUR 10

Robbie a ensuite confié à Chloe la mission de noter sur un carnet toutes les réparations nécessaires : redresser la tôle du toit ; remplacer le pare-brise cassé ; remplacer les vitres ; réparer les sièges ; régler le moteur ; réparer les roues.

Henry a proposé de peindre des bandes sur les côtés comme sur les voitures de course ; Robbie a demandé à Chloe d'ajouter l'idée à la liste.

Robbie savait s'y prendre, avec les jeunes. Il a envoyé Brayden et Alex récupérer des affaires au rayon auto, puis il a dit aux mioches que la première chose à faire était de dégager un espace de travail autour du bus. Les petits se sont mis au boulot : ils ont éloigné les chariots et balayé les bouts de verre et autres débris qui restaient.

— Je m'y connais en moteurs. J'ai de l'expérience. Vous voulez que je vous dise pourquoi, monsieur Robbie ? lui a sorti Max, toujours aussi guilleret. C'est parce que mon papa, des fois, il travaille dans un club à ferraille.

— Dans un quoi ? a fait Chloe.

— Un club secret où on va pour démonter des voitures. C'est trop bien.

— Et pourquoi c'est trop bien ?

— Ben parce que c'est secret et qu'on a pas le droit d'en parler à personne ! Surtout pas à la police, parce qu'ils ont pas le droit de venir dans le club. C'est des gros jaloux, en fait. Les policiers, ils donneraient n'importe quoi pour pouvoir entrer dans un club à ferraille.

Robbie me regardait en souriant. Pas pu faire autrement que de sourire aussi.

— Et des fois, les voitures, c'est des belles, hein, poursuivait Max. Des BMW, des Lexus, des Subaru…

— Waouh, s'est extasié Batiste.

— Notre maman elle a une Subaru ! a annoncé Caroline d'une voix à la fois excitée et fière.

— Une Forester ! a précisé Henry.

— Cool, a fait Max.

Trop mignons, nos gosses. Je comprenais que Robbie ait tout le temps envie de les prendre dans ses bras. Ils donnaient trop envie. Parfois.

J'ai décidé que je ferais mieux d'aller préparer le repas.

C'est là que j'ai repéré Sahalia, assise sur la murette qui séparait la pizzeria du parc à chariots où se trouvait le bus.

Elle se mordait les cuticules avec détermination. Elle avait l'air franchement seule et déprimée. J'avais mal pour elle, mais pas tant que ça non plus, vu comment elle nous avait fait suer les jours précédents.

J'ai vu que Robbie l'avait remarquée lui aussi et qu'il allait lui parler.

— On va avoir besoin de tout le monde pour remettre ce bus en état de marche.

— J'ai pas l'impression que vous manquiez d'assistants, lui a-t-elle rétorqué.

— Exact, mais c'est des petits. J'ai besoin de gens qui puissent vraiment m'aider. (Un sourire, une petite tape sur le genou.) Des adultes.

Sahalia, une adulte ? Pas vraiment.

Mais Robbie savait trouver les mots.

La fille a souri. Elle a ramené ses cheveux en arrière et les a noués.

— OK, a-t-elle accepté. Dites-moi ce qu'il y a à faire.

— Brave fille, a dit Robbie en lui pinçant le genou.

CHAPITRE VINGT-CINQ

LES MAINS

J'AI LAISSÉ MAX AIDER À RÉPARER LE BUS au lieu de le mettre de corvée de cuisine avec moi.

Ils s'éclataient tous.

Pendant que Robbie, Brayden et Sahalia s'occupaient des pneus puis du moteur, les mioches lavaient le bus à la lingette – absurde mais trognon.

Robbie avait demandé à Alex de trouver le moyen de remplacer le pare-brise et les vitres cassées. Mon frère est donc parti à la recherche de Plexiglas. Pile le genre de défi dont il avait besoin.

Moi, j'ai préparé des sandwichs au thon pour le déjeuner, avec petits pois et carottes. Je me disais que Robbie et M. Appleton auraient besoin des protéines du thon, et que les légumes frais (surgelés), c'était le genre de trucs qui faisaient plaisir aux adultes.

M. Appleton dormait toujours, il n'est donc pas venu manger. Ce qui, pour être honnête, nous a valu un repas plus animé. Ce type était grincheux.

Niko, lui, est juste passé prendre une assiette avant de repartir manger seul. Ça nous a évité de devoir supporter sa tronche inquiète. Déprimant.

JOUR 10

Robbie avait proposé aux tout-petits un jeu de devinettes : Je pense à un animal.

— Je pense à un animal, a proposé Chloe, il est noir et blanc et il porte un costume.

— Un manchot ! s'est exclamé Max. Maintenant à moi : Je pense à un animal. Il est marron et il vit dans la forêt.

— Un ours ? a demandé Caroline.

— Un écureuil ? a essayé Batiste.

— Il rugit et il mange des gens ! a ajouté Max.

— Un ours ! a insisté Caroline.

— Mais non : un lion ! a annoncé Max.

— Ça vit même pas dans la forêt, les lions ! l'a contré Batiste.

— Eh si !

— Ils sont même pas marron, a objecté Chloe. Ils sont jaunes.

— Je pense à un animal, s'est alors immiscé Ulysses. (Il prenait confiance, en présence de Robbie.) Je pense à un animal... c'est un chien !

On a tous éclaté de rire.

Tout le monde avait la pêche.

Josie est venue s'asseoir avec Alex et moi.

— Vous en pensez quoi, vous, de ces deux hommes ? nous a-t-elle demandé.

— Moi, Robbie, je l'aime bien, franchement, a répondu mon frère. Il en connaît un rayon sur les moteurs. Je compte lui montrer mon talkie-walkie vidéo.

Josie s'est tournée vers moi.

— Dean ?

— Sais pas. J'aime bien Robbie. Enfin bon, comme tout le monde. M. Appleton, par contre, je le trouve lourdingue.

Josie a acquiescé en mordant dans son sandwich.

— Vous savez ce qui me gêne ? C'est que Niko, lui, il peut pas les sacquer.

Ça m'a fait plaisir pour Niko que Josie ait remarqué ses sentiments. La plupart du temps, elle ne le calculait même pas.

— J'ai un peu peur de la réaction des petits, si on est tous d'accord pour qu'ils restent, et que Niko insiste pour qu'ils partent…

Je pensais comme elle.

— Ouh là, a-t-elle repris. À peine midi ? J'ai l'impression que la journée a déjà duré mille ans.

— C'est à cause de tout ce qui s'est passé, lui a expliqué Alex, la bouche pleine. Notre univers s'est métamorphosé en l'espace de quelques heures.

Il avait raison. Comme d'hab.

L'après-midi, tout le monde a bossé sur le bus, mis à part Jake (défoncé), Niko (fâché), M. Appleton (sieste) et Astrid (bande à part).

Robbie, Brayden et Sahalia ont remis le moteur en état.

Le courant passait super bien entre Robbie et Sahalia. Apparemment, si on la traitait en adulte, elle se comportait en adulte.

Josie a aidé Alex pour les vitres. Le pare-brise, ils l'ont remplacé par du Plexiglas que mon frère avait récupéré dans les vitrines de l'espace multimédia. Les vitres latérales, ils ont décidé de les couvrir avec des planches en bois – les étagères vendues au rayon maison & bricolage. Robbie leur a donné un coup de main pour les visser.

JOUR 10

Les tout-petits avaient une mission géniale : remplir de résine les moindres trous, fentes et fissures par lesquels l'air risquait de pénétrer dans le bus.

Josie et Alex ont utilisé la même résine pour isoler les contours des vitres.

— Pas mal, ai-je entendu Robbie commenter ce soir-là en inspectant leur travail. Pas mal du tout.

Puis il est monté dans le bus et s'est dirigé vers les sièges du fond.

C'était plus fort que moi, j'ai posé ma spatule et suis allé voir le résultat.

— Regarde un peu, Dean, m'a lancé mon frère en me montrant l'intérieur.

Il faisait sombre, là-dedans, maintenant. La plupart des vitres avaient été remplacées par des planches.

Ça sentait plus ou moins l'humidité.

L'un dans l'autre, je n'étais pas bien à l'aise de me retrouver dans un bus.

— Il nous reste encore un peu de boulot, a annoncé Robbie.

Disant ça, il indiquait le plafond.

On voyait des rayons de lumière qui filtraient.

— Vous n'aurez qu'à vous en occuper demain, a-t-il décidé. Quand on sera partis…

— Non, l'a coupé Alex. Niko va vous autoriser à rester encore un peu. Je le sais. Maintenant qu'il a vu tout ce que vous faites pour nous. Tu crois pas, Dean ?

J'ai haussé les épaules.

— Un deal est un deal, a soupiré Robbie.

Au dîner, l'ambiance n'avait plus rien à voir avec celle du midi.

M. Appleton s'est joint à nous – sa journée de sommeil lui avait fait du bien.

— Regardez un peu, monsieur Appleton, lui a dit Max en se précipitant vers lui. On a réparé le bus !

— Ça alors… Du bien beau travail.

Robbie s'est approché de lui.

— Tu as l'air d'aller mieux.

Chloe est alors venue se blottir contre Robbie. Celui-ci lui a ébouriffé les cheveux.

J'ai perçu un éclair de surprise dans le regard de M. Appleton face au geste de la petite. Cette proximité.

— Merci, Robbie, a-t-il repris. Je dois en effet aller mieux, j'ai une faim de loup !

J'avais prévu le coup, et préparé genre huit sachets de pâtes surgelées au poulet.

M. Appleton a donné une tape sur l'épaule de Niko en lui disant :

— Je pense qu'on a trouvé les bons antibiotiques. Je me sens vraiment mieux.

— Bien, a répondu Niko. Comme ça, vous pourrez repartir demain avec Robbie.

— Tout à fait. Tu pourrais peut-être me prêter un réveil, que nous puissions nous lever à une heure raisonnable. Ensuite nous partirons.

Les bavardages gentillets du dîner ont aussitôt cessé.

— Qu'est-ce qu'il y a ? a demandé Chloe. Qui c'est qui est mort ? Pourquoi plus personne parle ?

— Niko veut forcer Robbie et M. Appleton à s'en aller demain, lui a expliqué Sahalia.

— Naaan ! ont gueulé en chœur la moitié des mioches tandis que l'autre moitié faisait : Laissez-les rester !

— On a passé un accord, a tenté de se faire entendre Niko.

JOUR 10

Ulysses pleurnichait en espagnol, alors Robbie l'a pris sur ses genoux. Les yeux pleins de larmes, le gamin a posé la tête sur l'épaule de l'homme.

— Nous avons passé un accord avec ces hommes, ils ne peuvent rester qu'une seule journée, a répété Niko.

— Allons, les enfants, a ajouté M. Appleton. Il faut être raisonnables…

— Je te déteste ! a hurlé Chloe à Niko. On aurait dû élire Jake président ! Lui, ça lui ferait rien s'ils restaient.

Niko s'est tourné vers Josie et moi.

— Vous voudriez pas m'aider, là ?

Mais ça n'aurait servi à rien de parler aux petits, vu l'état dans lequel ils étaient.

— Ça rime à rien ! s'est écrié Alex. Ils devraient au moins rester le temps de finir les réparations, et jusqu'à ce que M. Appleton se soit remis.

Quelque part, j'étais content de voir mon frère en colère après Niko, son héros.

Mais la vérité, c'est qu'Alex avait raison. Deux ou trois jours de plus, qu'est-ce que ça allait changer ? Ces types n'étaient pas dangereux. On pouvait leur faire confiance. Qu'est-ce qui empêchait qu'ils restent encore un peu ?

— Nous avons passé un accord, a insisté Niko.

— Si tu les obliges à partir, je pars avec eux, a gueulé Brayden.

— Oh là, oh là, a tenté de le calmer M. Appleton.

— Moi aussi, a renchéri Sahalia. Je préfère tenter ma chance dehors que de rester ici avec des minables comme vous !

Les cris et les pleurs sont repartis de plus belle chez les mioches – moins parce qu'elle les avait traités de minables que parce que leur nouvelle « famille » se désagrégeait.

— Bon, tout le monde se calme, je vous en prie, est intervenu M. Appleton. On se calme !

Les tout-petits ont tenté d'endiguer leur détresse et leurs larmes.

— Voilà. C'est ça, a ironisé Niko. Écoutez-le lui, mais surtout pas moi.

L'homme s'est tourné vers lui.

— Niko, a-t-il déclaré. Tu as ma parole, nous allons partir. Mais pour tout dire… ma jambe est plus abîmée que je le pensais. Robbie pourrait finir de réparer votre bus. Moi, je pourrais me reposer… Si nous pouvions rester un ou deux jours de plus…

Les mioches ont gémi un torrent de « S'il te plaît ». Niko est parti comme une furie.

Josie s'est alors levée.

— Les jeunes, tout le monde s'assoit, a-t-elle ordonné. Je vais aller parler à Niko, voir si on peut s'arranger. Dean ?

— Ouais, ai-je répondu en me levant pour la suivre.

— Je vous accompagne, a dit mon frère.

— Non, Alex, l'ai-je recadré. Tu es trop vénère. Tu ne serais pas impartial.

Il a acquiescé, puis baissé les yeux. C'était sa grande fierté, d'habitude, de savoir rester impartial.

— Tu penses qu'il a peur de perdre son pouvoir ? m'a demandé Josie pendant qu'on cherchait Niko.

— Me semble, oui. J'en sais rien. Discipliné comme il est, si ça se trouve, il veut juste respecter le deal, même si tout pousse à les autoriser à rester.

Niko n'était ni dans la réserve ni dans le salon.

On est passés par le rayon serviettes.

JOUR 10

Jake était couché dans un hamac tendu entre deux gondoles.

— Hé, Jake, t'aurais pas vu Niko ? lui ai-je demandé.

— Nan.

Il avait les yeux cernés. Ses cheveux blonds avaient viré au gris sale. On aurait dit le jumeau maléfique de Jake.

— C'est quoi, ce bordel ? a-t-il voulu savoir.

— On veut tous que les deux étrangers restent, mais Niko insiste pour qu'ils s'en aillent.

— Ah.

C'était tout ?

Il n'avait pas d'opinion ?

Jake a appuyé un pied contre une gondole pour se balancer.

— Tu penses pas qu'ils devraient rester ? l'a relancé Josie.

— Qu'est-ce que ça fout ? Toute façon on va tous crever.

Il a levé les yeux vers nous.

Ses yeux bleus aussi sombres qu'un ciel d'orage la nuit.

— Niko est peut-être dans le train, ai-je proposé en entraînant Josie.

On a vite filé.

Josie est entrée dans le train.

— Je vais frapper à sa porte, a-t-elle annoncé.

Deux secondes plus tard, j'ai entendu :

— Dean, tu peux venir ?

J'ai ouvert la porte de la chambre de Niko. Josie regardait autour d'elle, clouée sur place.

Niko avait un hamac, comme moi.

Il n'y avait là rien d'autre, hormis des dessins.

Des dessins qui couvraient les trois murs.

Chaque dessin ou esquisse était soigneusement fixé au mur par des punaises. Il y en avait de toutes tailles : du Post-it au

A4. Et entre eux, on voyait apparaître l'orange des cloisons de la cabine d'essayage. Sa chambre était à la fois bien rangée et merveilleusement fofolle. Ça m'a retourné la tête.

Déjà, qui avait encore des secrets parmi nous ?

On était tous en permanence les uns avec les autres.

Mais ce mec, notre chef, il avait réussi à garder le secret sur ses dessins. Comment il s'y était pris ? Je l'avais bien vu griffonner sur son carnet de temps en temps. Mais je m'étais dit qu'il devait faire des listes, ou un truc dans le genre.

J'ai regardé ses œuvres de plus près. Sur un mur, il y avait des mains – des tas de mains. Certaines dessinées au charbon, d'autres au feutre. Il y en avait même au simple stylo à bille.

Sur les autres cloisons, les dessins étaient variés. Un portrait de Caroline et Henry en train de regarder un livre. Un de moi en train de cuisiner. Vu ma grimace, j'avais dû faire cramer le truc. J'avais l'air plus grand que dans mon souvenir. Il y avait aussi un dessin du bus, en panne, avec ses deux pneus crevés, à côté de l'entrée. Un joli portrait pastel de Josie – elle y paraissait radieuse et scintillante, sa peau foncée bien rendue par une gamme de chocolat et de moka.

— T'as vu ça ? lui ai-je fait en montrant son portrait.

Elle a acquiescé.

— C'est magnifique, ai-je dit.

J'ai aussi repéré une esquisse du nuage d'encre s'élevant dans le ciel. Un dessin de notre cérémonie du souvenir – celle que Josie avait organisée après son « réveil ». Un portrait à tomber de Luna qu'il avait dû réaliser au cours des douze dernières heures…

Josie me tournait le dos, elle regardait le mur aux mains.

Il n'y en avait pas deux paires identiques. Chacune appartenait à une personne différente. Le nom de leur « propriétaire » était indiqué dans le coin inférieur droit du papier. L'écriture bien nette de Niko, tout en capitales : Papa. Grand-père. Tim. Mme Miccio. J'ai reconnu les menottes potelées de Chloe. Les paluches de Jake.

Josie contemplait un dessin en particulier, affiché au milieu du mur. Elle avait les joues baignées de larmes.

J'ai su à qui appartenaient ces mains avant de lire le nom. Elles étaient ouvertes, dans un geste de bienvenue ou pour attirer quelqu'un. Les paumes paraissaient douces, elles étaient parcourues de lignes et rehaussées à la sanguine. Les doigts minces et longs s'effilaient à leur pointe. Une alliance et une bague de fiançailles à l'annulaire gauche, mais on n'en voyait que l'anneau, puisque les mains étaient ouvertes.

C'étaient celles de la mère de Niko.

Des fois, au moment où on s'y attend le moins, la douleur vous coupe les pattes.

C'est ce qui m'est arrivé en découvrant ces dessins.

— Qu'est-ce que vous faites là, vous deux ? nous a demandé Niko, debout dans l'embrasure de la porte.

— Ah, t'es là, a répondu Josie en se tournant vers lui. Tes dessins sont trop beaux.

— Et surtout c'est privé.

Sur ce, il nous a fait signe de sortir.

— Désolé, ai-je repris. On te cherchait.

— Sortez de ma chambre, merci !

On est passés au salon, il nous a suivis.

— Au fait, a-t-il ironisé, merci d'avoir monté les petits contre moi. J'essaie d'assurer la sécurité de tout le monde, et maintenant tout le monde me hait. J'apprécie, franchement.

Il avait les mâchoires crispées. Je voyais Niko sous son plus mauvais jour – tendu, arc-bouté sur les règles, balançant des sarcasmes pour se défendre.

— Nous, on cherche juste à comprendre ton raisonnement.

— On a passé un accord. Une. Journée. Le voilà, mon raisonnement.

— Mais Niko, Robbie nous aide vachement, et les petits l'adorent.

— Je sais. Et vous ne vous dites pas qu'il essaie juste de se mettre tout le monde dans la poche pour qu'on les autorise à rester ?

— M. Appleton a besoin de repos pour se remettre, ai-je protesté.

— Je sais ! Écoutez. Robbie, il est…

— Il est quoi ? l'a pressé Josie.

— Il ne me revient pas.

— Qu'est-ce que tu veux dire ? lui ai-je demandé. Pourquoi il te revient pas ?

— Sa façon de… J'en sais rien. Sa façon d'en faire des tonnes avec tout le monde. C'est louche.

— Rôô, Niko, ai-je fait.

— Je l'ai vu passer un bras autour de la taille de Sahalia. Ils allaient chercher de l'huile pour moteur. Il la tenait par la taille. C'était juste pas bien.

— Niko, mais elle a treize ans, s'est indignée Josie. Tu ne penses quand même pas que…

— Je ne sais pas ce que je pense ! Sauf que tout le monde me met la pression pour que je fasse un truc qui ne m'a pas l'air bien.

Il nous a regardés tour à tour.

JOUR 10

— Ça ne vous le fait pas ?

— Désolé, ai-je répondu. Bon, d'accord, M. Appleton il est barré, par contre tout le monde est fan de Robbie. Lui, il est sympa. Gentil. Il nous aide à réparer le bus. Ulysses l'adore carrément.

— On ne pourrait pas trouver un compromis, Niko ? a proposé Josie (pour la première fois, j'ai perçu de la chaleur dans sa voix, envers lui). Pourquoi ne pas les laisser rester deux jours de plus, juste ? Le temps que Robbie finisse de réparer le bus, et que M. Appleton puisse se reposer.

Niko s'est détourné d'elle.

— Vous pourriez pas me soutenir sur ce coup ? nous a-t-il demandé.

— Juste deux jours, Niko. Je crois que les petits ont vraiment besoin de passer du temps avec des adultes. En plus, ça laisserait à Brayden et Sahalia le temps de se faire à l'idée qu'ils ne pourront pas partir avec eux. Donne-moi un peu de temps, et je le ferai comprendre à tout le monde.

Niko a soupiré. Puis levé les épaules.

— OK, Josie. Si c'est ce que tu veux. D'accord.

Josie a annoncé à tout le monde que Robbie et M. Appleton pouvaient rester deux jours de plus.

Robbie et Ulysses se sont pris dans les bras.

M. Appleton a acquiescé ; je crois même qu'il a souri.

Je ne l'avais jamais vu aussi positif, au niveau de l'attitude.

Ce jour-là, c'est Robbie, et pas Josie, qui a raconté l'histoire du soir.

Les tout-petits étaient assis autour de lui, sur le sol du salon, comme autour d'un feu de camp.

Il leur a raconté des fables du Mexique, des histoires de tortues, de lapins, de grenouilles et de corbeaux.

Les gosses et lui étaient carrément aux anges.

Moi, j'étais content que Niko ait changé d'avis.

Chapitre VINGT-SIX

« ÉVACULATION »

APRÈS LE PETIT DÉJ', LE LENDEMAIN (Chloe, mon assistante, m'avait sorti : « Fais ce que tu veux, Dean. Moi, je reste avec Robbie ! »), Josie et Alex ont fait faire le tour du propriétaire à Robbie. Tous les mioches les ont accompagnés, lampe électrique à la main.

Je servais le repas de midi quand Jake est venu s'affaler sur une banquette.

Il avait l'air en plus mauvais état que la veille, si tant est que ça soit possible.

— Tu vas bien ? lui ai-je demandé.

— Dean. Mec. Y a du café ?

— Sûr. Crème et sucre, c'est ça ?

Il a fait signe que oui puis, tête baissée, il s'est mis à sangloter. Il pleurait, j'ai compris.

J'ai posé une main sur son épaule en lui servant son café.

— Ça va s'arranger, ai-je dit.

— Nan. Plus rien sera jamais comme avant.

Je suis resté planté là. J'avais l'impression que, si je m'asseyais, il arrêterait de parler.

— Je prends encore des pilules. Mais chaque fois elles font un peu moins effet. Comme si j'avais extirpé tout le positif de mon cerveau. Là, il me reste plus rien, je suis fichu.

JOUR 11

— Jake, tu devrais arrêter les pilules.

— Je sais. Je sais. J'arrête aujourd'hui.

Il est reparti pile au moment où Sahalia s'est pointée.

Elle portait des leggings, un débardeur et une espèce de blazer.

— Les mecs, vous auriez pas vu Robbie ?

— Il est avec Josie, Alex et les petits. Ils font le tour du magasin.

— Trognon. À plus.

Pas à dire, Robbie était bien le roi du campus.

M. Appleton est venu me trouver. Il allait visiblement mieux.

— Hmm, a-t-il fait en apercevant le poulet à l'orange que je versais dans un bol. On mange chinois ?

— Exact. Et riz cantonais.

— Tu sais où est Niko ? Je voudrais rassembler nos affaires.

Ça, ça m'intéressait. Jusque-là, je me disais plus ou moins qu'il avait envie de rester, vu que Robbie était cent pour cent pour.

— À TABLE ! ai-je gueulé.

M. Appleton a sursauté.

— Oh, pardon, me suis-je excusé. À TABLE ! C'est prêt !

J'ai alors entendu la horde affamée se diriger vers la cuisine.

— Vous vous sentez d'attaque pour sortir ? ai-je demandé à M. Appleton tout en dressant les tables.

— Je tiens à honorer notre accord. Mais sinon, oui, j'ai hâte d'y aller.

— Pourquoi ?

— Il faudrait que nous ayons une nouvelle réunion. Que je puisse vous parler de Denver.

Les petits ont rappliqué.

— Hmmmm ! Du chinois ! a fait Max.

— Moi, j'aime trop manger chinois ! a piaillé Caroline.

— Minute, ai-je dit à M. Appleton. Qu'est-ce qu'il y a, à Denver ?

Niko est arrivé là. Les bras croisés sur la poitrine.

Il faisait la queue derrière Batiste.

— Ah, Niko, l'a interpellé M. Appleton. Je voulais te parler de notre départ.

— Vraiment ? Bon. D'accord.

— Et ça m'a fait penser que je n'avais pas évoqué Denver.

— Qu'est-ce qu'il y a, à Denver ? ai-je répété en poussant Ulysses et Max vers une table.

— Qu'est-ce qui se passe ? a demandé Robbie en se pointant à son tour.

— Ils évacuent la population, nous a dit M. Appleton. Ceux qui parviennent à rallier l'aéroport international de Denver peuvent profiter du programme d'évacuation.

— C'est quoi, ça, l'« évaculation » ? s'est immiscée Chloe.

La plupart des gosses avaient récupéré leurs assiettes et trouvé une place.

M. Appleton s'est tourné vers eux. On aurait dit une salle de classe dans une pizzeria. Zarbe.

— Écoutez, les enfants, leur a-t-il expliqué. Lorsqu'il y a une crise dans une région, le gouvernement intervient pour évacuer les gens qui habitent cette région. L'évacuation, c'est le transport de grands groupes de personnes dans un endroit sûr.

— Qu'est-ce que vous voulez dire ? l'a coupé Batiste.

— Beaucoup d'habitants de notre région se rendent à l'aéroport de Denver. La rumeur veut que le gouvernement les transfère ensuite par hélicoptère jusqu'en Alaska.

JOUR 11

Caroline a levé le doigt.

— Comme notre maman, c'est ça ? a-t-elle voulu savoir. Notre maman, peut-être qu'elle est à Denver pour partir avec l'hélicoptère ?

— C'est possible, a acquiescé M. Appleton.

Tout à coup, ça s'est mis à parler et à crier dans tous les sens : Denver, Denver, Denver. Nous devions partir pour Denver. On pouvait utiliser le bus. Il fallait prendre la route le jour même.

Niko faisait non de la tête – il imaginait déjà le chaos que cette nouvelle allait générer.

— Holà, holà, holà ! a lancé M. Appleton en levant les mains. (Les petits se sont tus les uns après les autres – Henry, lui, avait le hoquet.) Vous n'allez pas tous pouvoir vous rendre à Denver – ça n'est pas faisable. En aucun cas. Sortir de ce magasin est trop dangereux pour vous.

— Mais nous on veut retrouver notre maman ! a fait Caroline.

Sa frimousse constellée de taches de rousseur était toute triste. Elle donnait envie de la prendre contre soi et de la serrer fort.

— Je le comprends, Caroline, a repris l'homme. C'est pourquoi Robbie et moi allons à Denver. De là, on nous transférera en Alaska, où nous pourrons localiser vos parents et leur dire où vous vous trouvez afin qu'ils puissent venir vous récupérer.

Les gosses ont retrouvé le sourire. Ils se sont mis à battre des mains et à essuyer leurs larmes.

Niko souriait également.

Je ne l'avais jamais vu si heureux, et j'ai compris pourquoi : les hommes allaient partir ; il n'avait pas eu à les y forcer, du coup il ne passait plus pour le méchant ; cerise sur le gâteau, il était question qu'on vienne nous sauver.

L'espoir. Une lueur d'espoir que M. Appleton venait de nous offrir.

Tout le monde parlait avec excitation. Niko, Alex et M. Appleton ont commencé à faire la liste de ce dont les deux hommes auraient besoin.

Une seule personne tirait la tronche : Robbie.

Pour moi, c'était clair : il aurait carrément préféré rester.

Là, il s'est éloigné.

Sahalia l'a regardé partir, puis elle s'est élancée après lui.

Je me disais qu'elle allait sans doute le supplier de l'emmener avec eux.

Mais je ne me suis pas éternisé sur la question vu que M. Appleton nous a alors dit :

— Et maintenant, les enfants, je voudrais que vous alliez tous à votre espace école et que vous écriviez une lettre à vos parents, que Robbie et moi pourrons leur remettre.

J'étais en train de jeter les restes du repas quand Alex est venu me voir. Il transportait une petite boîte avec des appareils électroniques dedans.

— Je peux te montrer un truc ? m'a-t-il demandé.

— Vas-y.

Ça me faisait plaisir, qu'il vienne pour ça. Entre lui et moi, ça redevenait normal.

Alex a alors sorti deux talkies-walkies vidéo de sa boîte. L'un était pourvu d'une antenne extralongue et de câbles spéciaux – le tout fixé avec du Scotch fort.

— C'est un talkie-walkie vidéo, dont j'ai boosté l'émetteur avec cette antenne, m'a-t-il expliqué. Je l'ai testé et,

JOUR 11

jusqu'à maintenant, il fonctionne pas mal – à l'intérieur du magasin.

— Cool, ai-je approuvé. Tu penses qu'on pourrait l'utiliser, genre comme un interphone ?

— Non. Je pensais plutôt que M. Appleton accepterait peut-être de l'emporter. Qu'on puisse voir ce qui se passe dehors.

Pour la énième fois, comme d'hab donc, le génie de mon frère venait de me bluffer.

— C'est pas croyable, Alex. Trop fort, comme idée. Ils vont adorer.

Sur ce, il est parti montrer son appareil à Niko et M. Appleton.

Moi, je me suis assis pour écrire ma lettre à nos parents.

J'ai essayé de leur dire ce qu'on avait vécu. J'ai précisé qu'Alex et moi on veillait l'un sur l'autre, et que je ferai en sorte qu'il ne lui arrive rien de mal, coûte que coûte.

Là, c'est sûr, c'était pas gagné.

Mais bon, pas fastoche de prendre soin de quelqu'un qui ne veut pas de votre aide, ou n'en a pas vraiment besoin.

M. Appleton et Robbie sont revenus à la cuisine avec Niko et Alex un peu plus tard.

Je les avais entraperçus au rayon vélos. Ils s'étaient choisi deux VTT bien costauds, des trucs de pro. Maintenant que leur succès était lié à nos rêves de retrouver nos parents, nous tenions à ce qu'ils emportent tout ce qu'ils voulaient. Ils pouvaient bien prendre le magasin tout entier, si ça leur chantait. Du moment qu'ils nous ramenaient nos parents.

— Dean, m'a demandé Niko, tu as réfléchi à la nourriture qu'on peut leur remettre ?

Tout à fait.

J'avais déjà rempli un container en plastique :

2 boîtes de Granola

1 boîte de barres protéinées

2 sacs de céréales pour randonneurs

4 boîtes de raviolis

4 boîtes de haricots blancs

1 sac de haricots secs

1 sac de riz

1 boîte de flocons d'avoine déshydratés

2 gourdes de café soluble

1 boîte de lait en poudre

En plus de quatre bidons d'eau minérale et de six bouteilles de un litre de Gatorade. À mon avis, ils ne pouvaient pas en transporter plus.

— Et vous pouvez prendre autant de boîtes pour chien que vous voulez, leur ai-je proposé.

Robbie a haussé les épaules.

— Luna se débrouille très bien toute seule, a-t-il lâché.

Visiblement, il déprimait. Il regardait par terre.

Il ne voulait pas partir. C'était clair.

M. Appleton s'est mis à inspecter le contenu du container.

Je me suis approché d'Alex.

— Ils vont emporter ton talkie-walkie ? lui ai-je demandé.

— Ouais ! Ils ont trouvé l'idée géniale. M. Appleton a dit que j'étais très ingénieux.

Il avait l'air à la fois sérieux et fier.

Je lui ai passé un bras autour des épaules et ai voulu le serrer contre moi. Il s'est dégagé et est retourné auprès de Niko.

JOUR 11

Ils étaient redevenus les meilleurs amis du monde, faut croire.

J'ai essayé de ne pas relever.

M. Appleton a soulevé le container en plastique – niveau poids, ça avait l'air de lui aller. Cela dit, il en avait ressorti les boîtes de raviolis.

— Vous n'auriez pas de la viande séchée ? m'a-t-il demandé.

— Si, bien sûr, ai-je répondu avant de filer lui en chercher.

— Je l'accompagne, a annoncé Robbie.

On est donc partis ensemble, direction le rayon concerné.

— Toi, j'ai l'impression que je peux te faire confiance, m'a-t-il dit en posant une main sur mon épaule. Je suis dans le pétrin, et je ne sais pas quoi faire pour en sortir.

— Dites-moi.

— Craig veut partir sur-le-champ. Moi, je pense qu'il n'est pas en état.

— Niko a dit que vous pouviez rester au moins encore un jour, lui ai-je rappelé.

— Oui ! Sauf que maintenant Craig veut partir tout de suite. Aujourd'hui même ; mais moi je ne suis pas sûr qu'il en soit capable.

Nous étions arrivés devant les paquets de viande séchée, Robbie les passait en revue.

— Je pense qu'il a peur de mourir. Il veut tenter de rejoindre l'aéroport de Denver avant de claquer.

Là, il s'est tourné vers moi.

— Moi, je dis, plus on restera ici, mieux ce sera. Bon, bien sûr j'ai envie d'apporter vos lettres à vos parents. Mais je ne sais pas trop quelles sont nos chances de réussite, vu son état.

J'étais de son avis.

— Je suis trop mal à l'aise, Robbie. Mais je ne vois pas quoi faire. Honnêtement, avant qu'on sache pour Denver, je crois que la plupart d'entre nous voulaient que vous restiez ici. Genre, pour toujours.

J'en avais peut-être trop dit. J'avais peut-être franchi une ligne, mais j'étais mal. L'obliger à retourner dehors après tout ce qu'il avait enduré, et alors qu'il était en sûreté dans le Greenway et que nous-mêmes on voulait qu'il reste… C'était dur.

— Mais je dois aussi reconnaître (et c'était la pure vérité) que, si vous arriviez à retrouver nos parents en Alaska, vous seriez nos héros jusqu'à la fin des temps.

Robbie a soupiré.

— C'est vrai, a-t-il dit. J'aimerais vous aider.

Quand on est revenus à la cuisine, Niko aidait M. Appleton à remplir deux grands sacs à dos et deux sacoches de vélo. Par terre, j'ai avisé deux petits réchauds de camping – une bonbonne de gaz avec une armature en métal par-dessus. Il y avait aussi deux sacs de couchage – modèles super fins mais super chauds. Et aussi des boîtes d'allumettes et des sacs plastique refermables. Des ponchos, des balises et du matos de camping récupéré au rayon sport. Le talkie-walkie d'Alex était posé à côté de leurs habits. Et le plus important : un sac refermable contenant la liste de nos noms, et nos lettres.

Niko et M. Appleton empaquetaient le tout méthodiquement. Je me suis senti obligé d'intervenir, au nom de Robbie :

— Monsieur Appleton, je me demandais… Enfin, vous savez, nous ça ne nous dérangerait pas que vous restiez encore un peu. On veut tous que vous alliez à Denver avec nos messages, mais vous pourriez aussi attendre de vous être un peu plus remis ?

— J'en ai déjà discuté avec Niko, m'a-t-il répondu d'une voix sèche.

— Nous ignorons quand l'évacuation a commencé, a enchaîné notre chef. Donc, s'ils tardent trop, ils risquent de la louper.

— En plus, nous avons trouvé les antibiotiques qu'il me faut, et je commence déjà à me sentir mieux.

OK. Arguments sensés. Mais alors pourquoi l'homme évitait-il mon regard ?

— Nous allons dîner avec vous, ensuite nous partirons, a-t-il décidé.

Robbie le dévisageait avec de l'irritation, voire de la colère sur le visage. Quand il a vu que je le regardais, il m'a à moitié souri.

CHAPITRE VINGT-SEPT

LES ADIEUX

POUR CE DERNIER DÎNER, Batiste et moi on s'est vraiment donnés à fond.

Quand les hommes seraient partis, je comptais demander à Niko si le petit ne pourrait pas devenir mon assistant permanent. Batiste avait du talent, et je me disais que tout le monde en avait marre des menus ridicules que mes autres assistants proposaient (une fois, Ulysses avait composé un déjeuner cent pour cent cerises : tartelettes, tarte, crème glacée, etc.).

Batiste et moi avons donc fait rôtir le dernier poulet surgelé. Il a ensuite préparé un soufflé au maïs à l'aide d'un substitut d'œufs, de maïs surgelé et d'autres ingrédients. Pour le dessert, on avait prévu trois gâteaux : un jaune avec nappage choco, un au chocolat avec nappage guimauve, et un rose avec nappage vanille et vermicelles – pour la touche de nouveauté.

Le repas était vraiment réussi. Tout le monde l'a reconnu, mis à part Jake, qui a juste pris une assiette et est parti manger à l'écart, et Astrid, toujours en mode solo.

M. Appleton et Niko faisaient cause commune, c'était clair. Assis côte à côte, ils discutaient du voyage à venir. Alex avait pris place près d'eux, il écoutait leur conversation ; ravi, j'imagine, qu'on l'y autorise.

Le repas terminé, M. Appleton a prononcé un discours.

Il s'est levé, s'est tamponné le front avec une serviette.

— Je tiens à vous remercier tous de nous avoir accueillis et de nous avoir si bien traités. Vous êtes parmi les jeunes gens les plus intelligents et les plus déterminés que j'aie eu le plaisir de rencontrer. Je suis fier de vous avoir dans mes écoles.

Nouveau passage de la serviette sur son front. Pourquoi transpirait-il autant ? Il ne faisait pas chaud, dans la cuisine. Plutôt frisquet, je dirais, comme dans le reste du magasin.

— Robbie et moi-même considérons comme notre mission de retrouver vos parents et de leur indiquer où vous vous trouvez.

Les petits ont sauté au plafond.

— Vous pourriez demander à ma maman de dire à Moustaches qu'il me manque, lui a lancé la petite Caroline.

— Mais bien sûr, a accepté l'homme.

Puis il a fermé les yeux. S'est appuyé d'une main sur la table.

Niko s'est levé. À son signal, Alex nous a distribué des flûtes en plastique remplies de jus de pomme pétillant.

— Quant à nous, a déclaré Niko, nous sommes très heureux de vous avoir reçus, monsieur Appleton et Robbie. Ça a été un honneur de vous préparer pour le voyage qui vous attend, et nous vous remercions d'emporter ces lettres pour nos parents. À la santé de M. Appleton et de Robbie !

Sur ce, toast au faux champagne.

— Bien, a ensuite repris M. Appleton. Je crois qu'il est temps que nous y allions.

Grognements des petits.

— Moi, je comprends pas, a boudé Chloe. Attendez au moins le matin. Personne il voyage la nuit.

— Cela n'a pas vraiment d'importance, a expliqué M. Appleton. Dehors, il fait nuit en permanence.

— En plus, il y a moins de monde dehors la nuit, a ajouté Robbie. Donc on court moins de risques de tomber sur des individus dangereux.

Chloe a eu un frisson.

Ulysses était assis sur les genoux de Robbie, qui lui a fait un bisou sur la tête. Le petit s'est blotti contre lui et a passé les bras autour de son cou.

Ulysses allait déguster, une fois qu'ils seraient partis.

— Viens, Robbie, a décidé M. Appleton. C'est l'heure.

Il s'est levé.

— Merci encore, a dit Niko.

— C'était notre devoir, mais ce fut un plaisir, a répondu M. Appleton.

Il avait le teint pas net.

Il regardait Niko d'un œil bizarre, cherchant à lui serrer la main sans réussir à la trouver.

Il a alors voulu s'appuyer contre la table, mais il l'a ratée.

Et là, lentement, M. Appleton s'est écroulé par terre.

Niko, Robbie, Brayden et moi, on l'a ramené à leurs quartiers.

— Je savais qu'il n'aurait pas la force, a affirmé Robbie. Il se sentait un devoir par rapport à vous. D'apporter les lettres à vos parents.

Ils ont allongé M. Appleton. Sa tête est partie en arrière. Il avait perdu connaissance.

— Vous pensez qu'il va bien ? ai-je demandé.

JOUR 11

— Allez me chercher des sels, a ordonné Niko.

Brayden s'est porté volontaire. Il a foncé à la pharmacie.

— Nous devons le conduire à l'hôpital, a déclaré Niko. (Puis, se tournant vers Robbie :) Vous pensez arriver à l'y amener, si on vous fabrique une espèce de luge ? Ça n'est pas si loin…

— Non, non, non, a protesté l'homme. L'hôpital est fermé. Ça a été un des premiers établissements à tomber. Des centaines de personnes cherchaient à y entrer. Il y a eu des émeutes.

Niko réfléchissait. J'ai vu le regard qu'il posait sur Robbie. Il ne lui faisait pas confiance.

— Crois-moi, je le jure devant Dieu, ce supermarché est le meilleur endroit pour Craig. Le seul où il ait une chance de survivre.

— Super, a conclu Niko.

Il serrait les poings.

Brayden est ensuite revenu avec les sels. Une petite bouteille de la pharmacie. Je ne l'avais encore jamais vue.

Niko l'a ouverte d'une main experte et l'a approchée à quelques centimètres du nez de M. Appleton. Il en diffusait les effluves vers lui.

M. Appleton a eu un mouvement de recul. Il était super groggy.

— Mon arme, a-t-il fait en tentant d'agripper la chemise de Niko.

Puis il a poussé un long grognement, comme un bœuf, avant de se rallonger et de se rendormir.

— Il a dû s'épuiser, a estimé Niko en regagnant la cuisine.

— Il est malade, ai-je dit.

— Mec, sa jambe est en train de pourrir, nous a sorti Brayden, le roi de la formule.

— Sais pas, ai-je repris. Moi, je le trouvais limite défoncé. Il a peut-être abusé des calmants.

— Possible, a confirmé Niko. Je lui en ai donné pas mal.

Là, il a soufflé avant de murmurer, d'un air sombre :

— Du coup, on les a sur les bras.

— T'inquiète, Niko, ai-je voulu le rassurer. Robbie est pas si mauvais.

On a organisé des tours de garde pour veiller sur M. Appleton. Niko a pris celle du coucher jusqu'à minuit. Robbie a absolument voulu la suivante. Et je me suis porté volontaire pour la tranche 3 heures-6 heures.

Quand Niko a annoncé aux tout-petits que les adultes allaient rester avec nous quelques jours de plus, ça leur a bien plu.

Ulysses nous a sorti une démo de break dance – parfait pour égayer l'atmosphère.

Niko lui-même n'a pu s'empêcher de sourire en voyant le gamin se trémousser comme un robot. Il connaissait des pas, le petit Latino potelé.

Chapitre VINGT-HUIT

LES ADIEUX : DEUXIÈME PARTIE

TOUT ÉTAIT TRANQUILLE, le magasin était plongé dans l'obscurité, quand nous avons été réveillés par les aboiements de Luna et les hurlements d'Astrid :

JAKENIKODEANBRAYDENVENEZTOUTDESUITE !

On est sortis de nos couchettes, se bousculant les uns les autres, à moitié endormis, puis réveillés sec au moment où on a posé le pied sur le lino.

On fonçait dans la direction d'où provenaient sa voix et la faible lueur d'une lampe de poche.

En m'engageant dans un rayon, j'ai aperçu un matelas gonflable sur lequel était entortillé un drap. Robbie était allongé dessus en sous-vêtements. Astrid était là.

Elle toisait Robbie, un pistolet à la main, braqué sur sa poitrine.

Luna était au garde-à-vous, elle aboyait comme une folle.

C'est là que j'ai repéré Sahalia.

Elle pleurait, quasiment à poil. En string, pour tout dire. Assise par terre, elle serrait sa chemise de nuit contre sa poitrine.

Sahalia et Robbie avaient…

JOUR 11

Sahalia et Robbie avaient…

Sahalia et Robbie avaient… quoi, en fait ?

— C'est quoi ce bordel ? a demandé Jake.

— Prends le pistolet, lui a rétorqué Astrid.

Jake a obéi, braquant le canon sur le bassin de Robbie.

— C'est trop, là. C'est carrément trop, répétait-il.

J'ai remarqué que ses mains tremblaient.

— Que s'est-il passé ? a demandé Niko.

— Rien du tout ! a protesté Robbie.

Sahalia sanglotait, cramponnée à Astrid comme à un radeau de survie. La grande lui chuchotait des paroles rassurantes tout en essayant à la fois de la rhabiller et de la faire se relever.

— Tout va bien, lui disait-elle. Tu vas bien. Pas de souci. Maintenant lève-toi.

Sahalia serrait toujours sa chemise de nuit contre sa poitrine, et Astrid l'a conduite vers le Train.

— Les gars, a commencé Robbie. C'est pas ce que vous croyez. Moi, j'étais là, je dormais, et à un moment je me suis réveillé, elle était à quatre pattes sur moi. Elle disait qu'elle voulait que je l'emmène, qu'elle serait ma copine. Moi, j'ai dit non !

Là-dessus, il a levé les mains en l'air.

— Vous mentez ! lui a lancé Niko.

— Je vous dis la vérité. Je sais que les apparences sont contre moi, mais je vous jure, j'ai dit non. Sérieux. *Te lo juro !*

Luna aboyait et grondait encore.

— Viens là, Luna, l'a appelée Robbie.

Il lui a alors gratté les oreilles et l'a caressée pour la calmer. Pour nous calmer nous aussi.

— Il y a méprise, a-t-il dit à la chienne. Ces gamins ne feraient jamais de mal à personne. Une grosse méprise.

Je me suis tourné vers les mecs. Ils gobaient le truc ? Ils gobaient ça ?

— Elle est toquée, cette fille, a repris Robbie. Elle répétait tout le temps que vous la preniez pas pour une adulte, alors qu'elle en est une, et qu'elle voulait vous le prouver, mais honnêtement, moi, j'essayais de la convaincre de remettre sa chemise de nuit quand l'autre folle s'est ramenée avec une arme.

— OK ! a crié Niko. Ça suffit ! Vous vous taisez. Vous me laissez réfléchir.

Robbie murmurait des paroles apaisantes à Luna.

— Vous autres, vous le maintenez en joue, nous a ordonné Niko. En permanence, quoi qu'il dise. Je vais parler à Sahalia. Je veux savoir ce qui s'est passé ici, ensuite on verra ce qu'on fait.

Il est parti en courant.

— 'Tain, a fait Jake (la main avec laquelle il tenait le pistolet tremblait violemment). Je crois que je vais vomir.

Il s'est plié en deux.

— Passe-moi le flingue, lui a dit Brayden en s'approchant de lui.

Mais, au même instant, Robbie se jetait sur l'arme.

J'ai été trop lent. Un temps de retard.

Robbie a arraché le flingue des mains de Jake à la seconde où Brayden allait le récupérer.

— Non ! a gueulé ce dernier.

Il a tenté d'agripper l'arme et, dans le mouvement, un coup est parti. Un *BANG* assourdissant.

Brayden en est tombé par terre, à moitié déboussolé.

— Brayden ! me suis-je écrié.

Jake s'est précipité vers Robbie, cherchant à lui arracher le pistolet.

JOUR 11

Niko a déboulé à ce moment-là, il s'est jeté sur Robbie et l'a empoigné par le cou. Robbie, Jake et lui se sont retrouvés au sol.

L'homme donnait des coups de poing à Jake et des coups de coude à Niko – en pleine tête. Il a réussi à reprendre le pistolet à Jake.

J'ai foncé auprès de Brayden. Il me regardait d'un air choqué.

Quand je me suis retourné vers Robbie, il braquait son arme sur la tête de Niko.

— Recule ! gueulait-il. Ou je tire ! Je le bute ! Je blague pas !

Jake a reculé, les mains en l'air.

Robbie a craché trois jurons en espagnol, et s'est relevé. Il a essuyé le sang qu'il avait au coin des lèvres.

— *Maldita sea !* Je vous ai dit que c'était pas moi ! Elle voulait être ma copine. Pourquoi vous me croyez pas ? (S'adressant à Niko :) Toi, là, tu peux pas me sacquer depuis le début !

Il lui a décoché un coup en pleine figure avec le canon du pistolet. Niko s'est effondré.

— C'est pas toi qui décides qui part ou qui reste, lui criait-il. Ni qui meurt et qui vit !

Il a brandi son arme.

Et *BAM* !

Un coup de feu m'a tué les oreilles.

Robbie a été projeté en arrière, entraîné par sa tête.

Il a percuté une étagère derrière lui avant de s'écrouler.

Mort.

Là, Josie est apparue au bout du rayon, dans la pénombre, l'autre pistolet à la main.

Par terre, juste derrière elle, il y avait le sac plastique dans lequel Niko avait rangé les armes.

Le second flingue avait-il été là dès le départ ?

Josie l'a lâché, d'un mouvement convulsif.

Puis elle est tombée à genoux, s'est caché la figure dans les mains, et s'est mise à hurler.

CHAPITRE VINGT-NEUF

DU SANG, DE L'EAU OXYGÉNÉE ET DES MENSONGES

LES MIOCHES SONT VENUS VOIR CE QUI SE PASSAIT EN BEUGLANT. J'ai intercepté Max et Ulysses et les ai redirigés vers le Train.

— Retournez tous au Train ! ai-je lancé. C'est la crise ! Oust, oust, oust !

Pas question de les laisser voir ce qui s'était passé.

Je les ai raccompagnés au Train sans m'arrêter de crier une seconde.

Je les ai fait rentrer, puis j'ai calé un canapé futon devant la porte.

— Vous sortez pas tant que c'est pas sécurisé ! On viendra vous chercher !

Ça pleurait et ça sanglotait, là-dedans, ça cognait même contre la porte.

Astrid et Sahalia étaient blotties l'une contre l'autre sur le canap' qui restait dans le Salon.

Astrid lui chantait un truc.

JOUR 11

Robbie était mort. Brayden avait pris une balle, et maintenant Astrid chantait pour Sahalia. Je devais m'accrocher aux faits, autrement je perdais la boule. Et les faits, c'était ça.

J'ai foncé retrouver mes potes.

— Ça, c'est pas bon, ça c'est pas bon, répétait en boucle Jake.

Il avait dû vivre l'épisode comme un gros *bad trip*.

Assise par terre, Josie pleurait toujours, le flingue posé à côté d'elle sur le lino.

Niko avait fait s'allonger Brayden et appuyait des deux mains sur son épaule. Il avait du sang sur les bras et la chemise. Brayden, lui, en était trempé.

— J'essaie d'arrêter l'hémorragie, mais je ne sais pas quoi faire, m'a expliqué Niko, en panique.

J'ai aussitôt couru à la pharmacie.

Alex était là, à tenter de récupérer autant de bandages qu'il pouvait transporter.

Il faisait noir. Difficile de trouver quoi que ce soit dans ces conditions.

— Apporte déjà tout ça à Niko et ensuite va rallumer les lumières, OK ? lui ai-je lancé.

— Mais le courant !

— Il nous faut de la lumière ! Pour voir ce qu'on fait.

— OK, a-t-il acquiescé.

J'avais besoin d'un truc pour stopper l'hémorragie. Je savais qu'il existait du matos exprès, vu qu'une fois un voisin était tombé d'une échelle et s'était salement ouvert le derrière de la tête.

Les urgentistes lui avaient mis de la poudre dessus. Une poudre pour arrêter le saignement.

J'ai sauté par-dessus le comptoir de la pharmacie. Le bazar que c'était…

Qu'est-ce qu'il avait bien pu fabriquer là, Jake ? me demandais-je.

L'éclairage est revenu.

J'ai cligné des yeux.

Puis je me suis mis à inspecter les rayonnages.

J'ai pris les calmants que Jake m'avait refilés. Brayden allait en avoir besoin.

Mais impossible de trouver le machin pour les saignements. Je ne connaissais ni son nom ni rien.

J'ai récupéré des antibiotiques comme Niko avait donnés à M. Appleton, et j'ai couru les rejoindre.

La scène du crime paraissait encore plus horrible avec la lumière.

— Faut pas laisser le cadavre là ! a crié Jake, au bord des larmes.

— C'est prévu, t'inquiète, lui a rétorqué Niko. Maintenant, t'en parles plus.

Robbie avait été projeté en arrière par l'impact, il était affalé contre une gondole.

Du sang et des bouts de tissu humain (cerveau) avaient éclaboussé les housses de volant derrière lui.

Sous ses jambes se déversait lentement un mélange d'huile et de sang.

Niko avait confectionné une compresse carrée à l'aide des bandages que mon frère lui avait apportés, et il appuyait de toutes ses forces sur l'épaule de Brayden.

— J'ai pas pu trouver le machin pour les saignements, ai-je annoncé, tout essoufflé.

JOUR 11

— Ça ralentit, m'a dit Niko. Je crois que l'hémorragie se calme. Mais il a perdu pas mal de sang.

J'ai alors voulu tâter le pouls de Brayden sur son bras valide.

— Il est froid, ai-je confié à Niko.

— Je sais.

— Où est Josie ?

— Astrid est passée la prendre.

— Faut faire quelque chose pour ce cadavre, les gars ! pleurnichait Jake. Ça me fout les jetons.

Niko s'est tourné vers moi.

— Tu peux nous en débarrasser ? m'a-t-il demandé.

— T'as pas besoin de moi ?

— Alex va plus tarder.

J'ai jeté un coup d'œil à Jake.

— OK, je nous débarrasse du corps, ai-je acquiescé. Mais va falloir m'aider.

Jake pleurait, à présent. Les larmes inondaient sa figure.

— C'est ma faute, c'est ma faute, gémissait-il.

— 'rête ça, Jake. J'ai besoin que tu m'aides.

— Peux pas.

— Mais si. Juste… t'as qu'à pas le regarder.

J'ai empoigné la main de Robbie.

Elle était froide et lourde. Comme de l'argile. Un corps en argile.

J'ai donc pris cette main, Jake l'autre.

— Putain… a grogné Jake.

On a laissé tomber Robbie sur le matelas gonflable. Ça a fait un sale bruit mouillé.

J'ai ramassé l'édredon, qui avait été rejeté par terre, et j'ai recouvert le corps avec.

— Aide-moi, Jake. Tire.

Et on a traîné le matelas comme ça jusqu'à la réserve, laissant derrière nous une trace pas nette – deux lignes de sang parallèles –, comme si le matelas était un pinceau.

Jake avait du sang sur tout le torse et sur les bras. On aurait pu croire qu'on venait d'éventrer une vache.

— Je flippe, m'a-t-il avoué.

— Je sais, Jake.

— Je veux pas que Brayden crève, a-t-il ajouté en se remettant à sangloter. 'Tain ! Faut que je me reprenne, là !

Il a essuyé ses larmes à son avant-bras – couvert de sang.

Jake et Alex avaient pour mission de nettoyer, pendant que moi j'aidais Niko à faire un bandage à Brayden.

On a d'abord déchiré son tee-shirt. Ensuite, Niko lui a passé un produit orange, puis il m'a demandé de maintenir le bandage en place le temps qu'il fasse comme une attelle avec de la gaze.

C'était bien dégueu comme boulot. La balle lui avait emporté un bout d'épaule. Sa chair, c'était de la viande crue, horrible à voir et cradingue. Je distinguais l'os, dessous.

J'essayais de ne pas tomber dans les pommes.

— Appuie ! m'a rappelé Niko.

J'ai fermé les yeux et appuyé comme un dingue.

Niko ne voulait pas qu'on le déplace trop, alors je suis allé lui chercher un nouveau matelas gonflable.

Ensuite, Niko, Jake, Alex et moi, on a soulevé Brayden le plus délicatement qu'on a pu, et on l'a couché sur ce matelas.

Après, Niko a envoyé mon frère chercher des couvertures de survie et du Gatorade.

Il s'est remis à soigner Brayden pendant que j'aidais Alex et Jake à finir de nettoyer le bordel.

JOUR 11

En tout, on a rempli huit sacs-poubelle de serviettes en papier gorgées de sang, de lingettes sales, de flacons d'eau oxygénée vides, etc.

Après ce qui m'a paru être des heures et des heures du boulot le plus dur et le plus horrible, et que je ne souhaite à personne d'avoir à faire, Niko a annoncé :

— Je pense qu'il est suffisamment stable.

— Suffisamment pour quoi ? l'ai-je relancé.

Pour qu'on le lave et qu'on lui change ses habits ? Nous, on était de vraies épaves.

— Suffisamment pour qu'on puisse aller parler à Sahalia.

La fille était toujours allongée à côté d'Astrid sur un des canapés futons. Les deux comme ça, en position de cuillère, un double *S*.

Elles ne dormaient pas. Elles regardaient droit devant elles, les yeux grands ouverts.

Josie était pelotonnée sur la chaise papillon, le regard aussi perdu devant elle. Quelqu'un (sans doute Astrid) avait posé sur elle une couverture.

Aucun bruit ne provenait du Train, mais le futon que j'avais calé devant la porte avait été déplacé – du coup je me suis dit que tout se passait bien là-dedans.

Niko s'est adressé à Sahalia d'une voix gentille. Il s'est agenouillé près d'elle, à côté du canap'.

— Sahalia, on a besoin de savoir ce qui s'est passé.

La fille a juste fermé les yeux.

— Allez, Sasha, a essayé Jake. Faut qu'on sache.

— Personne te reproche ce qui est arrivé, ai-je ajouté.

— Robbie nous a menti, et on a besoin de connaître la vérité, a repris Niko.

— Il disait qu'il m'emmènerait avec lui, a répondu doucement Sahalia. Qu'on était pareils lui et moi, et qu'on pouvait s'en sortir ensemble. Je me disais qu'on serait, genre, comme une équipe. Mais là… il…

Ses larmes ont coulé. Elle n'a même pas cherché à les essuyer.

— Il a dit que je devais devenir, genre, sa copine. Et moi, je crois que je m'en suis cru capable, vous voyez, de faire tout ce qu'il voulait de moi. Mais après, j'ai plus voulu et…

— Je le surveillais, a enchaîné Astrid. Il ne m'inspirait pas confiance. Elle a dit non. Mais lui il a continué…

Josie m'a attrapé par la manche pour s'infiltrer au centre de notre groupe.

— Donc j'ai bien fait. Hein ? C'était un sale type. C'était un sale type ?

Elle avait le souffle court et les larmes aux yeux.

« Oui. » « Bien sûr. » « Carrément. » C'est ce qu'on lui a répondu, mais elle, elle ne nous entendait pour ainsi dire pas.

Niko l'a prise par les épaules et l'a regardée droit dans les yeux.

— Josie, Robbie était un sale type. Tu m'as sauvé la vie en lui tirant dessus. Tu as fait ce qu'il fallait.

Là, elle s'est à moitié évanouie. Niko l'a récupérée et l'a allongée sur le futon, à côté d'Astrid et de Sahalia.

Astrid lui a passé un bras autour du corps, et elle s'est retrouvée comme ça à rassurer Sahalia d'un côté, et Josie de l'autre.

— J'ai entendu le coup de feu, je suis venue en courant, a repris Josie.

J'ai compris qu'elle avait besoin de nous raconter son histoire.

JOUR 11

— Là, au milieu du rayon, j'ai repéré le sac par terre avec le second pistolet à l'intérieur. Je l'ai pris. Je comptais pas m'en servir. Je me disais juste… qu'une arme avait rien à faire par terre comme ça.

Elle s'est essuyé les yeux.

— Je voulais même pas le ramasser. Mais bon. Là, j'ai vu que Robbie faisait du mal à Niko. J'ai même pas réfléchi. (Sa voix était devenue un murmure.) J'ai tiré. Ça semblait naturel. Comme si je faisais ça tous les jours.

— Tu as fait ce qu'il fallait, lui ai-je assuré.

— Parce qu'il allait faire du mal à Niko, pas vrai ? Il allait le tuer ?

— Il m'avait déjà frappé avec son arme, a précisé Niko. Et je pense qu'il allait m'abattre.

— Oui, a-t-elle confirmé. J'ai fait ce qu'il fallait. C'est bien.

Josie a alors relevé la tête et nous a tous regardés l'un après l'autre. Niko, Jake, Alex, moi. Mon tee-shirt et mes bras.

— C'est du *sang* que vous avez sur vous ? Va falloir vous nettoyer, les gars, a-t-elle décidé en se relevant tant bien que mal. Qu'est-ce qu'ils vont dire, sinon, les gosses ?

Chapitre trente

UN BAISER

VANNÉS COMME ON ÉTAIT TOUS, il n'y a pourtant que Sahalia, Jake et Alex qui ont réussi à dormir.

Sahalia pelotonnée sur le canapé futon.

Alex sur la chaise papillon.

Jake s'était allongé par terre devant le futon. « Je me repose juste les yeux deux minutes. » Et vingt secondes plus tard il ronflait.

— Je suis prête à bosser, a annoncé Josie. Je prends le premier tour de garde pour Brayden et M. Appleton pendant que vous allez dormir.

Astrid s'est levée. Elle s'est dirigée vers la porte du Train et a regardé à l'intérieur en se grattant la tête.

— Tu veux que je te montre où est ta chambre ? lui ai-je proposé.

— Tu dois être HS, a-t-elle répondu en se tournant vers moi.

— Pourquoi ?

— Je crois que j'ai des poux.

— Mouais. C'est probable.

Je lui ai expliqué qu'on en avait tous eu, et que Josie nous avait lavé les cheveux.

— Je peux te laver les tiens, si tu veux.

— T'es pas trop crevé ? a hésité Astrid.

Dix secondes plus tôt, j'en pouvais carrément plus, mais rien que de lui parler… Et puis l'idée de… enfin, de lui laver les cheveux, ça m'avait réveillé sec.

— Nan, ai-je répondu. J'ai toujours dix minutes à offrir quand c'est pour épouiller une amie.

Elle a souri.

On est allés à la décharge. Astrid s'est éclipsée au niveau du rayon fournitures de bureau.

— Tu fais quoi ? ai-je voulu savoir.

Elle est revenue avec une paire de ciseaux.

— J'ai quatre frères, m'a-t-elle expliqué. Des poux, j'en ai eu trois fois. Et quand on a les cheveux longs comme moi, tu peux pas t'en débarrasser. Va falloir jouer au coiffeur.

— Tu te doutes que je vais te massacrer, non ?

— Je serais choquée si tu assurais.

Et là, re-sourire.

Le sourire que je voyais en rêve depuis mon entrée en seconde.

L'équipement pour la séance shampooing collectif était toujours en place à la décharge – avec serviettes de rechange et tout le tremblement.

— Allez, coupe, m'a ordonné Astrid en s'asseyant sur un tabouret.

— Au secours, Seigneur…

J'ai pris une serviette et la lui ai placée sur les épaules.

Et je me suis mis à couper. La chevelure blonde qui m'hypnotisait depuis des mois était à présent crade et grisâtre. Limite dreadlocks. Il y avait un gros nœud, que j'ai fini par devoir couper entièrement.

Astrid a eu un frisson.

— Ça te fait bizarre ? lui ai-je demandé.

— Je me sens légère. Comme si on m'enlevait un casque.

J'ai continué à couper jusqu'à quasiment tout éliminer. C'était trop moche. Par endroits, on voyait la peau du crâne ; à d'autres, ça faisait des touffes. Aplati par-ci, plus long par-là.

— Je ferais mieux de les laver, ai-je dit, pour que ça fasse plus… régulier… enfin… un peu mieux… ou peut-être…

Elle a rigolé.

La façon la plus élégante de laver les cheveux à quelqu'un, Josie avait fini par la découvrir à la fin de l'épisode épouillage : il fallait installer deux tabourets côte à côte. Le « pouilleux » s'assoit dos à la bassine, l'« épouilleur » juste à côté mais légèrement décalé. Ensuite, le pouilleux se penche en arrière, s'appuyant du dos sur vos genoux. Là, vous glissez la bassine sous sa tête, et vous avez bouteille d'eau et flacon de shampooing à portée de main.

J'ai expliqué la chose à Astrid, elle s'est mise en position.

Voilà. Cette beauté couchée sur mes genoux. Elle fermait les yeux, alors, l'espace d'un instant, je l'ai contemplée. Visage crade. Lèvres fermées – roses mais gercées. Yeux cerclés de rouge. Pommettes saillantes. Cils et sourcils couleur miel doré. Des points marron, comme des taches de rousseur, sur le menton, qui pouvaient être du sang.

Astrid Heyman. J'ai essayé de graver sa beauté dans ma mémoire.

— OK, a-t-elle déclaré ensuite. Je suis prête.

— Bon, désolé, ça va être froid.

Je lui ai versé l'eau sur la tête.

— Ça gèle !

JOUR 11

J'ai fait couler du shampooing aux relents de poix dans mes mains et me suis mis à la masser. Je dessinais des petits ronds sur son crâne poisseux.

— Hmmmm, a-t-elle fait.

J'ai résisté de toutes mes forces pour ne pas l'attirer à moi et l'embrasser.

Un filet d'eau avait coulé de son front dans un de ses yeux. J'ai pris un coin de serviette et l'ai tamponné délicatement.

J'en ai profité pour passer mon pouce sur son arcade sourcilière. Une merveille divine, cette perfection sous mon doigt.

Brayden avait pris une balle, M. Appleton était en train de mourir, et moi, tout ce à quoi j'arrivais à penser, c'était à cette arcade parfaite.

J'ai rincé le shampooing.

Astrid a frissonné, j'ai vu la chair de poule lui courir jusqu'aux poignets.

Après, j'ai passé mes mains sous ses épaules pour l'aider à se rasseoir.

Elle s'est séché les cheveux à la serviette, puis s'est tâté la tête.

— Oh, mon Dieu, je suis chauve !

Elle s'est tournée vers moi, ses yeux bleus étincelaient.

Les touffes partaient dans tous les sens.

— Tu ressembles à un petit poussin ! lui ai-je dit.

Elle a voulu que je joue encore des ciseaux. J'ai donc raccourci tout ce qui dépassait trop.

Au bout du compte, elle ressemblait moins à un petit poussin qu'à un orphelin dans un bouquin de Dickens.

— Il fait froid, a-t-elle dit en frissonnant encore.

C'est là que je me suis rappelé que j'avais un bonnet sur moi ! Certains matins, ça caillait dans la cuisine, du coup j'avais pris l'habitude de garder un bonnet dans ma poche arrière.

Un modèle de ski, orange, avec une bande bleue près du bord.

Astrid m'a remercié et l'a enfilé.

— Il y a une bonne dizaine d'autres modèles au rayon hommes, si tu veux changer, ai-je précisé.

Je ne voulais pas qu'elle se sente obligée de le porter. Et si elle décidait de changer, ça m'aurait fait plaisir de savoir que je lui avais soufflé l'idée.

— Je l'aime bien, moi, le tien.

Là, j'ai pas su quoi répondre.

— Je vais voir comment vont les autres, ai-je annoncé.

— Moi, je vais me changer. Je pue, pas vrai ?

— Carrément. Sans parler de ta coupe toute pourrie.

Elle m'a souri. Comme un rayon doré au beau milieu des ténèbres de notre monde perdu.

On avait transporté Brayden près de M. Appleton, pour nous faciliter la tâche.

Josie et Niko regardaient Brayden.

— T'arrives pas à dormir ? m'a demandé Josie.

— Pas des masses. Lui, ça va ?

Brayden avait le teint livide et l'air affaibli.

— Si la blessure ne s'infecte pas, je crois qu'il va s'en tirer, a estimé Niko.

— Et sinon ? l'a relancé Josie.

Là, je me disais que Niko allait envisager les antibiotiques.

— Je pourrais peut-être l'emmener avec le bus, a-t-il proposé.

— L'emmener où ça ? a voulu savoir Josie.

JOUR 11

— À l'hôpital.

— Tu sais bien ce qu'a dit Robbie. Il est fermé. Il y a personne là-bas.

— Mais réfléchis un peu, Josie. Robbie voulait rester avec nous. C'était sûrement un mensonge. L'hôpital est peut-être ouvert.

— On peut pas prendre le risque, suis-je intervenu.

— Je sais, m'a rétorqué Niko.

— Brayden va se remettre, a déclaré Josie en lui appliquant un chiffon humide sur le front. Va falloir te remettre, Brayden. Pour nous tous.

La respiration de Brayden était superficielle mais régulière. Il allait peut-être s'en tirer…

— Bon, allez vous coucher, vous deux, nous a ensuite dit la fille. Et c'est un ordre.

J'ai suivi Niko, qui regagnait le Train – sauf qu'il n'est pas retourné au Train. Il est allé au bus.

— Hé, tu fais quoi ? lui ai-je demandé.

Il récupérait des affaires – pistolets à calfater, mastic, torchons.

Il a posé tout ça par terre puis a filé au rayon articles ménagers.

— Tu fais quoi ? ai-je répété.

Il est revenu du rayon rangement avec une pile de poubelles en plastique.

— Tu me rapportes les couvercles ? m'a-t-il demandé.

— Pas de problème. Par contre, tu crois pas qu'on devrait dormir un peu ? Au moins quelques heures ?

— Toi oui. Moi, je vais équiper le bus.

— Tu ne comptes pas vraiment l'emmener à l'hosto…

— « Toujours prêt », c'est ma devise, je te rappelle.

Là, il a ri. Un rire sec.

— Humour de scout, a-t-il précisé.

Pas terrible, mais j'avais capté.

On allait équiper le bus.

Je nous ai trouvé des chariots, c'était indispensable.

On les a remplis de bidons d'eau. Une tonne. C'est le premier article qu'on a pris.

Ensuite on a rentré les poubelles en plastique – bourrées de nourriture – dans le bus.

Céréales pour randonneur, viande séchée, barres protéinées, noisettes, cookies… Tout ce qu'on prévoit d'emporter, genre, en rando. Mais ensuite, quand Niko a pris de la soupe en boîte, du porridge, des boîtes de thon et de poulet, j'ai compris qu'il préparait une opération Survie autrement plus longue. Vu ce qu'il embarquait.

— Au cas où on arriverait à l'aéroport de Denver, et où il faudrait attendre, m'a-t-il expliqué.

C'est là que j'ai commencé à piger l'objectif de la manœuvre.

On n'allait pas conduire Brayden à l'hosto.

On partait pour Denver.

— Et les pneus ? Il y en a pas un qui est en vrac ? lui ai-je rappelé.

Niko a haussé les épaules.

— Robbie l'a réparé du mieux qu'il a pu. En plus, cette roue est couplée à une en bon état…

Après quelques minutes de travail en silence, j'ai dit :

— Je parie que Brayden va bien.

JOUR 11

— Ouais, a confirmé Niko. Il va falloir.

On a embarqué l'équivalent de deux semaines de nourriture et de boisson.

Niko m'a demandé d'aller récupérer du matériel médical.

Lui, il allait finir de calfater le toit du bus.

Quand je suis revenu avec mes quatre grandes bassines d'antibiotiques, de calmants, de bandages, de Bactine, de Benadryl, d'eau oxygénée, etc., Astrid était là qui lui donnait un coup de main.

— Hé, m'a-t-elle fait avec un geste de la tête.

— Hé.

Elle portait un jean, des tennis neuves, et un haut en polaire rose.

J'ai remarqué qu'elle n'avait pas retiré mon bonnet.

Apparemment, Niko lui avait demandé de récupérer des couvertures et des sacs de couchage – elle en avait rapporté un gros tas.

— Glisse deux sacs de couchage et deux couvertures sous chaque siège, tu veux ? lui a-t-il dit.

— Ça marche.

— Et la suite, c'est quoi ? ai-je voulu savoir.

Il m'a envoyé prendre des lampes électriques, des lanternes et autres outils au rayon maison & bricolage.

À mon retour, Astrid et Niko étaient assis, adossés contre un flanc du bus, et ils discutaient de ce dont on pouvait avoir encore besoin.

— On a des masques antipollution pour tout le monde. Nourriture, eau, matériel de secours. Du Benadryl aussi ?

— Aussi, ai-je confirmé.

Il a continué le récap'.

— Corde, allumettes, bâches, sacs à dos, pétrole, couteaux... Deux pistolets et des balles...

Là, il s'est frotté les yeux.

— Et de l'argent ? Ou des bijoux ? De quoi faire des échanges, peut-être.

— Je m'en charge, a déclaré Astrid.

— Niko ! a alors lancé Josie.

Elle arrivait en titubant.

Niko s'est relevé d'un bond.

— Quoi ? Mon Dieu, qu'est-ce qu'il y a ?

— C'est M. Appleton. Pas Brayden. Pas Brayden. Brayden va bien.

Elle nous disait ça à travers ses larmes.

Puis elle s'est approchée de Niko et lui est tombée dans les bras.

— M. Appleton est mort.

Niko l'a serrée contre lui.

Elle a levé les yeux ; il la regardait ; ils se sont embrassés.

Sans échanger un regard, Astrid et moi on a compris qu'on devait y aller.

On les a laissés seuls, tous les deux.

CHAPITRE TRENTE ET UN

RECONNAISSANCE

LE CORPS INERTE DE M. APPLETON GISAIT SUR SON MATELAS GONFLABLE au milieu du rayon auto. Josie avait dû essayer de l'éloigner de Brayden quand elle avait compris qu'il était mort. Là, on aurait dit un mannequin de cire.

Jake était assis à côté de Brayden. Il avait le regard absent, braqué droit devant lui, et il se balançait d'avant en arrière.

Couchée à côté de lui, Luna a levé la tête vers moi et a battu quatre fois de la queue, faiblement, en me voyant.

— Hé, Jake, la forme ? ai-je demandé.

— Nan, m'a-t-il répondu en chassant la question d'un geste.

J'ai tâté le front de Brayden. Moite.

Il a battu des paupières, comme s'il me reconnaissait l'espace d'un instant.

Astrid s'est agenouillée et lui a relevé un peu la tête. Elle lui a versé de l'eau dans la bouche.

Il a crachoté et failli s'étouffer.

— Si seulement on pouvait le conduire à l'hôpital, a soupiré Astrid.

— Si seulement on savait s'il est ouvert, ai-je ajouté. On manque d'infos, là.

Au même instant, j'ai eu une idée.

— Les talkies-walkies vidéo d'Alex ! me suis-je exclamé en me levant.

— De quoi ? a fait Jake.

— Je reviens, ai-je lâché en fonçant trouver Niko.

— Niko ! criais-je en traversant le Greenway.

Je suis revenu à la « clairière » où il était resté avec Josie. Aussi sec, ils se sont dégagés l'un de l'autre. Comme si ça pouvait faire quoi que ce soit que je les voie ensemble !

— Les talkies-walkies vidéo d'Alex ! ai-je lancé, essoufflé. Écoute, Brayden doit être conduit à l'hôpital. On ne sait pas s'il est ouvert. Mais je peux m'équiper d'un talkie-walkie et aller voir. Comme ça, vous saurez ce qui se passe dehors. Si c'est risqué ou pas.

— Hein ? a répliqué Niko.

Je lui ai tout réexpliqué en retournant au Train.

J'avais envie de réveiller Alex et de lui demander si c'était faisable.

— Je porterai l'émetteur, et vous verrez ce qui se passe dehors, ai-je annoncé aux autres dans le salon. Je pourrais même pousser jusqu'à l'autoroute, voir si c'est dégagé.

— Mais c'est dangereux de sortir ! a protesté Josie.

— Qu'est-ce qu'on en sait ?! ai-je pratiquement crié. Est-ce qu'on peut vraiment croire ce que nous ont raconté ces mecs ? Robbie ne voulait pas qu'on sorte. Il voulait rester à l'intérieur. Il a pu dire n'importe quoi. Si ça se trouve, l'hosto est ouvert !

Je délirais légèrement. L'épuisement me faisait peut-être perdre un peu les pédales, mais l'idée paraissait bonne.

— Mission de reconnaissance ! ai-je claironné.

Alex était à présent réveillé. Sahalia s'agitait dans son sommeil.

— Je pars en reconnaissance ! C'est comme ça qu'on dit.

Je me suis tourné vers mon frère.

— Tes talkies-walkies, tu crois qu'ils fonctionneront si je vais avec l'émetteur jusqu'à l'hôpital ?

— Non, m'a répondu Jake. Ça marchera pas.

Je le dévisageais littéralement.

— Par contre, avec moi oui, ça va le faire, a-t-il précisé.

Niko secouait la tête, mais l'autre ne lâchait pas l'affaire.

— Je sais. J'ai bien merdé. J'ai… déconné grave. Mais je cours vite. J'ai la forme et j'appartiens au groupe B. Ni cloques, ni hallus, ni colère.

— Je ne pense pas que tu sauras gérer ça, lui a dit Niko. Désolé. C'est trop dangereux.

— Tu dois me laisser faire un truc pour Brayden. C'est mon pote. Mon meilleur ami. Et s'il meurt parce que j'ai laissé Robbie me reprendre le flingue…

Il nous regardait tous tour à tour.

— S'il te plaît, laisse-moi le faire.

Astrid s'était jointe à nous pendant son petit speech.

— Je ne comprends pas votre plan, l'a-t-elle coupé. Jake va sortir ?

— Ouais. Et vous pourrez tous voir ce que je verrai.

— Mais si quelqu'un t'attaque ? a repris la fille.

— Il pourrait emporter un pistolet, a proposé Niko.

Astrid a baissé la tête et s'est reculée. Jake s'est levé et s'est approché d'elle.

Ils se sont mis un peu à l'écart, mais on les entendait quand même.

On les voyait aussi, comme le magasin était éclairé en plein.

JOUR 11

C'était limite indécent, d'ailleurs, d'éclairer le Greenway comme ça.

— Je dois le faire pour Brayden, disait Jake à Astrid. C'est ma faute s'il s'est pris une balle. Si j'avais pas touché aux cachetons, ça serait pas arrivé.

— Tu vas mourir, et tout ça pour essayer de le sauver.

— Je t'en prie, a-t-il ajouté tout doucement. Je veux faire quelque chose. Quelque chose de bien. Pour une fois.

Ils se sont enlacés, j'ai détourné le regard.

Elle l'aimait et il l'aimait. C'était comme ça. Je pouvais lui laver les cheveux jusqu'à la Saint Glin-Glin – elle était amoureuse de Jake.

Relevant la tête, j'ai vu Alex qui m'observait, de la pitié dans les yeux.

Pile ce dont j'avais besoin.

C'est à ce moment-là qu'Ulysses est apparu à la porte ; il se frottait les yeux.

— Je veux Robbie, a-t-il dit.

Les petits étaient réveillés.

C'était le matin.

CHAPITRE TRENTE-DEUX

JAKE TV

NIKO ET ALEX SONT PARTIS PRÉPARER JAKE POUR SA SORTIE.

Astrid s'est portée volontaire pour aller s'occuper de Brayden.

Ce qui n'a laissé que Josie et moi pour tirer des craques aux gosses.

— Qu'est-ce qu'il y a eu ? a demandé Max en se montrant à la porte.

Les mioches sont tous ressortis du Train furax, mal lunés et pas près de nous pardonner. La lumière du magasin leur faisait cligner les yeux.

— Les jeunes, il est arrivé quelque chose de pas bien, hier soir, a commencé Josie. M. Appleton s'est senti plus mal quand vous avez tous été couchés, alors Robbie a dit qu'il allait sortir chercher de l'aide. C'est bien ça, Dean ?

— C'est ça. Alors Brayden est allé récupérer les pistolets des deux monsieurs là où on les avait cachés, mais il est tombé.

— Voilà, c'était ça le coup de feu que vous avez entendu, est intervenue Josie. Brayden s'est pris une balle dans l'épaule. Heureusement, il va bien. Il va s'en tirer.

Les petits avaient l'air tellement intrigués, que limite on voyait des points d'interrogation tournoyer dans leurs yeux.

JOUR 12

— Mais y a eu deux coups de feu, a protesté Max.

Je me suis tourné vers Josie.

— Non, a-t-elle déclaré. C'était juste le ricochet.

— Juste le quoi ? lui a demandé Chloe.

— Le ricochet, a répété Josie. Comme un écho.

— Moi, je crois pas trop, a fait Max en croisant les bras.

— Robbie, il est où ? a voulu savoir Ulysses.

— Voilà, justement, ai-je repris en me penchant pour être à leur hauteur. Robbie, il est parti. Il voulait retrouver nos parents le plus vite possible.

Une pause, puis j'ai ajouté :

— Et aussi trouver de l'aide pour M. Appleton.

Je n'avais pas la force de leur annoncer qu'il était mort.

Je me suis de nouveau tourné vers Josie, et mon regard lui disait : Laissons-les déjà encaisser la mauvaise nouvelle pour Robbie, on leur expliquera après pour M. Appleton.

Le message a dû passer, parce que Josie a enchaîné :

— Oui, M. Appleton, en ce moment il dort. Il dort à poings fermés. Il ne faut pas le déranger.

Caroline et Henry se sont mis à pleurer. Ulysses se dissolvait déjà en larmes.

— Mais il y a aussi une bonne nouvelle, ai-je alors affirmé. Robbie nous a laissé Luna. Il a dit qu'il voulait que ce soit Ulysses qui la garde parce qu'il est très gentil.

Le petit a enfoui son visage dans la chemise de Josie.

— Allez, on l'appelle, a décidé la fille. Luna ! Luna !

Les mioches l'ont appelée aussi, avec leurs petites voix trop mignonnes.

Josie a levé la tête vers moi.

— Et maintenant, petit déj', a-t-elle ordonné. Le plein de protéines.

Le temps que les mioches aient fini les chaussons œuf et fromage que je leur avais préparés, Niko et Alex avaient équipé Jake. Je leur ai apporté un plateau-repas à l'espace multimédia.

Jake avait enfilé plusieurs couches de survêtements – de M à XXL. On aurait dit un mannequin rembourré. Comme ils ne lui avaient pas encore enturbanné la tête, il ressemblait à un Culbuto – le corps énorme et la tête normale qui dépassait. Jake était tout sourires.

— Vous faites quoi ? a demandé Max.

Les gosses ont tous éclaté de rire en voyant Jake. Il avait l'air trop cucul.

Niko m'a foudroyé du regard en mode *Vous leur avez pas dit ?*

J'ai soupiré et haussé les épaules. On avait déjà tellement de choses à leur dire.

Jake avait aussi un sac à dos dans lequel j'ai repéré de la viande séchée, des céréales pour randonneur, de l'eau et deux lampes électriques.

Je savais qu'il emportait aussi un des flingues.

'Tain, j'espérais que ça suffirait pour le protéger.

Alex finissait d'installer le talkie.

L'appareil était fixé au torse de Jake par plusieurs couches de ruban adhésif. Ça faisait bizarre, de le voir ceinturé comme ça au niveau de la poitrine. La caméra ressortait en avant. Jake avait aussi une oreillette dont le câble était scotché sur sa peau, comme s'il était un agent des stups prêt pour un raid, ou un mec du FBI.

— Alors, Bouffe-papier, tu me trouves comment ? m'a-t-il demandé.

JOUR 12

Pour moi, on aurait dit un accro à la muscu trop fan de gadgets électroniques.

— Un vrai dur, mec, ai-je répondu.

— Menteur, s'est-il esclaffé.

Ça faisait du bien de lui voir un objectif en tête. Il avait encore le teint pâle et l'air en vrac, mais au moins il souriait.

Tous les mioches étaient venus voir, mais ils nous laissaient la place de travailler. Josie leur a patiemment expliqué ce qui allait se passer.

Eux, ils étaient scotchés.

Chloe serrait Luna super fort. L'animal pouvait se préparer à recevoir pas mal d'amour, d'ici peu.

Mais elle était sympa : là, elle a juste léché la figure de la petite jusqu'à ce qu'elle la lâche.

Alex a allumé le talkie puis s'est dirigé vers une tablette. Une qui n'avait pas souffert du séisme vu qu'elle était dans son carton. Bref, mon frère l'avait branchée sur le secteur et reliée au talkie récepteur par le port AV IN.

Alex a alors allumé l'appareil, et une image est apparue : Caroline et Henry, qui se tenaient à ce moment-là juste devant Jake, blottis l'un contre l'autre, en train de sucer leur pouce.

— Hé ! ont-il fait à l'unisson en se voyant à l'écran de la tablette.

On a tous crié bravo.

Jake a ensuite pivoté sur lui-même, et sa caméra nous a passés en revue.

L'éclairage étant faible, on avait du mal à se distinguer, mais c'était bien nous. Crades, j'ai remarqué. Ça ressortait carrément plus à l'écran qu'à l'œil nu.

Je m'étais peut-être juste habitué à notre niveau de crasse.

— É-norme, a fait Jake.

Là, il s'est mis à sautiller, et l'image a sautillé à l'écran. Il est ensuite allé se coller devant Max, et l'image a zoomé sur le visage ravi du gosse qui nous a tiré la langue et fait une grimace.

— OK, Jake, dis quelque chose, lui a demandé Alex.

— Allô, allô ? Ici Jake en direct du Greenway de Old Denver Highway à Monument, dans le Colorado !

Le son était trop bas, mais on entendait quand même faiblement sa voix qui sortait, toute métallique, du haut-parleur du talkie.

— Écoute voir si tu m'entends, a repris mon frère.

Il s'est assis par terre, à côté de l'appareil.

— Tu m'entends, là, Jake ?

— Ouh là oui, putain, et pas qu'un peu, s'est plaint Jake avec un sourire. Mec, c'est balèze. J'ai l'impression d'être un astronaute !

Niko s'est approché de lui.

— Tu es sûr de vouloir le faire ? On sait que c'est dangereux, dehors.

— Écoute, mec. Je gère… Niko-Paniquo.

— Niko-Paniquo, a répété Max, amusé.

Jake était de retour. Jake le rigolo.

C'était pile ce dont il avait besoin, me suis-je dit. La possibilité de redevenir un héros.

Là-dessus, Astrid s'est pointée.

— La température de Brayden monte, a-t-elle annoncé. Je sais pas dire s'il va bien. Il s'agite.

— Bon, pas de temps à perdre, a décidé Jake. On y va.

Astrid a détourné le regard.

— Je retourne auprès de Brayden, a-t-elle dit.

JOUR 12

— Je vais te tenir compagnie, a proposé Sahalia.

Elle avait l'air bien calmée, elle, maintenant. Les deux filles sont parties ensemble.

Astrid n'arrivait pas à regarder Jake dans les yeux.

— À plus, Astrid, lui a-t-il lancé.

— Ouais, a-t-elle répondu.

— Allez, a repris Niko, on s'occupe de ta tête.

Alex et lui ont mis au point un système de filtrage de l'air : masque antipollution plus cagoules de ski – de celles qui ont deux trous pour les yeux et le nez.

Niko a donc passé le masque à Jake.

Jake a trifouillé son oreillette et son micro pour les caler sous le masque.

— Tu m'entends ? lui a demandé Alex.

Pendant ce temps, Niko passait plusieurs cagoules sur la tête de Jake.

— Ça roule, a répondu Jake tout en faisant signe à Niko de le laisser.

— Non, lui a répondu le scout. Encore deux secondes.

Jake a donc attendu que Niko ait fini de lui installer ses passe-montagnes en polaire.

— T'arrives à parler ? l'a relancé mon frère.

— Test, test, un-deux-trois, a fait Jake.

Sa voix sortait étouffée – forcément, entre le masque, et les tout petits haut-parleurs du talkie…

Alex s'est tourné vers nous autres.

— C'est bon, a-t-il affirmé. On est bons.

— OK, alors c'est parti, a décidé Niko.

On s'est tous dirigés vers la réserve pour accompagner Jake.

— Stop ! ai-je alors hurlé. Vous pouvez pas tous y aller.

— Pourquoi pas ? m'a demandé Niko.

— À cause des *trucs*, ai-je répondu en priant bien fort pour que Niko se rappelle que Jake et moi avions transporté le cadavre sanguinolent de Robbie là-bas.

— Ah oui, a acquiescé Jake.

— Et puis les produits chimiques.

— T'as raison, a approuvé Niko. Alex n'aura qu'à aider Jake à monter sur le toit.

Traduction : mon frère devait s'équiper lui aussi d'un masque et de plusieurs couches de vêtements.

— Vous venez, a alors dit Chloe aux autres gosses, on va prendre des chaises, du pop-corn et des bonbons pour le pestacle !

Aussitôt, ils ont foncé récupérer les fauteuils moelleux du salon. Tout ça en gloussant d'excitation.

Ulysses était le seul parmi eux à paraître encore triste à propos de Robbie et de M. Appleton. Les autres, ils déliraient à l'idée de mater la télé.

— Bonne chance, Jake, lui ai-je dit pendant qu'on attendait qu'Alex s'équipe.

Il m'a serré la main, puis à Niko.

— Reviens vite, a ajouté ce dernier.

Les mioches en étaient encore à faire le stock de bonbecs quand, à l'écran, Jake est passé à côté du cadavre de Robbie, sur son matelas gonflable. Je me suis planté devant le moniteur, au cas où un des petits passerait par là.

Sur la tablette, j'ai donc vu Jake et Alex grimper l'escalier métallique menant à la trappe.

Alex a retiré une grosse pointe en fer de son logement, et la trappe a basculé vers le bas.

Jake a dû monter en premier. Ensuite, à l'écran, j'ai vu le visage masqué d'Alex. Mon frère a passé à Jake une masse de

JOUR 12

chaînes et de barreaux. L'échelle de secours, ai-je compris. Sur ce, Jake lui a tendu la main pour l'aider à se hisser sur le toit.

Rien que d'imaginer mon frère là-haut, je flippais.

Jake a accroché l'échelle au rebord du toit, puis les barreaux ont plongé dans le noir.

Jake s'est retourné vers Alex et lui a serré la main.

— T'inquiète, petit gars, l'ai-je entendu dire. Ça va aller.

Alex a répondu un truc qu'on n'a pas pu entendre.

— C'est clair, lui a fait Jake.

Là-dessus, les petits sont revenus en courant – ils apportaient oreillers et fauteuils moelleux. Chloe, elle, avait récupéré un grand sac de pop-corn, un autre de mini-barres chocolatées, et six cannettes de Mountain Dew. Beurk.

L'image bougeait à mesure que Jake descendait les barreaux de l'échelle, mais il faisait très sombre.

— J'y vois rien ! a rouspété Chloe.

— Moi non plus, a confirmé Max.

— Mets plus de jour ! a exigé la petite.

Là, elle a voulu tripoter le talkie-walkie.

— Personne ne touche l'appareil à part Alex ! s'est écrié Niko.

Chloe a fait un bond.

— Mais il est où, lui ?

— Il récupère l'échelle, ensuite il va devoir se nettoyer. Vous, vous vous taisez et vous regardez !

Je ne l'avais jamais entendu aussi sérieux. Mais moi ça m'allait. Je voulais juste mater Jake TV.

Par contre, on avait du mal à distinguer quoi que ce soit. Chaque fois que Jake faisait un pas, l'image tremblait – sans parler de l'obscurité.

— Tu pourrais arrêter de bouger deux secondes, qu'on voie ce que tu vois ? lui a demandé doucement Niko par le talkie-walkie.

— OK. Là, ce que vous voyez, c'est le ciel et l'horizon.

Jake s'est immobilisé et on a pu voir… pas grand-chose, en fait. Un ciel très sombre, une terre très sombre et une bande de lumière entre les deux.

Pour moi, c'étaient comme des images noir et blanc du ciel avant l'aube. Mais je savais qu'il était au moins 20 heures. Voire 22.

— Nous, on ne voit pas grand-chose, Jake, a annoncé Niko. Et toi ?

— Il fait noir. Mais j'y vois. J'ai pas envie d'allumer une lampe, pour pas attirer l'attention. Par contre, il fait plus noir que j'aurais cru.

Du coup, on a appris quelque chose. Il faisait plus noir que ce qu'on aurait cru.

L'image s'est remise à trembler avec ses pas. On distinguait des points de couleur et différentes zones de gris – mais de là à reconnaître quoi que ce soit…

— Je suis sur le parking. Les voitures ont pas bougé depuis l'orage. Toujours défoncées. Matez-moi ça.

Il s'est approché d'un véhicule. Au reflet de la lumière, on a eu un gros plan de la carrosserie. Défoncée, donc. Avec des pelures de peinture sur la tôle rouillée.

— Je crois bien que les produits bouffent le métal…

On a compris qu'il avait repris sa marche parce que l'image s'est remise à sautiller.

— J'accélère un poil. Mes yeux se sont un peu habitués à l'obscurité. Pas envie de traîner.

JOUR 12

D'après l'itinéraire prévu, Jake devait maintenant traverser le parking et la Old Denver Highway. Ensuite, il avait un bon kilomètre à faire pour rejoindre l'Interstate 25.

Et là, de l'autre côté de Struthers Road, il tomberait sur le Lewis-Palmer Regional Hospital.

— OK, a-t-il annoncé. Je vois la Old Denver. Il y a même des lumières.

— Oh, mon Dieu ! s'est exclamée Josie, tout excitée.

Au même instant, Alex est revenu au pas de course.

Il avait la figure rouge – frottée de frais – et il s'était changé.

— J'ai raté quelque chose ? nous a-t-il demandé.

Il est aussitôt allé se poster devant le talkie.

— Il traverse le parking, lui a expliqué Niko. Il y a de la lumière près de la Old Denver Highway.

À l'écran, on voyait des ronds lumineux, de la taille d'un Tic-Tac, qui s'agitaient au loin.

— Des lumières ! s'est écrié Henry.

Jake a pressé le pas sur quelques mètres avant de ralentir.

Soudain, écran noir.

— Quelqu'un approche, a-t-il chuchoté.

— Il se passe quoi ? a voulu savoir Chloe. Pourquoi on y voit rien ?

— Je pense qu'il s'est accroupi, ai-je dit.

On a attendu.

— Demande-lui s'il va bien, a proposé mon frère à Niko.

— Non, a répondu ce dernier. S'il est en danger, son oreillette risque de le trahir.

Enfin, Jake a repris la parole.

— Sont partis, a-t-il soufflé.

— C'était qui ? lui a demandé Niko. Tu as pu les voir ?

— Deux personnes. Qui marchaient ensemble. Ils avaient des valises. De celles à roulettes.

Deux nomades post-apocalyptiques équipés de valises à roulettes. Surréaliste.

— Ils étaient emmitouflés, alors j'ai pas pu voir si c'étaient des hommes ou des femmes ou quoi.

— Seigneur, a gémi Josie. (Elle avait l'air de souffrir.) Ça pouvait être n'importe qui.

Elle avait raison. Ça pouvait être des gens qu'on connaissait. Mais Jake ne pouvait pas s'arrêter pour leur demander. Il risquait de se faire détrousser, assassiner ou Dieu sait quoi.

N'empêche, c'étaient peut-être des gens qu'on connaissait (et qu'on aimait).

Genre, nos parents.

Jetant un coup d'œil derrière moi, j'ai aperçu Astrid. Elle avait dû laisser Brayden aux bons soins de Sahalia.

Elle était assise en tailleur à l'arrière de notre groupe. Luna avait posé la tête sur ses genoux, et Astrid la lui caressait d'un air absent.

À l'écran, les points lumineux grossissaient. À intervalles réguliers, ils disparaissaient ou s'éteignaient, suivant les mouvements du torse de Jake. Mais ils revenaient toujours.

— Le sol est super boueux, a annoncé Jake. Toutes les plantes sont mortes, et ça pourrit dans tous les sens.

Il a ralenti.

On entendait sa respiration, amplifiée par le masque qu'il portait.

On s'est tous trémoussés sur nos sièges. Caroline et Henry étaient agrippés l'un à l'autre comme à un canot de sauvetage.

JOUR 12

— Je vous dis ce que je vois, nous a chuchoté Jake. La route est quasi déserte. Il y a des voitures par endroits, mais au moins une voie entièrement libre. Des espèces de lampadaires de l'armée tous les, mettons, cinquante mètres, je sais pas.

» Il y a pas mal de voitures garées sur les côtés. Genre en panne, mais je sais pas depuis quand elles sont là. Peut-être depuis la grêle, ou plus récemment. La route est dans un sale état. Le séisme l'a fracassée par endroits. Le séisme a tout fracassé.

La respiration de Jake était régulière. Ça faisait trop intime à écouter comme ça.

Puis elle s'est accélérée.

— Là je… je vais bouger…, nous a-t-il dit d'une voix légèrement essoufflée. Pas facile de respirer avec ce truc.

On a vu quelques lampadaires allumés, ce qui m'a un peu surpris.

— OK, a repris Jake. Balade peinarde dans quartier tranquille.

Il paraissait nerveux.

— Les lampadaires sont allumés ? lui a demandé Niko par le talkie.

— Ouais, et j'ai sorti le flingue. Au cas où quelqu'un m'observerait.

Jake a continué à avancer dans le noir pendant ce qui nous a semblé durer une éternité.

Les petits mangeaient leur pop-corn et j'avais envie de leur dire « chut », mais j'avais trop le souffle coupé.

Jake est arrivé en vue de l'hôpital.

— Ça s'annonce mal, a-t-il dit à voix basse. C'est tout sombre. Zéro éclairage.

On a alors distingué un fantôme de bâtiment aux fenêtres défoncées.

— L'hosto est naze, a annoncé Jake. Il y a pas un chat.

— Purée… a fait Niko en se prenant la tête à deux mains. Qu'est-ce qu'on va faire ?

À l'écran, on aurait dit que les murs de l'hôpital palpitaient, comme s'ils bougeaient.

— On voit quoi, là ? a alors demandé mon frère par le talkie.

— C'est des affichettes, lui a répondu Jake. Des lettres, des notes, des photos.

Il s'est approché pour qu'on puisse voir.

Photo d'un homme, environ 50 ans : « Disparu. Mark Bintner. Aperçu pour la dernière fois sur Mount Herman Road. »

« Avez-vous vu ma fille ? » – photo d'une toute petite blondinette.

Une note rédigée à la hâte : « Grand-mère, je suis toujours en vie ! Départ pour Denver. »

— Tout le monde est parti, a déclaré Jake tout en continuant de passer les affichettes en revue.

Il y en avait plein qui disaient la même chose : à tous les survivants. Rendez-vous à Denver pour transport aérien vers Alaska. Départ tous les cinq jours les multiples de 5.

— Tous les cinq jours les multiples de 5, ai-je répété.

— On est quel jour ? a murmuré Josie.

— Le 28, lui a répondu Niko sur un ton sinistre.

Photo d'une fille dans sa robe pour le bal de fin d'année.

Photocopie d'un portrait de grand-mère.

Photo de femme scotchée à cette note : « Anne Marie, RDV aéroport Denver ! – Lou ».

JOUR 12

Et puis là, notre carte de Noël.

— Stop ! ai-je hurlé. Dis-lui de revenir en arrière. C'est notre carte de Noël ! Notre carte de Noël !

Niko a demandé à Jake de revenir sur ses pas, et il a repéré notre carte.

Ma mère, mon père, Alex et moi.

Devant notre maison.

Sourires. Petits signes de la main.

Je me suis pris les cheveux à deux mains.

— Qu'est-ce qu'il y a de marqué ?

Jake a décroché la carte. Il l'a ouverte.

En jolies lettres rouges, il y avait écrit : « Joyeux Noël de la part de la famille Grieder ! » Et dessous :

« DEAN ET ALEX – l'écriture de mon père.

Nous ne sommes pas morts, restez en sûreté ou filez à Denver.

Nous vous aimons. Pour toujours. »

Alex et moi, on s'est jetés dans les bras l'un de l'autre.

Autour de nous, tout le monde pleurait plus ou moins, et j'ai senti qu'on me serrait de tous les côtés.

Josie, Chloe, Batiste et Ulysses nous faisaient un câlin. Henry et Caroline, Niko, et même Astrid.

Je ne sais pas si on pleurait parce qu'ils étaient peut-être vivants, ou si c'était juste d'avoir renoué le contact.

— 'Tain… a alors soupiré Jake. (Il avait de gros sanglots dans la voix.) Désolé. Désolé les gars.

Il s'est éloigné de l'hôpital.

— Je… je vais pas revenir. J'en peux plus.

— De quoi ?! s'est écriée Astrid en s'écartant du groupe.

— Il a dit quoi, Jake ?

Là, on a entendu les bruits du Scotch qu'on arrache et des vêtements qu'on rajuste.

— Il fait quoi ? a demandé Astrid.

L'angle de la caméra a bougé et j'ai compris que Jake retirait le talkie de sa poitrine.

— Dites à Astrid que je suis désolé.

Ç'a été les derniers mots qu'on a entendus de lui.

On est tous restés là, devant l'écran, à mater.

Jake a posé l'appareil par terre.

On ne voyait que ses chaussures. La chaussée. L'obscurité en arrière-plan.

Jake s'est éloigné de nous. De la caméra.

Et nous, tout ce qu'on pouvait faire, c'était le regarder disparaître comme ça dans le jour tout noir.

— Non ! a hurlé Astrid, en larmes.

Les petits se cramponnaient les uns aux autres, et à nous aussi. Ils sanglotaient.

Niko nous a laissés, bien furax, les poings serrés.

Astrid s'est effondrée par terre. Caroline et Henry se sont blottis sur ses genoux, la serrant dans leurs bras. Ils chialaient toujours. Astrid a enfoui son visage dans les cheveux de la petite pour pleurer.

Deux minutes plus tard environ, on a entendu un grondement mécanique. Un moteur qui démarrait. Luna s'est mise à aboyer. Le son provenait de l'autre bout du magasin.

Le bus.

Niko avait mis le contact.

Chapitre trente-trois

LE BUS

LE VROMBISSEMENT DU MOTEUR RÉSONNAIT DANS TOUT LE GREENWAY.

On s'est dirigés vers le bus comme des zombies. Comme si ce bruit nous avait ensorcelés.

Le moteur s'est arrêté au moment même où on approchait.

Le véhicule stationnait toujours à son emplacement, près des portes d'entrée. Niko est apparu à la portière.

— Vous avez dix minutes pour vous préparer un sac chacun. Prenez surtout des habits. Vous avez droit à un jouet, pas plus.

— Attends ! est intervenue Astrid. On fait quoi, là ?

— Brayden a besoin d'un docteur. On l'emmène en voir un.

— Où ça ? a demandé Max.

— Nous partons pour Denver.

Là, déluge assourdissant de cris, de hourras et de rires.

Moi, j'avais mal au ventre.

— T'es sûr de toi ? ai-je hésité. On pourrait pas en discuter ?

Niko s'est approché de moi tandis que les mioches fonçaient faire leurs bagages. Alex est venu se poster à côté de lui.

JOUR 12

— L'état de Brayden a empiré, a annoncé Niko. Sa blessure s'infecte. Il a le teint vert !

— Mais les routes ! l'ai-je contré. Si ça se trouve, elles sont défoncées, ou bloquées, ou…

— Il mourra si on reste ici.

— Mais Niko…

— Tu as dix minutes pour te préparer un sac. Tu sais que le bus est équipé. Ça va aller.

— Dean, est intervenu mon frère, c'est peut-être notre seule chance de revoir papa et maman !

— Tu veux revoir tes parents ? a demandé Niko.

— 'Videmment ! ai-je gueulé. Mais je tiens pas à me transformer en monstre sanguinaire à bord d'un bus rempli de marmots !

— On va te donner des sédatifs, a déclaré Niko. On en a discuté avec Alex.

Là, il a adressé un signe de tête à mon frère.

— De quoi ? me suis-je étonné.

— On va vous mettre sous sédatifs, les trois qui êtes du groupe O, m'a expliqué Alex. Et aussi vous ligoter, par précaution.

— Merci de me soutenir, ai-je ironisé.

C'était un choix logique, mais je le prenais comme une trahison, surtout qu'ils étaient là tous les deux à essayer de me convaincre.

— En plus, si ça se trouve, les produits se sont un peu dissipés, a repris Alex. Ta réaction sera peut-être moins extrême.

— Je n'ai plus le temps d'en discuter, a tranché Niko. Ma décision est prise ; si je me suis trompé, je devrai vivre avec. Mais je ne peux pas laisser Brayden mourir sans rien faire.

— Niko, tu es censé être le cerveau du groupe, ai-je dit. Prudent, futé, le gars qui pèse bien le pour et le contre.

— Ce bus est un char d'assaut, m'a-t-il confié. Il nous conduira à bon port, je le sais.

— Nous devons partir, a ajouté mon frère. C'est notre seule chance de les revoir.

— Et si nous décidons de partir, nous ne devons pas traîner. La prochaine évacuation est pour dans deux jours.

J'ai tourné les talons et me suis éloigné.

— Tu vas où ? m'a lancé mon frère.

— Préparer mon sac, tiens, ai-je craché. J'ai le choix ?

— Fais vite, m'a rappelé Niko. J'ai besoin que tu m'aides à transporter Brayden dans le bus.

Je suis parti récupérer un sac à dos au rayon sport, puis direction le rayon vêtements hommes.

À l'intérieur, je bouillais.

C'était une connerie. Une énorme erreur. Ils ne comprenaient donc pas ce que les produits allaient m'obliger à faire.

Et puis les routes ? Les bandits ?

— C'est pas une bonne idée, a soufflé une voix derrière moi.

Astrid. Elle avait l'air d'une gamine apeurée, dans l'éclairage fluo du magasin.

— Je sais, ai-je acquiescé.

— Nous, on devrait pas y aller.

— Je sais. Niko a trop peur que Brayden crève, alors il risque la peau de tout le monde.

Astrid est venue me prendre dans ses bras.

Elle a appuyé la tête contre ma poitrine et m'a serré fort.

C'était bon. Comme si on était deux aimants faits l'un pour l'autre. Je l'ai prise dans mes bras et l'ai serrée.

JOUR 12

— Reste, m'a-t-elle dit. Reste avec moi, Dean.

— Hein ?

— Je pars pas, a-t-elle précisé en se dégageant un peu pour me regarder dans les yeux. Et je veux que tu restes avec moi.

J'avais une boule dans la gorge. La vision toute trouble.

Elle comptait rester dans le Greenway, et elle me demandait de rester avec elle ?

— Tu veux que je reste avec toi ? Moi ?

Là, elle s'est complètement dégagée, a reculé d'un pas et a fourré les mains dans les poches de son gilet.

— C'est que… a-t-elle commencé en rougissant.

Elle rougissait.

— Je pars pas, a-t-elle fini par lâcher sans me regarder dans les yeux. Je peux pas. Et tu devrais pas non plus. Les produits vont nous changer en monstres. Les autres savent pas ce que c'est. Nous, si. Chloe, toi et moi, on doit absolument rester.

Du coup… quoi, en fait ? Euh. C'est précisément ce que j'avais envie de dire : « Euh ? »

Elle me demandait de rester parce que j'étais du même groupe sanguin qu'elle ? Elle me conseillait de rester à cause des produits chimiques ?

Et le câlin, ça voulait dire quoi ?

J'ai supposé que c'était sa façon de me faire comprendre que… j'étais un mec bien. Son ami.

J'ai fourré deux trois sweat-shirts dans mon sac.

— Alors ? m'a demandé Astrid.

— Je sais pas quoi dire… Je peux pas laisser mon frère. On doit rester ensemble.

— T'as qu'à lui dire de rester aussi. Il a de la logique. Il saura que c'est la seule décision à prendre.

— Non, il veut partir. Il pense que c'est notre seule chance de retrouver nos parents. Jamais il voudra rester.

— Mais nous, si on part on va tuer tout le monde !

Je me suis tourné vers elle.

Elle avait le visage baigné de larmes. Elle les a essuyées du revers de la main.

— S'il te plaît, Dean.

Chaque fois qu'elle prononçait mon nom, c'est comme si elle enfonçait un couteau brûlant dans mon cœur et le coupait en deux.

— Astrid… On portera des masques. Ils vont nous donner des sédatifs et nous ligoter. On pourra pas les aider, mais on ne les tuera pas non plus.

J'ai fourré trois paires de jeans dans mon sac.

— Qui sait ? Niko a peut-être raison. Peut-être que tout ira bien.

— Non, a-t-elle repris, limite hystérique. Je peux pas y aller. Je peux pas. Je peux pas !

— Bon, stresse pas trop non plus…

— Je vais avoir un bébé.

— Hein ?

Elle a croisé les bras sur sa poitrine.

— Je suis enceinte.

— T'es sûre ?

Elle m'a fait signe que oui.

— Sûre. Et depuis un moment. J'en suis à quatre mois. Peut-être plus.

— Quatre *mois* ?

Elle a relevé son pull et son maillot de corps.

J'ai vu la peau crémeuse de son superbe corps de plongeuse. Et effectivement, ça faisait une bosse au niveau du ventre.

JOUR 12

Une grosseur. Pile sous le nombril, ça gonflait. Comment ça se fait que je ne l'avais pas remarqué avant ?

Elle a rabaissé ses habits puis s'est caché la figure derrière les mains. Elle pleurait en silence.

— Oh, Astrid… ai-je fait en m'approchant d'elle.

Je l'ai prise dans mes bras et l'ai serrée.

— Et tu te dis pas que c'est une raison de plus pour partir ? lui ai-je demandé à voix basse. Ne serait-ce que pour voir un docteur. Tu crois pas ?

— J'y ai pensé. Mais qu'est-ce qui se passera si le, enfin tu vois, si le fœtus est exposé aux produits ? S'il est comme nous, Dean ? (Puis, dans un murmure :) Ou s'il a des cloques ?

Je vous épargne les images macabres qui me sont venues à l'esprit.

— Bon et alors vous deux ? a lancé Chloe en faisant irruption dans le rayon. Nous, on est presque prêts.

C'était le bazar : tout le monde rapportait des affaires supplémentaires dans le bus, Josie devait faire le tri (« Non, Caroline, tu ne peux pas emporter des carillons pour ta maman ! » « Mais Dean il a dit qu'on peut ! » « Bon, d'accord ! »), et Niko essayait de mettre un peu d'ordre dans tout ça.

— Enfin ! a-t-il lancé en nous voyant arriver.

Il venait de réussir à faire prendre un somnifère à Chloe. Écrasé dans une cuillerée de confiture.

— Une dose entière, nous a-t-il précisé. Elle devrait dormir jusqu'à l'arrivée. Là, c'est votre tour, mais d'abord j'aimerais que Dean me donne un coup de main pour transporter Brayden à bord.

Josie et Sahalia aidaient les petits à enfiler leurs diverses couches de vêtements.

— OK, a repris Niko en pénétrant dans le rayon auto où se trouvait Brayden.

Il a sorti un papier de sa poche.

Une check-list.

— On a de la nourriture, de l'eau, du matériel de premiers secours, des habits de rechange, des produits d'échange…

Là, Luna a aboyé.

— Purée ! s'est exclamé Niko. Les boîtes pour chien.

— Max, ai-je alors lancé. Du manger pour Luna !

Le petit a fait oui de la tête avant de foncer au rayon animaux.

Niko poursuivait sa lecture :

— Masques antipollution, couches de vêtements, corde, allumettes, bâches, sacs à dos, pétrole, couteaux, flingue, munitions.

Il s'est tourné vers moi.

— Tu penses à autre chose ?

Cette liste était impressionnante.

— Non, je vois pas, ai-je avoué.

Sahalia était auprès de Brayden. Elle avait décidé de s'occuper de lui, et défendait pas mal son territoire.

Elle avait déjà enfilé plusieurs couches de vêtements, et se démenait pour faire passer les siennes à Brayden.

— On va t'aider, lui ai-je dit.

Niko avait raison, Brayden avait le teint vert.

Le plus délicatement qu'on a pu, on lui a enfilé des sweat-shirts à fermeture Éclair, pendant que Niko se chargeait des bas de jogging.

— Brayden, lui a-t-il murmuré. On va te transporter dans le bus.

JOUR 12

Le mec n'a manifesté aucune réaction. Il était tout mou et tout moite.

— D'abord, on le traîne sur le matelas, ensuite, on le soulève pour le faire monter à bord.

On a fait comme il a dit.

Tout ce temps-là, je me débattais avec la décision que j'avais à prendre.

Josie a installé des couvertures pour Brayden sur le deuxième siège du bus.

Niko, Josie, Sahalia, Alex et moi, on a ensuite soulevé le blessé comme on a pu, et on l'a transporté dans le véhicule. Il a réussi à marcher, un tout petit peu, quand on l'a fait monter, mais après il s'est écroulé sur son siège.

— On va te chercher des secours, Brayden, lui a dit Sahalia. Tu vas te remettre rapidement.

Quand on est redescendus du bus, elle a demandé à Niko :

— On a des cachets pour la douleur, hein ? Et des antibiotiques ?

— Toute une caisse, l'a rassurée Niko.

Sahalia avait pas mal grandi, ces derniers jours.

J'aimerais bien être un grand costaud taiseux, qui ne pleure jamais ni ne montre la moindre émotion.

Mais à la seconde où j'ai vu mon frère en train de bosser avec Astrid pour abattre la paroi de contreplaqué qu'on avait fixée à la grille d'entrée, les larmes me sont montées aux yeux, et tout est devenu trouble et luisant.

Mon frère chéri, si sérieux et si malin.

Comment pouvais-je lui faire ça ?

— Ne touchez pas au contreplaqué avant qu'on ait mis tous nos habits et nos masques antipollution ! leur a lancé Niko.

— Merde, et pour la grille ? lui ai-je alors fait remarquer.

— J'ai pensé à un truc pour la relever, a annoncé Alex.

J'ai acquiescé et détourné le regard – qu'il ne voie pas l'angoisse qui s'emparait de moi.

Tous les autres avaient déjà revêtu leurs habits supplémentaires. Ils tenaient leurs masques à la main. Sahalia est descendue du bus pour récupérer le sien.

Ils étaient prêts.

— Où est Chloe ? a voulu savoir notre chef.

— Elle avait très, très sommeil, alors je l'ai mise à la sieste dans le bus, lui a expliqué Josie.

Les somnifères devaient agir hyper vite sur une petite de huit ans.

— Alex, je pourrais te parler ? ai-je appelé mon frère.

— Tiens, Dean, tes habits de protection, m'a coupé Josie. Et j'ai tes « vitamines ».

— Moi aussi j'en veux des vitamines ! s'est écriée Caroline.

— Moi aussi ! a réclamé Henry.

Josie les a fait taire.

— Alex, faut que je te parle, ai-je repris.

— Vous pourrez discuter dans le bus, nous a dit Niko en enfilant ses vêtements de protection. Tes habits, Dean.

J'ai adressé un regard à Astrid. Josie l'aidait à enfiler des sweat-shirts, lui tirait les bras des manches.

— Allez, Astrid, fais un effort, l'encourageait-elle.

Astrid, elle, pleurait. Constatant que je l'observais, elle m'a imploré du regard pendant que nos amis se démenaient. Nos meilleurs amis. Notre famille.

— Non, ai-je déclaré. Je pars pas.

Plusieurs têtes se sont tournées vers moi.

— Astrid et moi, on reste.

JOUR 12

Josie dévisageait Astrid.

— Qu'est-ce qu'il raconte ? lui a-t-elle demandé.

Astrid a fait oui de la tête, l'air ravagé.

— C'est pas marrant, Dean, est intervenu mon frère.

Sur ce, il a pris le sweat-shirt que Josie m'avait apporté, et me l'a fourré dans les mains.

— Enfile-moi ça !

— On reste, ai-je insisté.

— Pas question !

— On n'a pas le choix.

— Mais vous devez venir !

Il a aussitôt eu les larmes aux yeux. Ses lèvres faisaient deux lignes parallèles.

— On sera pas en sécurité dans le bus, ai-je expliqué.

— Dis-leur qu'ils doivent venir, Niko ! Oblige-les !

Notre scout finissait de s'habiller.

— Niko ! a hurlé Alex. Dis-leur !

— Non, a-t-il répondu. Ils ont raison. Ils seront plus en sécurité s'ils restent, et nous aussi.

Alex s'est alors mis à lui gueuler dessus et à le taper. Puis il s'en est pris à moi.

Je l'ai agrippé et l'ai serré contre moi.

— Alex, écoute-moi, l'ai-je supplié. Tu vas retrouver nos parents.

— Nan.

— Et tu sauras précisément où je suis. Après vous viendrez tous me chercher.

— Pitié, Dean. Pitié !

— C'est plus sûr pour nous comme pour vous.

— Tu restes… a-t-il alors fait, tout essoufflé. Tu restes…

Il s'est dégagé de moi et a essuyé la morve qui lui coulait du nez.

— Tu restes pour cette fille ! a-t-il craché. Tu la préfères elle à moi ! Tu la préfères à nos parents !

Il s'éloignait de moi.

— Tu l'aimes tellement que tu veux plus revoir ta famille ! Je te déteste !

Là-dessus, il a pivoté sur ses talons et est monté dans le bus.

— Alex, l'ai-je rappelé, le visage baigné de larmes.

Niko a posé une main sur mon bras. Il était équipé de ses habits de protection.

— Si vous restez, il va falloir repenser la question de la grille, a-t-il annoncé. Et j'estime aussi que vous devriez garder Chloe.

Je me suis tourné vers Astrid, elle a hoché la tête.

— Ça va pas lui plaire, est intervenue Josie. Qu'on l'abandonne comme ça.

C'est clair, au réveil, elle allait être furax.

Mais sérieux, elle serait en sécurité avec nous, et les autres n'auraient rien à craindre d'elle.

Je suis allé la récupérer dans le bus et l'ai allongée sur l'ancien matelas gonflable de Brayden.

— Quelqu'un d'autre préfère rester ? a demandé Niko aux mioches.

Silence général.

Ils avaient l'air terrifié, cramponnés à leurs masques antipollution.

Mais pas un ne s'est manifesté.

On n'a retiré que les panneaux du milieu. Les panneaux latéraux pouvaient rester en place, vu que le bus ne passerait que par la porte centrale.

JOUR 12

Et après avoir refusé de façon si théâtrale d'enfiler nos habits de protection, Astrid et moi avons fini par les mettre, masques antipollution compris, vu que les produits chimiques allaient envahir notre espace.

Il faudrait ensuite remonter la cloison le plus vite possible.

— Allez, les jeunes, on se dépêche, a déclaré Niko. Vous dites au revoir et vous montez dans le bus. On perd du temps, là.

Max, Batiste, Henry et Caroline ont aussitôt foncé vers nous pour qu'on les câline. J'ai senti qu'on me tirait par la main ; Ulysses tirait mon bras tout rembourré.

Il m'a remis la laisse de Luna.

— Tu gardes Luna, m'a-t-il dit. Et tu té soubiens de moi.

Il m'a serré bien fort, puis il est monté dans le bus.

Leur dire au revoir, c'était comme prendre des coups de poignard en plein cœur.

Caroline et Henry pleuraient. Ils sont restés accrochés à moi jusqu'à ce que Josie vienne les prendre et leur dise de monter à bord.

— Dean, m'a alors appelé la petite. Faut que tu viennes. T'es notre préféré !

— Je suis désolé, Caroline. Je dois rester pour être sûr qu'Astrid et Chloe sont en sécurité.

— Tu diras à Chloe qu'on lui a dit « au revoir », hein ?

Des larmes coulaient sur ses joues constellées de taches de rousseur. C'était trop dur.

Alex était assis à côté de Brayden à l'avant du bus. Il m'ignorait. Niko était allé le persuader de venir me dire au revoir, mais mon frère avait refusé de sortir. Pas même pour soulever la grille. Il avait donné des instructions à Niko pour Astrid.

— Bon, quand vous entendez la corne de brume, a donc répété notre chef, tu appuies sur le bouton qui relève la grille, mais seulement pour celle du milieu. Au deuxième coup de corne, tu rabaisses la grille.

Astrid a acquiescé.

— Je suis désolée, Niko, lui a-t-elle dit. Désolée qu'on ne puisse pas partir avec vous.

— Je sais, lui a-t-il répondu.

— Tu as été un super chef.

Entendre leur conversation me faisait mal. Comme si c'était la fin de tout.

— Bonne chance, a-t-il conclu.

— À toi aussi.

Là-dessus, elle est partie attendre la corne de brume.

Le bus avait redémarré.

Josie et Sahalia attendaient à côté du véhicule. Elles portaient leur masque.

Nous n'avions qu'à retirer les derniers panneaux de contre-plaqué puis donner un coup de corne de brume pour qu'Astrid relève la grille centrale.

— Attendez ! me suis-je alors écrié.

J'avais eu une idée. Me détournant de Niko, j'ai couru comme un dératé.

— Dean ! Faut qu'on y aille, là !!! m'a lancé le scout.

Je fonçais toujours.

À la recherche de ce truc.

À mon retour, j'étais essoufflé.

J'ai remarqué que Josie et Sahalia étaient montées dans le bus. J'avais laissé passer ma chance de leur dire au revoir. Pas grave.

JOUR 12

J'ai bondi à bord du véhicule.

Il était là. Première rangée.

— Alex, lui ai-je dit. Prends ça. (Je lui apportais un journal vierge, comme le mien, et un paquet de stylos.) Tu écriras tout, et tu me l'écriras *à moi*. Dis-moi tout ce qui t'arrive.

Il sanglotait. Puis il a tendu ses bras rembourrés vers moi et on s'est serrés l'un contre l'autre.

— Comme ça, je saurai tout ce qui t'arrive, ai-je ajouté.

— Je le ferai. Promis.

Niko et moi avons retiré les dernières vis.

Luna était accrochée par sa laisse à un pied de chaise dans la cuisine.

Les petits étaient sanglés sur leurs sièges.

Moi, je me tenais à un bout de la dernière section de contreplaqué, Niko à l'autre.

On a tiré, les quatre dernières planches sont tombées. J'en ai dégagé deux. Niko les deux autres.

Debout sur les marches du bus, Josie attendait ce moment-là.

BRAAAM ! Elle a fait retentir la corne de brume puis l'a reposée par terre.

Sauf que, derrière les plaques de contreplaqué, on avait mis d'épaisses couvertures en laine et des couches de bâches en plastique. J'avais oublié.

J'ai voulu essayer d'enlever les couvertures.

Mais au même instant la grille a commencé à se relever dans un ronronnement métallique. Trop tard.

La grille remontait – elle forçait à cause des couvertures et des bâches, mais elle ne coinçait pas.

Et là on a revu le parking. Le goudron défoncé. Les voitures massacrées. Les points lumineux au loin – éclairage de sécurité sur l'autoroute.

On revoyait le monde.

Ce monde dont on s'était coupés depuis si longtemps.

Le moteur du bus a rugi quand Niko a passé la marche arrière pour s'engager sur le parking.

Ça marchait ! Il roulait ! Le bus fonctionnait.

Niko a donné un coup de klaxon.

Je savais que, à l'intérieur, tout le monde criait des « au revoir », qu'ils pleuraient sans doute, mais je ne les entendais pas…

Ils s'en allaient. Sans nous.

J'ai actionné ma corne de brume : *BRAAAM* !

Le bus s'est dirigé vers la sortie du parking.

Là, il s'est arrêté. Les portières se sont rouvertes.

Qu'est-ce qui se passait ?!

Deux gosses emmitouflés sont descendus et ont foncé vers moi en titubant.

J'avais le cœur au fond de la gorge. Les nerfs en pelote, je me suis élancé vers eux, sans savoir qui c'était – je m'en moquais bien.

Sur ce, derrière moi, la grille a commencé à redescendre.

Je courais vers les petits, dérapant sur la chaussée visqueuse et poisseuse. Je sautais entre les sections de goudron, et tentais de ne pas tomber.

J'ai récupéré les deux petits et ai fait demi-tour fissa. La grille descendait toujours, masquant peu à peu l'éclairage du Greenway. Elle nous cachait déjà la cuisine, les caisses, les chariots vides dans leurs files.

JOUR 12

J'ai posé les gosses par terre, puis les ai poussés l'un après l'autre par-dessous la grille.

Ensuite, je m'y suis faufilé. Avec peine – la faute à tous mes (satanés) habits. La grille m'écrasait la poitrine. Les deux petits me tiraient par un bras, cherchaient à me ramener en sûreté.

J'ai poussé d'une jambe et j'ai fini par réussir à rentrer.

J'avais perdu une tennis dans la manœuvre, mais j'avais sauvé mon pied. La tennis dehors ; mon pied dedans.

On était à l'intérieur. Dans notre maison chérie. Notre sanctuaire commercial lumineux, à l'écart du vrai monde – sombre et sinistre. Notre Greenway.

Les deux petits ont ôté leurs passe-montagnes et leurs masques. C'étaient Caroline et Henry.

— On veut rester avec vous, a dit la fillette.

— Vous nous garderez en sécurité, a ajouté son frère.

— On peut rester ? a repris Caroline.

Elle levait les yeux vers moi, sa figure maculée de crasse et de larmes.

— Mais bien sûr, lui ai-je répondu. Bien sûr que vous pouvez rester.

Astrid est sortie de la réserve.

— Oh ! s'est-elle écriée en découvrant les nouveaux venus.

Ils ont accouru vers elle.

Elle, elle s'est mise à genoux et leur a couvert le visage de baisers. Leurs petites bouilles entre ses mains, elle les dévorait.

Puis elle les a serrés contre sa poitrine.

Elle les tenait comme ça quand elle m'a appelé du regard, m'invitant à me joindre à eux.

Alex était parti.

Comme Niko, Josie, Brayden et les autres.

Jake, aussi.

Et nous pouvions compter l'un sur l'autre, elle et moi.

Mais nous avions Caroline, Henry et Chloe.

Nous étions cinq.

REMERCIEMENTS

DU FOND DU CŒUR, JE REMERCIE MON AGENT, SUSANNA EINSTEIN, qui m'a soutenue depuis le moment où je lui ai expliqué mon embryon d'idée. Et ce jusqu'à la parution du livre que vous venez de lire. Jean Feiwel, mon éditrice – merci pour ta vision et ton implication pour amener *Seuls au monde* à son meilleur niveau. Je m'estime incroyablement chanceuse de travailler avec toi. Holly West – merci d'aimer autant mon livre et d'en prendre un si grand soin.

Un grand merci à Gregory Casimir et Vinny de chez Target – pour leur savoir-faire d'initiés. Et merci aux boy-scouts du nord de l'État de New York que j'ai rencontrés au Chuckwagon Dinner de Colorado Springs. Votre franchise, votre intelligence et votre honnêteté m'ont décidée à faire de Niko un boy-scout. J'espère qu'il vous a rendus fiers.

J'aimerais aussi remercier Jane et Bob Stine, qui m'ont offert la possibilité d'écrire mon premier roman – il y a bien longtemps. Bill Gifford, Terry Culleton, Richard Walter et Howard Suber sont des enseignants qui m'ont marquée, et je tiens à ce qu'ils le sachent.

Marina Dominguez – je ne serais jamais revenue à une vie créative si tu ne m'avais pas aidée avec les gosses.

Merci à mes premiers lecteurs : Amy Baily, Cate Baily, Andrew Blair, Kristin Blair, Wendy Shanker et Kevin Maher ; ainsi qu'à mes éternels lecteurs : Kit et Gerry Laybourne (mes parents).

Merci à Patricia Hasegawa et au groupe Parent Your Dream. Merci aux Warriors. Aux Heartless Floozies. À mon groupe de motivation par e-mail. (Je suis une femme à groupe, il semblerait.) Quelle chance j'ai, de tous vous avoir !

Et Greg – merci d'être mon avocat et mon héros.

CE ROMAN VOUS A PLU ?

Donnez votre avis et
discutez de votre série préférée
avec d'autres lecteurs sur

Si vous avez aimé *Seuls au Monde*,
découvrez les aventures d'Ilsa, Mathilde,
Émile et Zacharie.

Leurs parents ont été assassinés.
Ils sont censés être morts.
Leur ange gardien : Nicolas Mandragore.
Leur mission : rétablir la vérité sur des affaires
trop vite classées. Pour que jamais plus personne
ne soit « traité » au nom d'intérêts controversés.

Ils sont

LES EFFACÉS

de Bertrand Puard

(Cinq titres déjà en librairie.)
(Rendez-vous pour le tome 6 en novembre 2013.)

Pour savoir quand ce titre sera
disponible, inscrivez-vous
gratuitement à la newsletter du site :

**LECTURE
academy.com**

PROLOGUE

Ils se côtoyaient depuis six mois maintenant, sans faire attention les uns aux autres. Ils s'ignoraient superbement. Le kokoï, un batracien aux couleurs vives, plongeait souvent au fond de l'eau où se trouvait l'escargot cône des eaux tropicales. Sur le sable qui bordait le bassin, le scorpion rôdeur avançait paisiblement, insensible aux sifflements du serpent taïpan, qui se prélassait sous les vives lumières artificielles de ce vivarium géant. L'araignée errante, elle, préférait faire bande à part, cachée à l'ombre de la végétation luxuriante, une forêt tropicale en miniature, qui s'écrasait tout le long des épaisses parois de plexiglas.

Cinq espèces rares, parmi les plus dangereuses pour l'homme. La nature les avait heureusement dispersées aux quatre coins du globe, de l'Australie pour le serpent à la Colombie pour le batracien. Seul un esprit fou, ou passablement dérangé, aurait choisi de les concentrer dans un vivarium de trente mètres cubes.

À eux cinq, ils possédaient assez de venin pour décimer les passagers d'un Airbus. Le petit batracien à lui seul, malgré son allure inoffensive et ses quatre centimètres de long, concentrait sur sa peau un poison à même de tuer une vingtaine d'hommes robustes d'un simple contact.

Elissa observait ses protégés, le nez collé à la vitre épaisse du vivarium. Elle s'amusait à cligner des yeux en fixant le kokoï. Elle s'était aperçue que la bête souriait lorsqu'elle faisait cela. Enfin, le batracien noir aux taches bleues et jaunes modifiait la courbure de sa bouche, ce qui pouvait être pris, avec un peu d'imagination, pour un sourire. Elle avait un faible pour le kokoï, à l'aspect si inoffensif, et qui était, de loin, la créature la plus mortelle du vivarium. Dans les forêts sud-américaines, les indigènes le faisaient cuire à feu doux pour extraire le poison présent sur sa peau. Ils enduisaient ensuite leurs flèches avec la substance qui ne laissait aucune chance à leurs victimes. Elissa l'avait baptisé Algernon.

Elle aimait aussi Charlie, l'araignée, qui tissait de magnifiques toiles. À l'inverse, elle n'éprouvait aucune attirance pour le serpent, trop froid à son goût, pas davantage pour l'escargot, qu'elle supposait incapable de la moindre marque d'affection, et le scorpion, qui l'avait piquée la première fois qu'elle l'avait manipulé. Elle en gardait encore la marque sur son avant-bras, trois mois après : une petite boursouflure rouge piquetée de points jaunes.

Le haut-parleur situé au-dessus du vivarium se déclencha. La jeune fille arrêta aussitôt ses grimaces.

— Elissa, pourrais-tu nous sortir Algernon ?

C'était la voix du professeur Verrine, le virologue de l'équipe de nuit. Elle se retourna. Le chercheur se trouvait de l'autre côté d'une vitre, en compagnie d'un homme de petite taille au visage poupin, revêtu d'un costume moiré et d'une cravate noire. Elle n'avait jamais vu ce visiteur auparavant.

Les responsables du laboratoire avaient bien pris soin de placer le vivarium dans un local confiné, un cube transparent de dimension moyenne. On y accédait par un sas. Les deux portes du sas s'activaient grâce à un lecteur d'empreintes digitales. Et une seule main droite au monde pouvait accéder à cet endroit. La main droite d'Elissa.

— Bonsoir, professeur Verrine.

— Bonsoir, Elissa. Nous avons besoin d'Algernon ce soir. Peux-tu le glisser dans la boîte et me l'apporter ?

Bien sûr, Elissa allait exécuter les ordres du scientifique. Après tout, elle était là pour ça. Elle considérait M. Amadieu, le propriétaire du laboratoire, comme son deuxième père. Même son premier, car elle n'avait jamais connu l'autre. Mais elle n'aimait pas laisser ses petites bêtes entre les mains des savants. Un jour, et malgré les assurances de M. Amadieu, ils finiraient par en tuer une par inadvertance, à force de leur planter des aiguilles dans le corps, de les triturer sous tous les angles du microscope électronique. Il fallait voir Algernon lorsqu'il revenait d'une de ces séances ! Il était comme fou et sautait partout, se projetant quelquefois violemment contre la paroi du vivarium en poussant de petits coassements de dégoût.

— Tout de suite, professeur.

Plus vite elle s'exécuterait et plus vite tout cela serait fini. Les pendules digitales au mur indiquaient l'heure déjà bien tardive : 23 h 30 ici, 17 h 30 à Montréal. Dans ce laboratoire souterrain, coupé du monde, sans la moindre fenêtre, on perdait vite le fil du temps. Si l'expérience ne durait pas plus d'une demi-heure, Algernon aurait réintégré son gîte pour la collation du soir. Au menu : mille-pattes et fourmis.

Elissa souleva la vitre qui couvrait le vivarium et, d'un geste expert, captura le kokoï, qui n'opposa aucune résistance.

En voyant cela, le cœur de Verrine battait à deux cents à l'heure. Il ne comprenait pas. D'ailleurs, personne ne comprenait au labo comment cela était possible. Qui était donc cette jeune fille de douze ans, à la peau très noire, qu'Amadieu leur avait présentée un beau matin et qui pouvait manipuler les cinq espèces les plus mortelles pour l'homme sans prendre la moindre précaution, sans passer ni combinaison ni gants ? Normalement, le fait de toucher, d'effleurer même, la peau d'un kokoï de Colombie vous tuait en l'espace de cinq minutes à peine. Il se rappelait le jour où Elissa s'était fait piquer par le scorpion. Ça avait été le branle-bas de combat dans l'ensemble du laboratoire, tout le personnel se lamentait sur le sort de la jeune fille. Sauf M. Amadieu, présent ce jour-là, dont le visage ne trahissait pas le moindre signe d'inquiétude pour sa protégée. « Du calme, du calme », répétait-il. Elissa avait eu un bref étourdissement, aucun autre symptôme.

Et ce n'était pas sa seule étrangeté. Quelquefois, elle corrigeait ou complétait des équations chimiques laissées en plan par les scientifiques sur leurs tableaux noirs. Au petit matin, ils retrouvaient l'insoluble résolu. Et l'écriture était celle de la jeune fille. À douze ans, ses compétences en biologie égalaient voire dépassaient celles des savants les plus expérimentés du laboratoire. D'où pouvait bien venir Elissa ? Et qui était-elle au juste ?

Le professeur Verrine songeait à tout cela alors que le kokoï était à présent dans une solide boîte en plexiglas qu'Elissa déposa avec précaution sur un petit tapis roulant à l'arrêt. Le tapis permettait d'échanger les bêtes entre le vivarium et la salle de manipulation. Lorsque Verrine se trouverait dans le bocal étanche où il manipulait les virus, il actionnerait le mécanisme et Algernon viendrait à lui. Ainsi, le batracien passait d'une salle étanche à une autre salle étanche. Aucun contact ne se faisait avec l'extérieur.

— Venez par ici, dit Verrine à son accompagnateur qui observait toutes ces manœuvres avec le plus grand intérêt. Nous allons revêtir un scaphandre.

Ils entrèrent dans un local exigu où quatre combinaisons étaient accrochées au mur.

— Prenez bien soin de connecter votre tuyau au système d'alimentation en oxygène situé au-dessus de votre tête. Cela se fait sur le même principe que les masques dans les avions, sauf qu'ici on peut se déplacer en même temps.

Son interlocuteur n'entendit pas la fin de sa phrase. Le hublot lui permettait de voir Verrine mais il ne pouvait plus l'entendre. Le scaphandre isolait totalement de l'extérieur.

— M'entendez-vous à nouveau ?

La voix provenait d'un écouteur. Le système était équipé de micros afin de communiquer pendant les manipulations.

— Cela va peut-être vous paraître étrange mais nous allons prendre une douche dans la prochaine salle. Elle durera trois minutes. Eau et formaldéhyde, un puissant désinfectant. Nous ne devons pas apporter le moindre microbe dans le laboratoire.

Trois minutes plus tard, à la seconde près, le professeur actionna l'ouverture électromagnétique du dernier sas.

— C'est un grand honneur que vous fait M. Amadieu de vous permettre de pénétrer dans le saint des saints. C'est ici que se déroulent nos recherches sur les virus les plus dangereux pour l'homme. Il existe seulement une dizaine de laboratoires comme le nôtre dans le monde. Deux aux États-Unis, un en Angleterre, un en Allemagne… Je vous épargne la liste complète. Tous sont déclarés aux autorités. Nous sommes le seul laboratoire P4 hors de tout contrôle. Cela nous donne une liberté de recherche considérable, mais aussi des devoirs éthiques supplémentaires. Certains de mes confrères seraient prêts à tuer pour prendre ma place et bénéficier d'une telle autonomie.

Le scientifique marqua une pause pour goûter la teneur de son discours.

— Faites attention. Ne tentez aucun geste sans mon consentement.

Verrine poussa un bouton rouge situé sur un boîtier rubéoleux près du grand microscope, et le tapis roulant se mit aussitôt en marche. Algernon, dans sa boîte, avait un air interrogatif. De l'autre côté de la vitre, Elissa, qui venait de sortir du vivarium, observait la scène avec anxiété.

Pourvu que Verrine ne traumatise pas le kokoï !

— Nous allons comparer la structure de notre virus maison avec celle du poison du kokoï. Vous verrez que nous nous en sommes largement inspirés.

— Je ne verrai pas grand-chose, répondit le visiteur qui s'exprimait pour la première fois depuis son arrivée. Je ne suis pas un scientifique.

Le professeur balaya cette remarque d'un geste de la main.

— Il suffit de savoir observer, un peu comme dans le jeu des sept erreurs que l'on trouve parfois dans les journaux.

Avec l'assurance des gestes maintes et maintes fois répétés, il sortit le batracien de la boîte et, grâce à une minuscule pipette, préleva une goutte de la substance visqueuse présente sur sa peau. Il la déposa sur une plaque de microscope et la glissa sous la lentille de l'appareil. Puis, d'un pas presque nonchalant, Verrine se dirigea vers une grande armoire réfrigérée située dans un coin du laboratoire qui renfermait des centaines d'éprouvettes. Il l'ouvrit et, sans hésiter, en retira une qui contenait une substance liquide d'un orange très sombre.

— Voici le BrainOne, le premier virus conçu par nos laboratoires. Espérons que nous ne serons jamais obligés d'en connaître son nom !

Il revint vers le microscope, s'apprêtant à faire un prélèvement du liquide, lorsqu'il s'aperçut que la boîte en plexiglas contenant Algernon n'était pas bien refermée. Un oubli inadmissible de sa part. Verrine déposa l'éprouvette sur le tapis roulant et s'efforça de refermer le récipient. Un léger engourdissement de ses doigts dû à la manipulation du virus glacé ne lui simplifia pas la tâche. D'autant que le batracien venait de glisser une de ses pattes mortelles en dehors de son habitacle. Elissa frappa du poing contre la vitre. Verrine savait bien qu'il était hors de question de blesser le précieux kokoï.

— Attendez, je vais vous aider, proposa le visiteur.

Mais l'homme, peu habitué à se déplacer avec le scaphandre, fit un faux mouvement, se cogna violemment contre le microscope et, en se relevant, débrancha la prise à oxygène de son équipement.

— Nom de Dieu ! hurla Verrine.

Aussitôt, une alarme stridente se fit entendre dans tout le laboratoire et les sas se verrouillèrent automatiquement. La situation était grave, mais pas encore désespérée. Dans un réflexe, l'homme ôta à la hâte la tête de son scaphandre pour se libérer. Heureusement que Verrine n'avait pas encore procédé au prélèvement du virus hautement mortel. Le virologue parvint à fermer la boîte sans dommage pour Algernon mais, au moment de se saisir de l'éprouvette, le tapis roulant se remit en marche et la fiole se brisa sur le sol, répandant son liquide orange sur le carrelage immaculé du laboratoire.

Composition Nord Compo

Cet ouvrage a été imprimé en Espagne
par RODESA

20.3648.1 – ISBN 978-2-01-203648-2
Dépôt légal 1re publication : septembre 2013

Édition 01 – septembre 2013

Loi n° 49-956 du 16 juillet 1949
sur les publications destinées à la jeunesse.